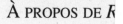

À PROPOS DE *R...*

« REINE INCONTESTÉE DE LA SF SOUS NOS
LATITUDES, LA "MAGICIENNE DE CHICOUTIMI"
BOUSCULE LES CONVENTIONS ET SIGNE AVEC CE
PREMIER TOME UNE FRESQUE NOVATRICE,
ALLIAGE ASTUCIEUX D'UCHRONIE, DE FANTASY
ET DE CHRONIQUE FAMILIALE. »
Le Soleil

« ÉLISABETH VONARBURG A BÂTI UN MONDE
COMPLEXE, PROFOND, RICHE EN SYMBOLES,
AVEC SA PROPRE LOGIQUE ET SES CONVENTIONS. »
La Presse

« MAÎTRESSE DE L'ILLUSION…
ÉLISABETH VONARBURG POSSÈDE UN DON,
CELUI DE POUVOIR CRÉER DES UNIVERS
TELLEMENT RÉALISTES QU'ON FINIT TOUJOURS
PAR CROIRE EN LEUR EXISTENCE.
SA NOUVELLE ÉPOPÉE, *REINE DE MÉMOIRE*,
NE FAIT PAS EXCEPTION. »
Voir – Montréal

« […] UNE AMBITIEUSE SAGA EMBRASSANT MAGIE,
SPIRITUALITÉ ET HISTOIRE SUR PLUS DE 2000 PAGES. »
Le Devoir

« VONARBURG NOUS HAPPE DANS UN UNIVERS À LA
FOIS DENSE, COMPLEXE ET ACCESSIBLE. »
Entre les lignes

REINE DE MÉMOIRE
5. LA MAISON D'ÉQUITÉ

DE LA MÊME AUTEURE

L'Œil de la nuit. Recueil. (épuisé)
 Longueuil : Le Préambule, Chroniques du futur 1, 1980.

Le Silence de la Cité. Roman.
 Paris : Denoël, Présence du futur 327, 1981. (épuisé)
 Beauport : Alire, Romans 017, 1998.

Janus. Recueil. (épuisé)
 Paris : Denoël, Présence du futur 388, 1984.

Comment écrire des histoires : guide de l'explorateur. Essai.
 Belœil : La Lignée, 1986.

Histoire de la princesse et du dragon. Novella.
 Montréal : Québec/Amérique, Bilbo 29, 1990.

Ailleurs et au Japon. Recueil.
 Montréal : Québec/Amérique, Litt. d'Amérique, 1990.

Chroniques du Pays des Mères. Roman.
 Montréal : Québec/Amérique, Litt. d'Amérique, 1992.
 Paris : LGF, Livre de Poche 7187, 1996.
 Beauport : Alire, Romans 026, 1999.

Les Contes de la chatte rouge. Roman.
 Montréal : Québec/Amérique, Gulliver 45, 1993.

Les Voyageurs malgré eux. Roman.
 Montréal : Québec/Amérique, Sextant 1, 1994.

Les Contes de Tyranaël. Recueil.
 Montréal : Québec/Amérique, Clip 15, 1994.

Chanson pour une sirène. [avec Yves Meynard] Novella.
 Hull : Vents d'Ouest, Azimuts, 1995.

Tyranaël
 1- *Les Rêves de la Mer*. Roman.
  Beauport : Alire, Romans 003, 1996.
 2- *Le Jeu de la Perfection*. Roman.
  Beauport : Alire, Romans 004, 1996.
 3- *Mon frère l'ombre*. Roman.
  Beauport : Alire, Romans 005, 1997.
 4- *L'Autre Rivage*. Roman.
  Beauport : Alire, Romans 010, 1997.
 5- *La Mer allée avec le soleil*. Roman.
  Beauport : Alire, Romans 012, 1997.

La Maison au bord de la mer. Recueil.
 Beauport : Alire, Recueils 037, 2000.

Le Jeu des coquilles de nautilus. Recueil.
 Lévis : Alire, Recueils 070, 2003.

Reine de Mémoire
 1- *La Maison d'Oubli*. Roman.
  Lévis : Alire, Romans 085, 2005.
 2- *Le Dragon de Feu*. Roman.
  Lévis : Alire, Romans 090, 2005.
 3- *Le Dragon fou*. Roman.
  Lévis : Alire, Romans 095, 2006.
 4- *La Princesse de Vengeance*. Roman.
  Lévis : Alire, Romans 100, 2006.

REINE DE MÉMOIRE
5. LA MAISON D'ÉQUITÉ

ÉLISABETH VONARBURG

ALIRE

Illustration de couverture
JACQUES LAMONTAGNE

Photographie
NANCY VICKERS

Diffusion et distribution pour le Canada
Messageries ADP
2315, rue de la Province, Longueuil (Québec) Canada J4G 1G4
Tél.: 450-640-1237   Fax: 450-674-6237

Diffusion et distribution pour la France
DNM (Distribution du Nouveau Monde)
30, rue Gay Lussac, 75005 Paris
Tél. : 01.43.54.49.02   Fax : 01.43.54.39.15
Courriel : libraires@librairieduquebec.fr
Internet : www.librairieduquebec.fr

Pour toute information supplémentaire
LES ÉDITIONS ALIRE INC.
C. P. 67, Succ. B, Québec (Qc) Canada G1K 7A1
Tél. : 418-835-4441   Fax : 418-838-4443
Courriel : info@alire.com
Internet : www.alire.com

Les Éditions Alire inc. bénéficient des programmes d'aide à l'édition de la
Société de développement des entreprises culturelles du Québec (SODEC),
du Conseil des Arts du Canada (CAC) et reconnaissent l'aide financière du
gouvernement du Canada par l'entremise du Programme d'aide au développement de l'industrie de l'édition (PADIÉ) pour leurs activités d'édition.

Gouvernement du Québec – Programme de crédit d'impôt pour l'édition
de livres – Gestion Sodec.

Dépôt légal : 1er trimestre 2007
Bibliothèque nationale du Québec
Bibliothèque nationale du Canada

TABLE DES MATIÈRES

À Takou

PREMIÈRE PARTIE

1

Les yeux au plafond obscur, Ouraïn doit s'endormir et rêver, car elle est de retour dans la chambre de Hundgao et la lueur de ses torchères. Le poids qui la clouait sur le lit a disparu, mais elle ne bouge pas. Elle contemple les ombres mouvantes et éternelles des amants de pierre, sur les murs.

On s'étend sans bruit auprès d'elle : ses compagnes sont revenues. Des bras l'entourent, on écarte ses cheveux de son visage, on lui caresse longuement les épaules, son poignet meurtri, ses seins au mamelon encore érigé. Elle s'épanouit sous ces mains aimantes qui la défroissent, telle une fleur de feu redevenue calme.

Sans pensée, elle se blottit contre des seins doux et fuyants, noue ses bras autour d'une taille gracile. On la caresse toujours, comme on lisse le pelage d'un chat. Portée par le rythme de la caresse, elle ne sait plus quel corps est le sien, les limites de sa peau se dissolvent, il lui semble que c'est elle qui caresse, elle qui s'imbrique doucement dans la chair offerte, un mouvement sans heurt, une barque qui arrive au port en glissant sur son erre.

Et en même temps, elle est à côté, au-dessus, ailleurs, et elle observe, fascinée.

Elle se colle contre un dos en refermant les bras sur les deux corps amoureux, et elle se laisse soulever par leur joie sauvage. Puis le nœud de chair se défait pour se reformer autour d'elle. Elle ne se dissout pas cette fois, elle donne et elle reçoit, l'eau et le navire, l'air et les ailes de l'oiseau.

Enfin, tandis que les derniers remous s'apaisent dans les dernières étincelles du plaisir, elles restent toutes trois enlacées et c'est comme autrefois, dans un autre temps, un autre lieu, alors qu'elle reposait entre deux autres corps ensommeillés, bien protégée, certaine de tout.

2

« Ouraïn… »

Elle ouvre les yeux. À travers sa fenêtre dont ni les volets ni les rideaux n'ont été fermés, une faible lueur filtre, verte et mouillée, au travers des feuilles du grand banian. Dans sa chambre. Sur son lit. Qui n'a pas été défait. Où elle est étendue, nue. Elle referme les yeux. Chaleur, langueur, lenteur. Elle ne parvient pas à penser. Les sensations s'accumulent sans avoir de sens. Elle a rêvé. Elle a rêvé qu'on l'appelait. Ou bien dort-elle encore ? Elle veut encore dormir. Elle ne veut pas se réveiller. Jamais.

« Ouraïn ! »

Un souffle, mais urgent.

Elle rouvre les yeux et recule brusquement – elle n'a pas eu le sentiment de bouger, mais elle est à croupetons de l'autre côté du lit, tétanisée. Une petite silhouette se découpe à contre-jour sur la lumière, simplement vêtue d'un sarang à la teinte indistincte. Une tête auréolée d'argent. Des cheveux blancs. Un vieillard.

« Ouraïn, c'est moi, Xhélin. »

Elle se détend un peu. Ce n'est pas une menace, alors, mais bien un rêve. Xhélin est mort depuis longtemps. Ses carnets sauraient la dernière fois qu'elle l'a vu, oh, c'était il y a très longtemps, même pour sa mémoire sans dates exactes. Après la mort de Marie-Jolin. Non, après la mort de Kurun. Ou était-ce après la mort de dom Philippe? Quelque part dans la Période des Dix-Sept Ans. Après la mort de quelqu'un. Ils meurent tous. Presque tous. Xhélin est mort aussi.

Elle grimpe de nouveau sur le lit, s'y assied en tailleur, curieuse: « Pourquoi reviens-tu, Xhélin? Les autres ne sont jamais revenus ainsi. »

Il s'approche pour venir se poser sur le rebord du matelas. Il marche à petits pas prudents, comme un vieillard. Pourquoi a-t-il l'air d'un vieillard? Les âmes ne sont-elles pas censées avoir une autre apparence? Et qui plus est, lorsqu'il s'assied sur le lit, le matelas se creuse. Les âmes ont-elles donc un poids?

Il tend une main et elle la prend, en sentant avec surprise les os sous la peau sèche et chaude. Cette visitation manifeste une étonnante tangibilité.

« C'est moi, Ouraïn. Écoute-moi, nous n'avons pas beaucoup de temps.

— Le temps existe pour les âmes? »

Il soupire: « Je ne suis pas une âme, Ouraïn. » Ses yeux se détournent brièvement, reviennent se poser sur elle: « J'ai demandé à être suspendu dans mon âge. Je voulais… pouvoir continuer de veiller sur toi. » Il baisse la tête et sa voix devient un souffle navré: « J'y ai failli. »

Elle libère sa main d'un geste brusque. Que veut-il dire?

Elle le sait.

Elle ne veut pas le savoir.

Elle le sait.

Elle s'affaisse, les bras resserrés sur elle, les yeux fermés. Elle veut se rendormir. Ce rêve ne lui plaît pas.

Une main dure la secoue. « Écoute-moi, Ouraïn. Tu dois venir avec moi. Nous devons partir sur-le-champ. Rappelle-toi que tu es une Natéhsin. Reprends-toi. J'ai failli à mon devoir, mais ce n'est pas… la fin. Il faut partir d'ici. »

Elle murmure, hébétée : « Partir ?

— Pour Garang Xhévât. L'enfant ne doit pas naître ici.

— L'enfant ? »

Une expression désespérée passe sur le vieux visage ridé. Tant de rides. Où Xhélin a-t-il acquis tant de rides ?

« Tu es une Natéhsin malgré tout, Ouraïn. C'est le Grand Festival.

— Le… Festival ? »

Un instant, elle croit rêver encore, et puis les dates se mettent en place dans son esprit, malgré elle. Juin. Le solstice. Le temps où autrefois elle se rendait à la cascade en espérant y rencontrer encore Hyundpènh. Elle répète, atone : « Le Grand Festival.

— Et un enfant a été créé. Tu ne dois pas rester ici. »

Elle comprend exactement ce qu'il veut dire et en même temps tout son être se révolte en un refus strident. En secouant la tête, elle recule contre le mur dans les oreillers : « Je n'en veux pas. Je n'en veux pas ! Enlève-le ! »

Xhélin esquisse un geste pour la retenir, laisse retomber sa main : « Non, cet enfant se trouve dans sa propre Maison, comme tu l'étais dans la tienne : rien ne peut le toucher. Et rappelle-toi ce qu'a dit Kurun avant de partir : tu mettras au monde le nouveau monde. Oh, Ouraïn, je t'en prie, écoute-moi, viens, il faut partir d'ici à l'instant. Il ne doit pas s'emparer de cet enfant.

— Non ! » gronde Ouraïn, soudain soulevée par une douleur furieuse qui la laisse presque sans souffle. « Je ne partirai pas d'ici avant… avant…

— On ne peut rien contre lui. Même à Garang Xhévât, elles ne le peuvent pas. Mais elles peuvent te protéger…

— Ce n'est qu'un homme !

— C'est le Fils du Dragon et le Dragon Fantôme de la Prophétie, Ouraïn », dit Xhélin, presque suppliant. « L'égal d'une Natéhsin. Les Natéhsin ne se dressent pas les unes contre les autres.

— Je ne suis pas une vraie Natéhsin ! » Elle éclate soudain d'un rire rauque : « Je suis une Abomination. Cet enfant l'est plus encore ! Je peux…

— Toi moins que les autres, Ouraïn ! » Il se penche pour lui prendre le visage entre ses vieilles mains si dures, et elle ne peut s'en dégager : « Écoute-moi. Aucun enfant de Gilles ne doit agir contre lui. Le sang du Dragon ne peut se retourner contre lui-même, car sinon le monde finirait pour de bon. Nomghu s'est souvenue, et Hyundpènh, et même Hétchoÿ : seul l'enfant plusieurs fois né de plusieurs pères pourra juger le Dragon Fou et ramener le Dragon de Feu. Ce n'est pas toi. Mais si vous partez d'ici, si l'enfant est sauf à Garang Xhévât, nous pourrons… »

Elle trouve dans sa fureur renouvelée la force de se dégager, de le repousser avec une violence qui le fait glisser du lit et tomber sur un genou, car soudain il ne pèse plus rien pour elle, aussi immatériel, aussi inconséquent qu'une ombre : « Vous voulez m'utiliser, vous aussi ? Et l'enfant après moi ? C'est tout ce que nous sommes pour vous, des ventres ? Abomination après Abomination ? Non ! Je ne te suivrai qu'à une condition : elles m'enlèveront cet enfant. Elles le peuvent, j'en suis certaine !

— Ouraïn…

— Jure-le-moi ! Jure-le-moi, Xhélin, et je partirai avec toi ! »

Xhélin s'est relevé, il tend vers elle des mains suppliantes : « Ouraïn, je t'en prie, c'est impossible, personne ne peut toucher l'enfant… »

Il se raidit brusquement, se tourne à demi. Reste un bref instant figé, puis s'affaisse en silence, comme au ralenti, face contre terre.

Un manche de corne blanche, légèrement recourbé, a poussé sous son omoplate gauche.

3

Début septembre, la Compagnie arrive à Orléans. Senso a du mal à partager l'excitation générale. Alexis s'en étonne, mais comment lui expliquer? Revoir les rues, les places, la statue de Jeanne d'Arc, le palais royal: cette marée de souvenirs... « Je suis fatigué », se contente-t-il de dire, « cela passera. »

On les accueille en grande pompe, avec une audience privée pour madame Andoriakis. Et la salle du théâtre d'Orléans est évidemment comble lorsqu'ils y jouent *Azipal*, à la demande de la Royauté qui a tenu à se rendre en ville avec sa cour plutôt que de jouir d'une représentation privée, à la grande satisfaction des bourgeois orléanais. Les applaudissements sont nourris, un déluge de fleurs salue la finale. Après cela, une réception à l'hôtel de ville permet à toute la troupe de baigner à loisir dans l'adulation générale, et aux comédiens de recevoir en personne les gracieuses félicitations de la Royauté.

On n'accorde pas une attention marquée à "monsieur d'Olducey", sinon pour évoquer son père le dramaturge, même si on lui adresse des regards entendus en le saluant. Un moment, Senso espère qu'on le convoquera en privé, peut-être pour lui donner des nouvelles de Pierrino, mais non, la Royauté se détourne déjà pour d'autres phrases aimables à d'autres membres de la troupe. Il s'éloigne, avec dans la poitrine une braise de ressentiment qui refuse de s'éteindre, et il se laisse flotter dans la salle en écoutant d'une oreille distraite les conversations qui vont bon train, arrosées d'excellents vins de Loire. Malgré l'occasion festive, ou peut-être parce que le sujet d'*Azipal* a rappelé à plusieurs d'autres relations difficiles avec d'autres indigènes que ceux des Atlandies au temps de la découverte, la tonalité générale est plutôt soucieuse. Les troubles ne cessent de bouillir à petit feu, une émeute ici, un accrochage là, des sursauts parfois républicains, parfois contre l'ambercite appréhendée. Il y a dans l'assistance trop de barons du charbon pour que les agitateurs dont on évoque la main néfaste en soient, aussi sont-ce les Hutlandais qu'on accuse de noirs desseins, et sans doute pas même à tort – pourquoi ne profiteraient-ils pas de la situation? De l'ambassade envoyée en Émorie, des négociations en cours, du possible traité commercial, cependant, pas un mot.

Après avoir saisi au vol sur un plateau une flûte de vin pétillant, Senso cherche Alexis des yeux. Il est là, près des grandes portes ouvrant sur la terrasse, l'air un peu perdu dans son bel habit bleu qui lui va si bien au teint. Son expression s'illumine lorsque leurs regards se croisent, et Senso, attendri, s'en va le secourir.

◆

Après le retentissant succès de sa semaine à Orléans, la Compagnie est soudain très en demande. On se rend dans l'est de la région, à Vendôme, Tours, Châteauroux, Bourges, Nevers, Gien. On fait même un détour vers le nord, à Chartres, où Senso admire la splendide cathédrale gothique christienne, qui est maintenant un temple géminite mais à laquelle on a heureusement renoncé à ajouter un second clocher. Il s'amuse parfois, un peu mélancolique, à suivre les itinéraires de la troupe sur une carte de France fournie par le régisseur, en se demandant ce qu'en diraient dés et cartes divinatoires : nord, est, sud, ouest, il va partout, maintenant !

Le succès ne se dément toujours pas, tout autant avec les pièces plus "politiques" qu'avec les pièces comiques ou amoureuses, Théodora doit l'admettre. À défaut d'écrire la pièce qui ne cesse de se dérober, Senso en parle, avec elle, avec Alexis, avec, de fait, quiconque veut bien l'entendre.

« Il faudrait à l'époque moderne plus que la terreur et la pitié, un théâtre total, en quelque sorte. L'alliance du mouvement et du repos, de l'exaltation et de la sérénité, de l'effusion et de la paix, Jésus et Sophia dans toutes leurs nuances !

— Il a raison, renchérit Alexis. Le véritable théâtre géminite est encore à naître…

— Ah, impatiences de la jeunesse », dit Théodora en lui souriant avec une tendresse amusée.

Senso soupire, soudain un peu embarrassé en pensant à ce que Pierrino dirait de son accès de lyrisme : « Malheureusement, je ne parviens pas à m'accommoder des problèmes du réalisme. J'en suis bien d'accord, la perfection d'un spectacle réaliste consiste dans l'imitation si exacte d'une action que le spectateur, trompé sans interruption, s'imagine assister à l'action même et se laisse donc plus facilement emporter. Mais d'un autre côté, cette imitation absolue enlève à l'art ses ressources propres et sa couleur.

La vérité de l'art ne saurait jamais être, ainsi que l'ont dit certains, la réalité absolue. L'art ne peut donner la chose même !

— Le drame est un miroir réfléchissant… remarque Théodora.

— Mais si c'est un miroir ordinaire, une surface plane et unie, il ne renverra des objets qu'une image terne et sans relief, fidèle – et ennuyeuse ! » s'emporte Alexis.

Senso acquiesce avec ferveur : « Il faudrait donc que le drame soit un miroir de concentration qui, loin de les affaiblir, ramasserait et condenserait les rayons colorants, qui ferait d'une lueur une lumière, d'une lumière une flamme. La réalité, mais… comme enchantée.

— Exactement », dit Alexis d'un ton triomphant.

Théodora éclate de rire : « Mais écrivez donc, mes amis, au lieu de théoriser à l'infini ! »

Elle se lève dans un grand envol de jupes. « Quant à moi, j'ai vraiment sommeil. » Elle ébouriffe au passage les boucles d'Alexis, lance d'un ton juste un peu trop enjoué : « Soyez sages ! » et se dirige vers la porte.

Senso écoute les pas s'éloigner dans le couloir, puis s'ouvrir et se refermer la porte de l'autre chambre. Il se sent tout fourmillant d'énergie nerveuse, comme toujours à la suite de ces discussions. Que ne peut-il la transformer en action, et se mettre à écrire ! Il se frotte la figure, découragé.

Alexis continue de marcher de long en large pendant un moment. Soudain, comme s'il avait pris une décision, il vient se jeter dans la chaise qui fait face à la sienne, bras étendus en travers de la table, l'œil ardent.

« Écoute, Senso, j'ai relu *La Tempête*. Pourquoi ne pas nous en servir comme d'un canevas ? Tu as vu la réaction que les pièces de Shakespeare suscitent dans l'assistance, une fois bien adaptées. »

Senso fait une petite moue : « Je préférerais écrire une pièce plus contemporaine, moins... fantaisiste. Et inédite.

— Ah, non, nous n'allons pas recommencer la discussion sur l'imitation ! Originale et contemporaine, elle le sera, cette pièce, puisque c'est toi qui l'écriras, et maintenant. Réfléchis : nous n'adapterions pas *La Tempête*, nous la prendrions simplement pour canevas général. Tu veux parler d'aspects méconnus de la magie, par exemple, tu veux que les gens s'interrogent, n'est-ce pas ? Il y en a, de la magie, dans cette pièce-là, tellement que c'est même la raison pour laquelle on l'a interdite, chez les christiens comme chez nous. » Il lui adresse un clin d'œil : « Et songes-y, ne serait-ce pas plaisant d'être les seuls à savoir de quoi il retourne tout en voyant la pièce encensée par tous ces vertueux critiques géminites ?

— Encensée », s'esclaffe Senso, titillé cependant par l'argument qui lui rappelle ses vains débats avec le sourcilleux directeur du grand théâtre d'Aurepas. « Encore faudrait-il que nous l'écrivions, et qu'elle soit un succès !

— Si nous n'essayons pas, nous n'en saurons rien, n'est-ce pas ? »

Senso contemple Alexis, ses yeux étincelants, son visage tout illuminé d'enthousiasme. Ce n'est pas faux. Et il a quant à lui toujours aimé *La Tempête*. Il cède. « Bon, très bien, essayons. »

Alexis court chercher sur l'étagère son exemplaire de la pièce et le tend à Senso : « Lis, dit-il. Tu lis si bien. Je prendrai des notes si nécessaire. »

Senso ouvre le livre à la page de l'argument : « Prospéro, sorcier et prince ambitieux, a fui le duché de Brocéliande après avoir échoué à détrôner son frère

Amintas. Son navire fait naufrage après une tempête, et avec sa fille, Miranda, il est le seul survivant à aborder l'île de la magicienne Sycorax. Par traîtrise, alors que Sycorax l'a sauvé et accueilli, et en utilisant la naïveté de ses enfants, Ariel et Caliban, qui commandent l'une et l'autre aux esprits de l'île, Prospéro subjugue la magicienne, ses enfants, et plusieurs créatures magiques qui deviennent ses esclaves… »

Il ne peut s'empêcher de sourire : il a toujours rêvé des costumes qu'il pourrait élaborer afin d'indiquer les caractères de chacun de ces deux personnages : Ariel féminine et volage créature de l'air, Caliban masculine et solide créature de la terre. Il reprend : « … Une dizaine d'années passent, pendant lesquelles Miranda grandit en vertu et en beauté, servie par Ariel et par Caliban qu'elle traite avec une affectueuse bonté. Mais Ariel la déteste alors que Caliban la défend contre les complots de sa sœur. Prospéro, quant à lui, nourrit toujours avec amertume des rêves de revanche et de pouvoir. »

Avec une petite moue, il relève les yeux pour voir Alexis qui l'écoute, aussi fasciné que s'il ne connaissait pas la pièce par cœur : « Cela fait vraiment beaucoup de magie, Alex…

— On pourra en ôter. Continue. »

Senso obtempère en secouant légèrement la tête : « Chaque fois que Prospéro est averti du passage d'un navire aux environs de l'île, il suscite une tempête pour le naufrager, car il craint que son frère n'essaie de le retrouver. Mais plusieurs passagers d'un même vaisseau survivent et échouent sains et saufs. Il s'agit de Léandre, le fils du duc de Bretagne et neveu donc de Prospéro, de son précepteur, un saint prêtre, et de plusieurs de ses courtisans. Ariel et Caliban les épient. Ariel médite de les utiliser pour se défaire de Prospéro :

ils distrairont Prospéro, celui-ci sera alors vulnérable à l'action concertée de leur mère, avec eux et les esprits de l'île. On lui laissera le temps de massacrer les autres intrus et l'île sera ensuite libérée. Caliban, cependant, est réticent à faire payer à des innocents le prix de leur libération. Avec le temps, il en est aussi venu à détester la magie, qui a permis leur esclavage et celui de leur mère. Il préférerait trouver un moyen de détruire les pouvoirs magiques de Prospéro, même sans tuer celui-ci, et aussi de Sycorax. Il accepterait volontiers de perdre les siens, car cela le rapprocherait de Miranda. Tout cela lui vaut les railleries d'Ariel… »

Il relève les yeux de la page, avec un petit reniflement sceptique : « Si je me rappelle bien, Alex, les positions de Caliban sur la question sont des plus canoniquement chrétiennes.

— Cela peut se modifier aussi… mais te permettrait de parler des détalentés, non ? »

Il doit admettre qu'Alexis a raison et reprend : « Cependant, Léandre et Miranda, se promenant dans l'île, se rencontrent et tombent amoureux l'un de l'autre à première vue. Caliban, qui suivait Miranda pour la protéger, est saisi d'une terrible jalousie. Il déclare à Ariel qu'il l'aidera dans ses plans. Ils apprennent donc aux naufragés, en se faisant passer pour des indigènes, que le magicien Prospéro, oncle de Léandre et proscrit, vit sur l'île et y règne d'une main de fer. Il ne sait pas encore leur présence, car il en a été distrait par les soins d'Ariel et de Caliban, mais dès qu'il l'apprendra, les naufragés périront. S'ils veulent survivre, ils doivent frapper les premiers. »

Senso laisse retomber le livre sur la table et poursuit : « Sur quoi Léandre et le prêtre débattent – *très* longuement, Alexis, je te le rappelle – de la notion de guerre juste, d'une attaque sans provocation autre que supposée, de la sincérité de leurs informateurs : ces deux indigènes ont peut-être des motifs ultérieurs. Mais puisque Prospéro est un magicien, et l'oncle traître de Léandre de surcroît, il a fait les preuves de sa vilenie et ils connaissent ses pouvoirs : il faut agir. Le problème pour Léandre, et pour Caliban, c'est que l'action proposée par Ariel implique la mort de Miranda. Les péchés du père doivent-ils retomber sur son enfant ? demande Léandre, consterné. Oui, dit le prêtre, car cette jeune fille n'a de toute évidence rien fait pour empêcher le sien de commettre ses actes criminels et impies ; non, proteste Léandre, car elle ne détient aucune magie, et Prospéro l'a trompée honteusement depuis toujours, en usant même de sa magie contre elle ; si elle savait la vérité, elle se rebellerait contre son père. Mais Léandre ne peut convaincre ses compagnons d'épargner Miranda. »

Senso s'étire, les mains croisées derrière la nuque, en soupirant : « S'il faut adapter cela, avec tout ce grand débat moral, tu me pousses du côté où je tomberai, Alex. On se croira dans un palais de justice, devant des avocats et des juges ! »

Alexis réfléchit un moment, les sourcils froncés. « Mais ce sont des sujets importants. Ne disais-tu pas que tu veux faire réfléchir ?

— Ne disais-tu pas qu'il ne faut point ennuyer ?

— Touché », dit Alexis avec une petite courbette ironique. Il redevient sérieux, les yeux au loin : « Si nous adaptions vraiment la pièce, nous pourrions transposer un débat de cet ordre plus loin, au quatrième acte. Léandre pourrait dire la vérité à Miranda et en débattre avec elle : ce ne serait plus aussi abstrait, n'est-ce pas ? Il s'agirait d'elle, d'une façon très immédiate.

— Mais cela ralentirait encore l'action ! Quand il va la prévenir en risquant sa vie, il y a urgence, on ne peut s'arrêter ainsi… Au moins Shakespeare l'avait-il compris. Remarque, il trébuche ensuite : j'ai toujours trouvé trop long le monologue de Caliban après qu'il les a écoutés en se dissimulant dans les buissons.

— Eh bien, dit Alexis, désinvolte, l'urgence permet de faire court un long débat. Ou pas de débat du tout. Ce serait poignant : la révélation de Léandre, la réaction de Miranda dont l'incrédulité même mettrait sa vie en danger, l'insistance désespérée de Léandre… Les spectateurs seraient sur le bord de leurs sièges. Je te parie même qu'il s'en trouverait pour crier à Miranda d'écouter Léandre ! »

Senso se met à rire à cette perspective – mais cela arrive assez fréquemment, lorsqu'ils jouent pour des milieux plus populaires, ou lorsque des étudiants ont trop bu au parterre.

Il referme le livre – Alexis voulait simplement l'entendre lire, il aime sa voix, il connaît l'argument aussi bien que lui – tout en voyant la pièce se dérouler en esprit. Prospéro arrive, Léandre l'exhorte à songer au salut de sa fille, sinon à celui de son âme, et lui révèle son identité. Prospéro furieux lui jette un sortilège mortel, mais Caliban s'interpose. Ariel abat Prospéro, qui meurt en l'emportant avec lui aux enfers. Un bel effet dont le théâtre géminite ne peut malheureusement bénéficier. On a beau dire, le diable christien est un personnage des plus utiles aux péripéties dramatiques.

La suite est un de ces développements typiquement christiens dont il ne voit vraiment pas comment on pourrait le transposer : Caliban – dans un autre long, très long discours – demande à mourir délivré de sa magie, afin d'être sauvé et de pouvoir retrouver un jour Miranda au Paradis. Le prêtre ayant fort opportunément suivi Léandre, il baptise Caliban, et celui-ci meurt exaucé.

Heureusement, il y a la fin. Certes, Sycorax, folle de chagrin d'avoir perdu ses enfants, renonce solennellement à la magie qui leur a fait tant de mal – elle quittera ensuite les lieux avec Léandre et Miranda, un navire étant apparu fort à propos à l'horizon. Mais, dans la toute dernière scène, les esprits de l'île se sont rassemblés avec eux autour des cadavres d'Ariel et de Caliban, et pleurent leur perte. Sans eux et sans Sycorax, ils sont condamnés à disparaître peu à peu. Senso a toujours voulu lire en filigrane dans cette dernière tirade un véritable sentiment de Shakespeare : Miranda dit adieu aux créatures magiques dans un discours touchant, avec un évident regret, car elles étaient toute la poésie et la beauté de l'île.

Il repose le livre avec un soupir : « Je ne vois quand même pas trop comment…

— Mais si ! dit Alexis. On pourrait garder le naufrage, pour commencer, et le personnage du mage nécromant… »

Senso laisse échapper un rire bref : « Et Théodora s'arrêtera aussitôt de lire ! Un mage nécromant, Alex !

— Eh bien, cela existe, non ? »

Senso le regarde, surpris et vaguement agacé : « Est-ce donc de notoriété publique, à la fin ? »

Alexis lui fait un clin d'œil : « Je suis né à Paris, mon cher.

— Mais tout de même…

— On ne *dira* pas que c'est un mage nécromant. Les spectateurs tireront leurs propres conclusions en le voyant agir. Ils ne sont pas stupides.

— Les censeurs non plus.

— On pourrait en faire un magicien vert, quelle importance ! dit Alexis, désinvolte. L'important, c'est que ce soit le vilain de la pièce.

— Avec Ariel, cela en fait beaucoup.

— On peut se passer d'Ariel, s'il le faut. »

En caressant la couverture de cuir élimé, Senso répète, incertain : « Il y a tout de même beaucoup de magie. Cela détournerait l'attention, je le crains.

— Oh, ne sois donc pas si géminite ! » s'exclame Alexis. Il lui prend le livre des mains et se penche pour déposer un rapide baiser sur ses lèvres. « Penses-y, c'est tout ce que je te demande. Un cadre. Un canevas. Tu peux y broder tout ce que tu veux, non ? »

4

Gilles ouvre les yeux, les referme, blessé par la lumière pourtant ténue qui filtre à travers volets et tentures. Il a encore trop bu. Langue pâteuse, tambour dans la tête, et cette sensation nauséeuse dans l'estomac… Et pourtant, il ne ressent pas le découragement dégoûté qui s'empare habituellement de lui lorsqu'il se réveille ainsi. Plutôt une sorte étrange de satisfaction, presque de bonheur, qui ne peut rien devoir à son ivresse de la veille. Il a rêvé, un rêve terrible et délicieux, comme il ne croyait plus jamais en mériter. Kurun était là, aussi jeune, aussi belle qu'aux premiers temps, et…

Il referme les yeux pour invoquer les images du rêve, comme on prie, et il voit Kurun. Mais en même temps – et il a soudain davantage conscience de sa tête douloureuse, du malaise dans son estomac –, en même temps, c'était quelqu'un d'autre. Une autre femme. Pas Marys, non – un éclair de tristesse accablée, mais la perplexité l'atténue, et la curiosité. Quelqu'un d'autre…

Ouraïn.

Il rouvre les yeux et s'assied brusquement dans le lit, en portant aussitôt les mains à sa tête avec une grimace involontaire. Non! Ce n'était qu'un rêve! Il était ivre! Elle ressemble tellement à Kurun. Cela ne voulait rien dire d'autre. Les rêves sont parfois ainsi. C'était Kurun. Une part de lui désire toujours aussi terriblement Kurun, malgré tout, malgré…

La flamme du chagrin revient le brûler à travers sa consternation horrifiée: Marys, oh, Marys!

Non, non, il ne faut pas se souvenir ainsi, il faut se lever, il faut aller à la fonderie, et oublier dans le travail.

Il pivote pour poser les jambes à terre. S'immobilise. Une de ses mains touche une tache encore humide sur le drap. Il prend conscience au même instant de l'odeur acide du sperme qui l'environne, des traînées sèches sur ses cuisses et son bas-ventre.

Non, non, ce n'était qu'un rêve, un rêve plus puissant que d'autres, qui s'est matérialisé dans le monde ordinaire comme il arrive parfois! Peut-être même une visitation de Kurun, qui sait? Tout est possible, mais pas…

Elle ne l'a jamais visité, Kurun. Jamais, depuis toutes ces années. Les images du rêve sont si claires, si horriblement précises… Et rien de semblable à l'incendie de plaisir qu'il se rappelle encore trop bien de ses rencontres avec Kurun, cette marée brûlante où il se perdait avec délices. Où étaient la passion, le désir? Elle n'était pas… elle ne voulait pas…

Non. Non. Il ne peut avoir fait une chose pareille. C'était un rêve.

Il essaie désespérément de reconstituer les événements de la veille. Le dîner avec Antoinette et Ouraïn. Il a dû passer dans le petit salon ensuite, sans doute avec Ouraïn. Il a bu, c'est certain. Il a bu et il s'est endormi. Chéhyé a dû le porter dans sa chambre, comme d'habitude. Et Ouraïn sera allée se coucher, voilà tout.

Il va pour consulter leur lien, mais s'en retient : elle dort peut-être. Il ne peut s'introduire ainsi dans son sommeil. Ce serait trop… disharmonieux. Non, il doit aller la voir tout de suite, en personne, pour se rassurer.

Il saisit sa robe de chambre encore bien pliée sur le coffre au pied du lit, la revêt en hâte et s'élance dans le couloir. Il est très tôt, la maisonnée n'est pas encore levée. Mais Chéhyé et Nèhyé apparaissent dans le corridor qui relie les deux ailes, à la hauteur du grand salon. Ne dorment-ils donc jamais ?

« Restez-là », ordonne-t-il d'une voix brève, en se dirigeant vers la chambre d'Ouraïn. Qui était autrefois la chambre de Kurun. Il écarte cette pensée avec brusquerie. Et s'immobilise devant la porte entrebâillée.

Une voix dans la chambre. Une voix d'homme, et celle d'Ouraïn, qui parlent en mynmaï.

« … elles m'enlèveront cet enfant. Elles le peuvent, j'en suis certaine !

— Ouraïn…

— Jure-le-moi ! Jure-le-moi, Xhélin, et je partirai avec toi ! »

Xhélin ? Mais Xhélin est mort depuis longtemps !

Il va pour pousser la porte, se force à s'immobiliser. "Elles m'enlèveront cet enfant…"

En un éclair, il comprend tout, vacille en se retenant au montant de la porte, submergé par une incrédulité épouvantée. Et la fureur, une aveuglante fureur. Eux, ce sont eux qui ont fait cela ! Les monstres de Garang Xhévât ! Et ils veulent enlever Ouraïn, à présent, Ouraïn et… et l'enfant. Une vague d'horreur revient le fracasser, mais moins féroce que la colère. Jamais ! Jamais il ne leur abandonnera Ouraïn. Et s'ils veulent cet enfant… il ne leur laissera pas non plus. Jamais !

Il prend conscience de ses Ghât'sin derrière lui, qui lui ont emboîté le pas, qui lui ont désobéi, mais ils avaient raison. La porte s'ouvre devant lui en silence, une ombre passe à ses côtés, comme s'il se dédoublait, car c'est sa main qui est refermée autour d'un manche de corne, même si c'est Chéhyé qui s'est avancé, il en sent la brûlure vibrante et sait aussitôt que c'est la dague magique des Ghât'sin, invisible et mortelle; il sent le raidissement de tous ses muscles pour le mouvement ascendant qui la plonge dans le dos à demi retourné, entre les côtes, pour trouver, infaillible, le cœur.

L'homme s'écroule, face contre terre. Est-ce vraiment Xhélin, ce petit vieillard minuscule? Elle a dit "Xhélin". Mais c'est bien un homme, et il est bien mort. Gilles demeure immobile, hébété. Un flot d'énergie four-millante lui parcourt la main et le bras, il sent encore le manche dans sa paume, comme s'il s'y était im-primé, et pourtant, il sait que c'est Chéhyé qui le tenait, Chéhyé qui s'agenouille près du cadavre. Pendant un moment, tout se passe en même temps, puis il se remet à percevoir, à penser en séquences. Son bra-celet d'avers ne l'a pas alerté, ne l'alerte pas. Aucun talent ici, sinon le sien, et celui des deux Ghât'sin, et celui d'Ouraïn, dormant, et la coque protectrice qui s'est épanouie autour d'eux. Et la magie incandescente de la dague. Pas de sang – mais ce vieux petit homme est si desséché, était-ce vraiment un humain ou un semblant de paille, façonné pour les besoins de la cause?

Il se penche, incertain. Non, une illusion se serait déjà dissipée. Cela ressemble malgré tout à un vieil-lard, et peut-être même à Xhélin, si Xhélin n'était mort depuis longtemps. Il cherche aux alentours, mais si une psyché est encore reliée à cette carcasse, elle a déjà disparu, loin du cercle protecteur.

Il se redresse, saisi d'un soulagement qui se transmue en une satisfaction vengeresse. Ils n'ont pas osé se servir de leur magie ! Ils savent qu'Ouraïn lui est liée et qu'il aurait perçu toute intervention de cette sorte. Comme il a perçu l'âme de Kurun cette nuit, mais oui, mais c'est cela, ces monstres ont forcé l'âme de Kurun à posséder Ouraïn, et il était ivre, trop ivre pour s'en rendre compte, oh, Divine !

De nouveau bouleversé de chagrin et de honte, il se tourne vers Ouraïn qui n'a pas bougé, accroupie sur le lit. Comment lui dire… comment lui faire comprendre… ?

Avec un hurlement inarticulé, Ouraïn se jette sur lui, poings en avant.

Il reçoit le choc en pleine poitrine, puis lui attrape les poignets pour l'immobiliser, mais elle se tord comme un serpent, il est forcé de la pousser contre le mur, de la plaquer là de toutes ses forces, et elle se débat encore, pendant un très bref instant il a peur, mais elle n'ouvre pas son talent et il peut filer le long de leur lien pour aller le chercher lui-même et le retourner contre elle. Elle s'immobilise, paralysée. Le temps d'un autre éclair de peur, il sent qu'elle veut résister, il appelle Chéhyé et Nèhyé à la rescousse… et elle se laisse aller, elle tomberait presque s'il ne la retenait. Ils restent un instant ainsi, souffles mêlés. Brusquement, il prend conscience qu'elle est nue, qu'il l'est aussi à travers les pans à demi ouverts de sa robe de chambre, et il recule, en relâchant son emprise. Elle vacille, mais ne tombe pas. Sa chevelure lui couvre à moitié le visage. Entre les mèches noires, ses yeux d'ambre doré sont des lacs de lave dans son visage livide, fixés sur lui, mais comme si elle ne le voyait pas.

Il n'ose la toucher, mais il se tend vers elle, suppliant : « Ouraïn, ma chérie, je t'en prie, écoute-moi, tu dois me croire, tu dois me pardonner ! Ce n'était pas moi. Ce n'était pas moi, hier soir. Ce n'était même pas vraiment toi ! C'était Garang Xhévât. Ce sont eux qui nous ont poussés tous les deux, ils ont contraint l'âme de Kurun, tu l'as sentie, n'est-ce pas, tu l'as sentie en toi comme je l'ai sentie ? »

Au bout d'un long silence, elle dit d'une voix exsangue : « Tu l'as tuée. Lui aussi. Tu les tues tous. »

Il secoue la tête, avec un début d'exaspération affolée : « Mais, Ouraïn, ne comprends-tu pas ? Il le fallait ! Il voulait t'enlever ! C'était leur but tout du long, cet enfant que tu portes à présent. Il ne faut surtout pas qu'il tombe entre leurs mains, Divine sait quelles horreurs ils commettraient sur lui et sur toi… »

Elle renverse la tête en arrière contre le mur, les yeux clos, en murmurant : « Hyunditun. Le Dragon Blanc sera jugé. »

Il se raidit, blessé, irrité. Elle ne va pas l'appeler ainsi, pas elle ? Mais la pauvre petite ne sait pas ce qu'elle dit. Les monstres, les monstres ! Saisi de pitié, il cherche des yeux des vêtements de nuit, n'en trouve pas, saisit le drap et le tire pour le tendre à Ouraïn, incertain. Avec des gestes lents et maladroits, elle serre le lin chiffonné contre elle mais n'essaie pas de s'en couvrir.

Il s'écarte en refermant lui-même en hâte sa robe de chambre. Chéhyé et Nèhyé n'ont pas bougé – accroupis autour du cadavre, ils les observent, apparemment impassibles. Il murmure, irrité de nouveau : « Emportez-le ! »

— Il faut retirer la dague, dit Chéhyé.

— Eh bien, retirez-la !

— Nous ne pouvons la toucher. Tu dois le faire. » Un geste du menton vers Ouraïn. « Ou elle. »

Il dévisage le Ghât'sin, sans comprendre : « Mais c'est toi qui… »

L'autre secoue simplement la tête sans rien dire.

Gilles se force à prendre trois profonds respirs. C'est bien le moment de tomber dans ces superstitions stupides !

Il se penche sur le cadavre, empoigne le manche et tire. La lame sort avec aisance – et il y a du sang sur sa flamme ondulée, mais non autour de la plaie. Qui se referme, tandis que le sang s'enfonce dans l'acier éclatant, comme dans du sable. Avec un haut-le-corps, Gilles laisse tomber la dague. Mais le corps ne s'anime pas, la dague non plus, aucune âme en furie ne vient tourner dans la coque protectrice qui les environne. Il se détend. Il fallait bien une dague magique tenue par un Ghât'sin de Garang Xhévât pour venir à bout d'un autre Ghât'sin. Ironique justice.

Il ramasse la dague en contemplant le corps à ses pieds. Au même moment, Chéhyé retourne le cadavre.

« Est-ce bien Xhélin ?

— Oui. »

Y a-t-il une obscure satisfaction dans la voix du Ghât'sin ? Les deux serviteurs ont-ils donc entretenu si longtemps une telle animosité à l'égard de celui qui les avait supplantés auprès de leurs Natéhsin ?

Il devrait se sentir vengé lui aussi de cette ultime trahison de Xhélin – puisque après tout c'est Xhélin, il ne voulait encore pas le croire mais il lui faut bien l'admettre à présent. Tout ce qu'il ressent, pourtant, c'est une grande tristesse. Une image à demi effacée se lève dans son souvenir, le jeune indigène sur la plage, il y a tellement, tellement longtemps, et sa main qui tendait le collier réparé de Nathan. De la tristesse, oui, une grande tristesse apitoyée : Xhélin, qui a été son ami pendant si longtemps, Xhélin qui aurait pu se libérer comme l'ont fait Chéhyé et Nèhyé, mais qui est retombé dans les pièges de Garang Xhévât au point d'en devenir l'outil contre lui, et même contre Ouraïn ! Pauvre Xhélin victime de lui-même, en définitive, après toutes ces années… Il lui doit bien l'ultime charité.

« Sublimez-le, dit-il.

— Non ! »

Il se retourne vers Ouraïn, surpris. Elle s'est enroulée dans le drap, en rejetant un pan sur une épaule telle une brahmine indienne, et fixe les deux Ghât'sin d'un œil étincelant.

« Enterrez-le. »

A-t-elle enfin compris l'étendue monstrueuse de la trahison ? Veut-elle se venger sur le pauvre Xhélin ? Il hésite, en cherchant comment lui faire comprendre qu'une telle vengeance serait inutilement cruelle malgré tout, ne ferait qu'ajouter à la terrible disharmonie de tout ce qui vient de se passer. Et puis elle se retourne vers lui et il comprend avec accablement qu'il se trompait, car elle ajoute d'une voix vibrante : « Il est mort, cela ne te suffit-il donc pas ? »

Il demeure un instant interdit. Mais c'est normal : elle est trop bouleversée. Elle a besoin de temps pour se calmer et réfléchir, et entendre enfin ce qu'il devra lui répéter. En attendant, il ne faut pas la pousser. En taisant sa tristesse, sa déception, il hoche la tête à l'adresse des Ghât'sin. « Faites ce qu'elle dit », murmure-t-il en glissant machinalement la dague dans la poche de sa robe de chambre. Il sera toujours temps d'exhumer Xhélin plus tard pour le sublimer, lorsque la pauvre petite sera redevenue raisonnable.

5

À Bordeaux, Senso retrouve avec un bonheur inattendu l'accent du Languedoc et des paysages plus familiers même si ce ne sont pas encore ceux de l'Ariège. Après le triomphe orléanais, ils n'iront pas jouer dans un des petits théâtres qui existent encore en ville, mais bien au tout nouveau Grand Théâtre, dont la construction s'est achevée seulement vingt ans plus tôt, une salle magnifique qui contient plus de mille personnes. Le trésorier de la Compagnie, Martin Delbœuf, est extrêmement satisfait, Théodora aussi. « Et c'est à toi que nous devons tout cela, mon cher Senso : si tu ne m'avais pas mis cette idée de tournée dans la tête… »

Senso serait bien satisfait lui aussi, s'il parvenait seulement à écrire sa pièce. Espérant une étincelle au contact du maître, il a dix fois relu *La Tempête*, il en a même tenté une nouvelle adaptation à partir de la traduction de madame de la Bretonne, plus récente et qu'il juge supérieure à celle de Crébillon. En vain, et Théodora lui a fait clairement comprendre que cette pièce demeure trop controversée pour le public actuel, même à Bordeaux où l'on n'est géminite que depuis trois cents ans.

Mais la capitale de l'Aquitaine aime le théâtre, presque autant que Paris. La salle est toujours comble, et l'on s'arrache les comédiens après les représentations de leurs autres pièces. Bals, réceptions, invitations dans des salons lettrés… Il y a à Bordeaux de nombreux encyclopédistes, et Senso aurait cru y rencontrer certains de ceux qui rendent régulièrement visite à Lamirande, mais ceux qui leur sont présentés ici ou là n'en font pas partie. De toute façon, Alexis n'aime guère les mondanités impliquant des foules et Senso, un peu surpris, se rend compte qu'il s'en lasse lui-même très vite. Déjà, à Orléans, il avait eu le sentiment d'une dissonance croissante : tous ces gens fortunés, ces grands bourgeois, ces nobles… Il a reçu l'éducation nécessaire, il se frotte sans effort à tous ces gens, il en a le langage et les manières, mais ce n'est pas son univers, pas réellement, pas à ce point – et même de moins en moins. Pourquoi lui semble-t-il que c'était différent à Aurepas ? Il y fréquentait pourtant aussi le "beau monde" dont se moquait parfois la pauvre Madeline, n'est-ce pas ? Mais il était un enfant, un adolescent… et puis, c'était plutôt Grand-père qui les fréquentait – qui les fréquente toujours. Et sa coterie d'encyclopédistes est une association de savants et de philosophes avant d'être une réunion d'aristocrates…

C'est peut-être la présence de Pierrino en lui, avec son regard acéré et sa logique obstinée ; c'est peut-être de côtoyer chaque jour les membres de la troupe et la foule de gens ordinaires avec qui ils entretiennent commerce dans leurs périples. Mais il est de plus en plus curieux de l'envers des choses, ce que l'on cache, ce que l'on tait, ce que l'on oublie alors même qu'on en a de moins en moins l'excuse de l'Édit de Silence.

Ce qui le frappe, lui, par exemple, dans les réceptions mondaines de Bordeaux, fière capitale de l'Aquitaine, point de départ et d'arrivée, pendant des siècles, de la plus importante flotte commerciale de la christienté, c'est de constater qu'une grande partie des domestiques aux uniformes chamarrés montrent encore très clairement les traits de leur origine africaine ou atlandienne et qu'une infime partie des invités a le teint plus foncé que leurs hôtes – à l'exception des membres de la troupe, qui présentent un éventail de nuances de peau aussi variées que leurs provenances et leurs religions. Ce qui le frappe, lui, c'est qu'on discute abondamment de l'Encyclopédie, toujours engluée dans ses démêlés avec la Hiérarchie en ce qui concerne les magies, mais qu'on fait silence sur les "troubles", qui n'épargnent pourtant point la ville. La veille, une réunion de Girondins a mal tourné au Jeu de Paume, mais en parle-t-on, dans ce joli salon de madame Bonnaffé, au plafond peint de mignardises, aux riches lambris dorés, où l'on est passé prendre café et liqueurs après un repas somptueux ? Non. On disserte plutôt plaisamment de légendes populaires, car l'une des encyclopédistes présentes, madame de Graaf, vint de publier un ouvrage monumental sur le folklore d'Aquitaine, du Moyen Âge au temps présent.

À dire vrai, Senso doit admettre qu'il est intéressé : après les tumultes de la Réforme christienne, la greffe du géminisme a fait subir aux contes du Languedoc des torsions des plus surprenantes, dont l'auteure parle avec brio.

« … ainsi se trouve, sous notre basilique Saint-Marc, la caverne d'une créature magique païenne, que l'apôtre christien a vaincue et enterrée là.

— C'est un motif courant, on a le même chez moi », ne peut s'empêcher de remarquer Senso en songeant à la légende de la Vouivre ensevelie sous le temple d'Aurepas.

« Avec un apôtre christien ? » demande madame Bonnaffé avec un sourire amusé.

« Non, Madame, un saint mage géminite. Mais dans ma version préférée, une jeune mage l'a apprivoisée, en a fait son animal familier et l'a pleurée lorsque le feu s'en est éteint.

— Une variante de la vierge et du dragon », acquiesce doctement madame de Graaf.

« La capacité des vierges à vaincre des dragons m'a toujours paru quelque peu surestimée », dit quelqu'un dans le dos de Senso, une voix masculine confusément familière. Il se retourne.

Eh bien, se dit Senso, plus surpris et amusé de l'apparition que de sa remarque, ici aussi ? La Divine essaie-t-elle de me dire quelque chose ?

C'est Augustin-Marie de Breilhat. Un peu épaissi, Pierrino le trouverait moins joli, mais qui veut se mêler à une conversation qui le dépasse certainement – sans nul doute toujours aussi fat et aussi imbu de ses opinions idiotes. La surprise de Senso ne s'éteint pas, change de registre : de toute évidence, le jeune homme ne le reconnaît pas. Il ne s'en fera certainement pas reconnaître, en tout cas ! Il s'écarte pour le laisser entrer dans le cercle, perplexe malgré tout : a-t-il donc tellement changé ? Mais surtout, il est un quelconque invité des Bonnaffé, et non Alexandre Garance qu'Augustin-Marie a peut-être même oublié, et qui en tout cas vit à cinq cents kilomètres de là : hors de son contexte, hors du décor mental d'Augustin. Construction, déconstruction, ce jeune homme voit ce qu'il s'attend à voir.

◆

Cette nuit-là, incapable de trouver le sommeil, ou de répondre aux soudaines aspirations amoureuses d'Alexis qui, boudeur, s'en va rejoindre Théodora, Senso s'installe à la petite table qui lui sert de bureau. Là se trouve – inspiration, ou porte-bonheur, il l'y place toujours – la liasse de feuilles de la pièce paternelle. Il se met à la relire, sans bien savoir pourquoi, peut-être un geste propitiatoire.

Hiawâla ou La Belle Atlandienne est un drame, la seule pièce publiée d'Henri d'Olducey ; il a écrit aussi une comédie, *Les Deux Frères*, et une tragédie en vers, inachevée, *Alexandre* – c'est celui des Grecs, mais le titre suscite toujours en Senso des spéculations émues quant à son propre prénom. Henri n'a pas craint l'action et la couleur locale, dans sa pièce – l'exotisme atlandien était encore très à la mode dans la deuxième moitié du XVIIIe siècle, comme une réaction à celui de l'Asie, dont on ne pouvait plus user avec autant d'aplomb même chez les Parisiens. Le jeune Jean Andrieux vit dans les environs de Sault-Sainte-Marie, sur le lac Supérieur, avec son père Victor Andrieux, ancien soldat devenu juge et veuf depuis peu. Parmi les serviteurs de la maison se trouve une esclave atlandienne qui lui a servi de nourrice et qu'il aime beaucoup, Shamitta. Destiné par son père à devenir magistrat comme lui, il s'y consacre sans enthousiasme, par piété filiale, car il préfère l'étude de la nature. Il est très épris de sa cousine au premier degré, la fille de sa tante maternelle, Solange de Beauharnois, qui le lui rend bien. Mais l'Église, comme leurs familles, s'y oppose absolument. Jean abandonne souvent ses études et la vie de société pour de longues promenades mélancoliques au bord du lac, ce qui provoque l'ire croissante de son père. Après une querelle plus violente que les autres, Jean, désespéré, s'enfuit de la maison paternelle et s'enfonce dans la forêt sauvage.

C'est à l'acte II que Senso a remarqué pour la première fois les parallèles entre l'argument de la pièce et la vie d'Henri, ou du moins celle de sa mère et de son grand-père : inconscient après une mauvaise chute, Jean Andrieux est recueilli à Matchawani par Hiawâla, une Atlandienne ojibwé, et son maître le chamane Wakalan, qui est guérisseur ; on ne parle nulle part de talent, cependant, même si, dans la version géminisée, l'on voit Wakalan repousser des esprits dans sa première scène avec Jean Andrieux – mais il pourrait aussi bien s'agir de superstitions. Ils vivent à l'écart de la tribu, car cet art est sacré. Wakalan a été autrefois en contact avec les Européens et en a appris la langue et la culture, ce qui lui permet de communiquer avec Jean ; sa disciple Hiawâla connaît moins le français, mais sa présence paisible et gracieuse parle pour elle. À travers ces conversations, au contact de la philosophie et de la religion sages et naturelles de Wakalan et de son élève, qu'il peut comparer avec avantage à celles qui lui ont été enseignées, Jean – qui porte seulement ce nom désormais, ayant renoncé au nom de son père, et qui est de toute évidence un fervent disciple de Jean-Jacques Rousseau – retrouve sa confiance en la vie ; son intérêt et son amour pour les choses de la nature convainquent Wakalan de lui enseigner à son tour l'art des simples. Il passe ainsi des jours heureux en communion avec la nature et la belle Hiawâla.

Les convergences deviennent de plus en plus frappantes à l'acte III : la présence de Jean semble avoir ranimé une tristesse ancienne chez Wakalan. Celui-ci en confie enfin la raison à Hiawâla : il a été autrefois esclave chez les Européens, avec sa jeune sœur Shamitta, c'est ainsi qu'il en a appris la langue et les mœurs. Leur pacifique tribu a été massacrée par les soldats anglais, à la tête desquels se trouvait un terrible capitaine, Victor Andrieux. Celui-ci a violenté Shamitta et l'a gardée comme esclave; Wakalan, seul autre survivant – il cherchait des herbes dans la forêt – a essayé de la libérer, mais a été capturé à son tour puis épargné sur l'intercession de sa sœur, alors enceinte. Après la naissance de l'enfant, il a voulu la persuader de s'enfuir avec lui, mais l'enfant l'a retenue : il a été adopté par le capitaine et son épouse, elle lui sert de nourrice, mais n'y a pas accès autrement. Jean, qui a assisté à leur insu à la confidence, révèle alors sa présence ; il est horrifié, et résolu à aller libérer sa mère Shamitta. Wakalan essaie de l'en dissuader mais en vain. Jean part.

À son retour à Sault-Sainte-Marie, Jean est accueilli avec des sentiments mêlés par Shamitta, qui semble plutôt accablée de son retour, même lorsqu'il lui apprend où il est allé et comment il a appris la vérité. Son père n'est pas bien portant, mais se réjouit de le revoir, s'attendant à ce que tout reprenne son cours normal après cette "folie de jeunesse". Malgré la présence de la tante de Jean, madame de Beauharnois, d'un prêtre, l'abbé de Villars, et de Solange qui se trouvaient en visite, les retrouvailles tournent mal, leurs divergences philosophiques et religieuses éclatent au grand jour. Jean lance des accusations plus ou moins voilées, son père se met dans une terrible colère et le chasse de nouveau en le déshéritant, puis il se trouve mal. Les retrouvailles de Jean et de Solange en sont à leur tour assombries.

Le cinquième acte, d'après Théodora, avait fait scandale, mais en contribuant au succès de la pièce : en effet, il s'écartait des intrigues habituelles en devenant un mystère policier – sorte de théâtre qui connaissait alors un succès grandissant dans les milieux populaires, mais que les cercles littéraires plus huppés voyaient d'un mauvais œil à Paris : le lendemain du retour de Jean, on trouve Victor Andrieux mort. On conclut qu'il a été empoisonné. Les soupçons se portent aussitôt sur Jean, à cause des témoignages de sa tante et surtout du prêtre. Solange fait son possible pour le défendre, mais les preuves semblent accablantes.

Soudain, alors que les policiers vont emmener Jean, coup de théâtre : Hiawâla surgit – elle l'a suivi. Elle déclare qu'elle a examiné le corps, et que l'empoisonnement, bien réel, ne date pas de la veille : des indices démontrent que Victor Andrieux a été lentement empoisonné pendant des mois à l'arsenic. Ce ne pouvait être Jean, qui se trouvait pendant tout ce temps avec elle et Wakalan. Mais on ne veut pas prêter foi à son témoignage, et le prêtre l'accuse – évidemment – d'être une sorcière. Shamitta arrive alors, mourante, et avoue : c'est elle qui a empoisonné Andrieux ; la disparition de Jean l'a définitivement fait basculer du côté de la vengeance, car elle pensait avoir perdu son fils à tout jamais. Elle meurt dans les bras de Jean désespéré : son trop long contact avec les Européens l'a tuée plus sûrement que le poison qu'elle a ingéré. L'Église et la maréchaussée admettent à contrecœur s'être trompées et quittent les lieux. Solange confie à Jean sa joie de pouvoir l'épouser, puisqu'elle n'est pas sa cousine. Hiawâla, digne et mélancolique, s'éloigne. Mais Jean la retient : il partira avec elle ; il sait où il désire passer le reste de ses jours, dans sa vraie famille, avec son grand-oncle Wakalan, dans la nature sauvage mais pure de l'Atlandie.

Senso replace les feuillets, songeur comme chaque fois qu'il relit la pièce. Son père peut-il avoir construit cette intrigue en toute innocence ? Les notes et commentaires dans les marges ne concernent que la façon de jouer la pièce selon le bord de Seine où avait lieu la représentation, ou encore des resserrements et éclaircissements nécessaires. Il aurait fallu avoir les toutes premières versions, pour les évaluer les unes par rapport aux autres. Mais ces papiers-là ont disparu.

Senso se met à rire tout haut. Le voilà rendu fin limier en belles-lettres ! Mais c'est le genre de spéculations auxquelles se livrerait certainement Pierrino, et à juste titre.

D'un autre côté, si l'on en juge par le succès de la pièce, elle a été appréciée par des gens qui ignoraient tout de ses relations factuelles avec l'existence de l'auteur. Ce qui démontrerait qu'elles n'ont en fin de compte guère d'importance, sinon pour celui-ci, s'il en a eu conscience. Un clin d'œil adressé à soi-même. Comme d'utiliser certains éléments de *La Tempête* dans leur hypothétique pièce future, Alexis et lui, et d'être les seuls à le savoir.

Il prend son calepin et écrit lentement, en changeant de ligne chaque fois : *La tempête, le naufrage du magicien, l'île, les autres naufragés, la magie.* Assurément, la magie ne peut servir de la même façon que dans la pièce christienne. Et la réaction de naufragés géminites ne saurait être la même. Pourtant, si l'on gardait les fameuses créatures magiques, on pourrait conserver aussi une partie des effets...

C'était tout de même extrêmement audacieux de la part du bon Will, à l'époque, si l'on y réfléchit. Non seulement une magicienne et un nécromant dans cette pièce, mais des créatures magiques. De quoi déplaire à tout le monde ! Il devait pourtant bien s'en douter – c'était de toute évidence un homme de théâtre avisé, qui connaissait bien les contraintes de sa profession dans l'Angleterre de son époque. Pourquoi donc, sur la fin de sa vie, a-t-il écrit cette pièce assurée d'être un échec, au mieux, et au pire de lui créer des ennuis ?

Avait-il quelque chose à dire avant de disparaître ?
Pensait-il qu'il n'avait plus rien à perdre ?

Il laisse son regard errer sur les lignes manus-
crites : *tempête… naufrage… magie…*

Des éléments bien usés déjà à l'époque… Pourquoi
les utiliser de nouveau ?

Et tout un coup, avec un petit choc intérieur : mais
c'est le début de l'aventure de Gilles Garance !

Il se lève pour aller chercher le texte de *La Tempête*,
afin d'en vérifier la date exacte. Oui, 1611. Ce peut-
il être la véritable raison de l'interdiction de la pièce,
en France, pourtant toujours le plus indulgent des
pays géminites envers le dramaturge anglais ? On
sortait à peine de la Réforme, l'aventure émorienne
commençait de prendre de la vitesse. Quant à l'Angleterre et aux autres pays christiens… Peut-être
Shakespeare avait-il pensé que la critique de la magie
était assez claire, avec l'évocation en filigrane de
l'Émorie. Peut-être même voyait-il réellement sa
pièce comme dirigée contre la magie et le géminisme.
Et pourtant, la tirade finale de Miranda… Est-ce
seulement la mélancolique revendication, au nom de
la poésie, d'un artifice tout littéraire sur lequel les
censeurs christiens s'obstinaient à s'acharner ?

Il revient s'asseoir, tout excité, la tête fourmillante
d'idées, trempe sa plume dans l'encrier et se met à
écrire.

6

« Je crois véritablement qu'il est temps d'intervenir »,
déclare Hubert Darlant de sa vieille voix chevrotante –
le secrétaire a vieilli d'un seul coup pendant la dernière
année, mais son regard est toujours aussi perçant.
« Les incursions des rebelles au sud de l'Undchin
sont trop fréquentes, et l'insurrection s'intensifie dans
le nord. Le régent sévit trop mollement. »

L'amiral son fils hoche la tête, avec une moue
dédaigneuse : « C'est un Kôdinh. Si cela se trouve, il
manœuvre tout cela en sous-main », dit-il comme s'il
venait d'impartir à l'assistance une inestimable perle
de sagesse. Maudivine, et c'est cela qui commande
les forces navales du comptoir ? Y en a-t-il encore
vraiment pour penser que le régent n'appuie pas en
secret les sécessionnistes, et que la mort de Luyèntéhsun
n'a pas été quelque peu précipitée ? Jusques à quand
sont-ils prêts à s'aveugler ainsi ?

« Il va falloir lui faire entendre raison, continue
l'amiral. Je persiste à penser que vous devriez accompagner monsieur Garance à Daïronur, afin de
signifier notre mécontentement, Madame. Avec des

mages-ecclésiastes. Car enfin, nous n'allons pas continuer d'affronter ces rebelles sur leur propre terrain en ayant recours aux seules tactiques conventionnelles. »

Le vieux secrétaire se retient visiblement de réagir et laisse à madame de Foix le soin de calmer l'amiral. L'ambassadrice a tout de même acquis quelque expérience, en une quinzaine d'années : « Ce serait prématuré, je crois. »

De fait, ce serait un affront, une terrible erreur diplomatique. Mais l'amiral Darlant n'est évidemment pas un diplomate.

« Mages et magiciens peuvent prévenir et contenir ces attaques, c'est l'essentiel », intervient l'évêque monsieur de Barains. « Ils secourent, soignent, réparent, et la population leur en est malgré tout reconnaissante. Il y a d'ailleurs une certaine recrudescence des conversions dans l'est du pays.

— User de magies guerrières à ce stade ne résoudrait rien, reprend l'ambassadrice, cela donnerait trop d'importance aux insurgés, et pourrait faire croire à notre inquiétude.

— Mais nous sommes inquiets ! » marmonne Dessoles, le nouveau chef de la police.

« Nous pouvons l'être mais non le montrer. Les Kôdinh ne sont pas seuls en cause, souvenez-vous-en, il y a les Hutlandais derrière eux.

— Et derrière nous l'opinion européenne.

— L'opinion géminite, qui est loin d'être unanime. Quant à l'opinion christienne… Vous ne voudriez pas d'une guerre ouverte avec les Hutlandais ?

— Ici, Madame ? Ils ne s'y risqueraient pas, surtout en ce moment avec leurs troubles en Virginie !

— Mais il suffirait que ces troubles se résolvent, d'une manière ou d'une autre », intervient le vieux secrétaire, visiblement agacé, « pour que les anciennes alliances se renouent, et nous aurions alors sur les bras le Hutland et l'Angleterre trop heureux de sceller ainsi leur amitié retrouvée.

— … Et de faire oublier leurs aventures atlandiennes à leur population mécontente, conclut l'ambassadrice.

— Sauf votre respect, Madame, voilà bien des si », déclare l'amiral.

Monsieur de Barains le reprend avec une ferme douceur : « Mais il faut penser à long terme dans ce genre d'affaire.

— Tout en préparant le moyen terme », acquiesce avec approbation l'ambassadrice. « C'est pourquoi monsieur Garance va bientôt se rendre à Daïronur, où il saura sûrement se faire aussi convaincant que pouvait l'être son père. »

Inutile de regarder Darlant père et fils pour savoir leur petite moue sceptique, quoique discrète : Sigismond est bien jeune, à dix-neuf ans. Séquelles de l'improvisation, il va devoir faire ses preuves au débotté. Mais il est trop tard pour regretter sa décision impulsive de faire disparaître Antoine, qui a tenu toute la place jusqu'à la fin sans devenir un reclus comme Gilles et Clément. Il devait vivre jusqu'à un âge plus avancé, quatre-vingts ans et au-delà, tout en préparant à loisir la vie publique de Sigismond encore réputé de santé fragile malgré ses quelques visites à Garang Nomh dans les deux dernières années. Mais tout a changé, et il faut savoir changer avec les circonstances.

« Je ferai de mon mieux, Madame. Mon père m'a toujours longuement commenté ses rencontres avec la Royauté mynmaï.

— Et vous aurez avec vous les deux représentants du pouvoir de Garang Xhévât, et de nouvelles cartes à jouer, grâce à cette alliance enfin conclue entre votre famille et celle de l'Ouraïn », remarque l'ambassadrice avec un sourire, en désignant discrètement du regard Chéhyé et Nèhyé qui se tiennent à l'écart avec l'impassibilité de rigueur ; ils ont repris pour l'occasion leur uniforme de Ghât'sin – sarang vert et doré, trois nattes, colliers et bracelets d'orcite.

« Levons nos verres à cet espoir », dit Dessoles, qui semble fort apprécier le vin de Bordeaux, en dépit des circonstances.

On boit, et Gilles profite de l'accalmie pour parcourir des yeux le grand salon. La salle est bondée, mais le mariage de Sigismond et d'Ouraïn ne pouvait être une occasion de festivités très élaborées. Outre les préférences austères déjà bien établies de Sigismond, Antoine est mort trois mois plus tôt en septembre, officiellement du chagrin de son deuil autant que de son vieil âge, et la situation en Émorie se détériore notablement sur le terrain. Mais comme l'ouraïn s'est convertie et épouse Sigismond Garance, madame de Foix et l'évêque de Barains, à défaut de sa collègue déjà souffrante du climat, ont tenu à faire acte de présence avec leurs suites de dignitaires, ainsi que quelques Noms de Garang Nomh, même si la saison des pluies est à peine terminée. Ils ne resteront pas longtemps : ni les nouveaux évêques ni le nouveau chef de police n'ont le temps de se distraire, ils ont trop à apprendre. Curieuse idée de changer presque toute l'administration du comptoir en même temps. Mais Charbonneau et les anciens évêques se faisaient décidément trop vieux, et madame de Foix a bien hâte de voir arriver son remplacement. Seuls les Darlant s'accrochent. Ils tiennent à leur dynastie émorienne, évidemment.

« Votre père aurait été bien heureux de voir enfin aboutir ses efforts et ceux de vos aïeuls pour convertir enfin vos alliés indigènes, Monsieur Garance », reprend l'ambassadrice en reposant le verre qu'elle a à peine touché.

Elle lui sourit : elle a toujours éprouvé pour Sigismond un sentiment quasi maternel, il se demande bien pourquoi. Peut-être à cause de sa passion secrète et inassouvie pour Antoine ? Il lui rend son sourire : « Je suis certain qu'il est de quelque façon parmi nous pour s'en réjouir », dit-il, non sans une certaine ironie intime. « Mais il ne faut pas s'attendre à des changements très rapides, je le crains.

— La légendaire lenteur des indigènes… » fait le chef de police. Commencerait-il déjà d'être éméché ? Voilà qui augure mal.

« La lenteur est une sagesse, dans bien des cas, remarque l'évêque.

— Mais pas toujours, insiste sombrement l'amiral Darlant. Pas ici, à mon avis, car… »

Sa mère décide d'intervenir enfin – une vieille petite souris de femme, mais qui doit avoir un solide caractère pour lui couper ainsi la parole, l'amiral n'étant pas un homme des plus harmonieux. « Saurons-nous jamais le vrai nom de l'ouraïn, Monsieur Garance ? »

Tout le monde accueille la diversion avec gratitude en se tournant de nouveau vers lui.

« Non, Madame, il doit toujours demeurer secret.

— Même pour son époux ?

— Mais oui.

— Elle s'est choisi un fort beau nom de baptême, en tout cas, note l'évêque en souriant, et plein de promesses, même s'il ne s'agit pas d'une de nos saintes et bienheureuses. »

Gilles s'incline légèrement dans sa direction : « En effet, Votre Éminence. »

Aurore. Il l'a choisi lui-même, devant l'indifférence d'Ouraïn – autant pour symboliser ses propres espoirs que pour la fiction de prochaines relations harmonieuses avec les Mynmaï. Fiction sur fiction. Et jusqu'à ce mariage quasi sacrilège, mais nul ne le saura ici. Il n'infligera pas à l'enfant le même sort qu'à Ouraïn. Il le veut légitime, et sans questionnement de quiconque, cet enfant. Qui sera plus puissant encore que sa mère, c'est ce qu'il a confusément senti au travers du lien qui l'attache à Ouraïn. Un effet des circonstances de sa conception, sans nul doute.

Il maîtrise son sursaut de fureur douloureuse, tout en faisant mine de prendre une autre gorgée de vin. L'essence de Kurun s'est assurément concentrée en l'enfant, ajoutée à celle d'Ouraïn et à la sienne. Il peut comprendre, s'il la regrette, la réaction d'Ouraïn : des enfants du Dragon ont procréé entre eux, l'interdit ultime des Mynmaï. Mais c'est en brisant les plus terribles interdits qu'on arrive à la plus grande puissance, et les nécromants de Garang Xhévât le savent bien, qui les ont possédés tous deux, Ouraïn et lui – sans parler de l'âme asservie de la malheureuse Kurun –, pour leur faire commettre cet acte épouvantable.

Son cœur se tord de chagrin. Oh, il a accepté sa responsabilité. Il était trop ivre pour se rendre compte de ce qui se passait. Ouraïn a raison de lui en vouloir. Non qu'elle lui eût fait des reproches. Elle refuse d'engager la conversation sur le sujet et il doit bien admettre qu'il n'est pas tenté de l'aborder, même s'il sait qu'il faudra vider un jour ou l'autre cet abcès. C'est encore trop tôt. Elle s'est pliée à la prétendue conversion, au mariage : le bon sens a prévalu, il doit s'en contenter pour l'instant. Mais elle ne peut toujours pas accepter que ce n'est fondamentalement leur faute ni à l'un ni à l'autre. Peut-être s'en veut-elle davantage qu'elle ne lui en veut, et c'est ce qui rend sa blessure plus profonde. Il était ivre, mais elle ne l'était pas, pourquoi n'a-t-elle pas usé de son pouvoir ? Leur lien fonctionne dans les deux sens ! Si elle ne voulait point user de son propre talent, elle aurait même pu aller chercher celui des deux Ghât'sin pour repousser cette perfide et monstrueuse possession.

Il a récolté ce qu'il a semé, ou plutôt laissé semer, toutes ces sornettes sur les Natéhsin et leur magie dont elles ne doivent pas user.

Il cherche Ouraïn des yeux, bien que le lien soit activé entre eux. C'est peut-être superflu, mais il ne veut prendre aucun risque en ce jour. Le domaine est entouré de protections, qui ne seraient assurément pas suffisantes si tout le pouvoir de Garang Xhévât était ligué contre lui, mais de toute évidence les Maisons luttent encore entre elles et leurs rivalités les affaiblissent, comme le prouvent l'échec de l'enlèvement d'Ouraïn et l'absence totale d'autres tentatives. La partie secrète est loin d'être jouée, au demeurant, puisque des talentés indigènes viennent encore déclarer de temps à autre allégeance au Dragon Blanc. Et à Ouraïn, comme ces deux jeunes Ghât venus s'offrir pour être ses serviteurs. La nouvelle de l'enfant qu'elle porte s'est de toute évidence répandue parmi les Mynmaï de la région.

Et même jusqu'à Garang Nomh, s'il en croit allusions et sourires parmi les invités. Il a été facile de donner un tour romanesque à toute l'affaire, pour la satisfaction des commères: la jeune ouraïn venue vivre à La Miranda à l'âge où les précédentes retournaient chez elles – le même âge que le jeune Sigismond. La tendre amitié qui se développe entre eux, les deuils qui les rapprochent encore davantage… Il ignore à quel point ambassade et évêché sont dupes – mais ils peuvent entretenir aisément l'idée de l'utile joint à l'agréable, mariage d'amour et mariage politique: il leur suffit de le baptiser "harmonie".

C'est toujours exaspérant, bien sûr, de savoir qu'il réagit encore au lieu de prendre l'offensive dans cette partie engagée il y a si longtemps contre Garang Xhévât. Ennemi invisible et énigmatique à ses portes ou presque – quarante lieues, ce n'est rien pour eux, ni pour lui. Se serait-il installé plus loin que cela n'y eût rien changé. Il n'a qu'à diriger son talent de ce côté pour percevoir l'apparente innocence de la ville sacrée : lieux quasi déserts, présences simplement humaines. Mais il suffit qu'il essaie de passer au travers pour se heurter à l'armure obstinée des Ghât'sin. Il ne s'en irrite même plus beaucoup, c'est par trop inutile.

« Ah, voici votre ravissante épouse, dit le secrétaire Darlant. Elle semble bien remise. »

Un malaise au temple, lequel ira nourrir bien des bavardages, sans doute. La grossesse d'Ouraïn ressemble pourtant à celle de Kurun – il faudra aviser de ce côté, si les rumeurs continuent de courir : impossible pour elle de ne montrer aucune grossesse, et d'être enceinte pendant trois ans ! Une fausse couche, peut-être. Malgré les efforts des ecclésiastes… des tentatives infructueuses, puis, joie, une nouvelle grossesse, menée à terme celle-là, le tout arrangé de façon à ce que les dates coïncident…

« Je n'ai pas encore eu l'occasion de lui offrir mes félicitations, insiste Darlant. Aurez-vous la bonté de me présenter, mon jeune ami ? »

Il réprime un éclair d'agacement en se rappelant à temps qu'il est Sigismond et que Darlant père est vieux, et influent. Il accepte le bras que le vieil homme passe familièrement dans le sien et se dirige avec lui vers Ouraïn, qui arrive avec Antoinette, ou du moins madame Cournoyer, l'identité courante de celle-ci. Ouraïn en a profité pour se changer ; elle avait regimbé à la robe de mariée européenne, peut-être son malaise n'était-il qu'un prétexte, après tout. Elle est vêtue maintenant d'un savant mélange d'européen et de mynmaï – aurait-elle retenu les leçons de Marys ? Mais il ne faut point trop espérer ; c'est plutôt la main d'Antoinette. La coiffure en tout cas est résolument indigène, un savant échafaudage de chignons lustrés retenus par des épingles incrustées de pierreries. Elle s'avance avec un infime sourire, acceptant les compliments et répondant aux inquiétudes. Elle est magnifique. Elle ressemble tellement à Kurun en cet instant qu'il en a le cœur broyé. Il voudrait la toucher, lui communiquer toute sa tendresse navrée, lui insuffler force et courage, mais il ne l'ose : il se heurterait sans doute à sa garde – symbolique, car il pourrait l'enfreindre en passant par leur lien. Mais justement, il ne le ferait sous aucun prétexte. Ce lien ne doit servir qu'à sa sécurité et à celle de l'enfant. Il n'est pas question de la cajoler, de la supplier ou de la contraindre à comprendre en usant du talent qu'ils partagent. La blessure guérira avec le temps, à force de patience et de réserve, à mesure qu'Ouraïn apprendra à diriger son animosité contre les véritables coupables.

« Comment dois-je m'adresser à elle ? » demande à mi-voix le vieux Darlant.

Il ne retient presque pas son amusement : « Elle est surtout mon épouse aujourd'hui, Monsieur. "Madame Garance" conviendra très bien. »

Ils arrivent près d'elle. « Ma chère Aurore, voici monsieur Darlant, premier secrétaire de notre ambassade à Garang Nomh, et qui désire vous être présenté.

— Madame, c'est un honneur et un plaisir pour moi de vous rencontrer enfin », dit Darlant avec une profonde courbette, sans reconnaître, évidemment, l'Ouraïn qu'il a déjà rencontrée à Garang Nomh.

Elle incline légèrement la tête, impassible, et, avec un temps de retard, lui offre sa main gauche qu'il prend chaleureusement entre les siennes pour la presser, avec une nouvelle courbette.

Il y a un moment de flottement – Darlant attend sans doute qu'elle lui parle, peut-être en attend-elle autant de lui. Afin de remplir le silence, Gilles vient se pencher sur elle en lui prenant le bras, pour lui souffler à l'oreille avec sollicitude, assez fort pour être entendu néanmoins : « Vous êtes-vous remise de votre petit malaise, ma chère ? »

Elle s'est raidie, se contente de hocher la tête sans le regarder, et sans sourire. Mais du moins ne s'est-elle pas dégagée. Il se demande brièvement ce qu'en pensent les spectateurs : guère d'amour en évidence entre ces supposés tourtereaux. Mais c'est l'ouraïn, une princesse indigène, et encore insuffisamment acclimatée aux délicatesses comme à la simplicité de la société géminite, on ne lui en tiendra certainement pas rigueur.

Leurs regards se croisent. Celui d'Ouraïn se détourne en premier, pas assez vite pour qu'il n'y ait vu briller des larmes soudaines. Chagrin ou rage, il ne sait. Il soupire intérieurement tout en souriant aux félicitations qu'on lui adresse encore. Malgré toute sa patience, il doit bien admettre qu'Ouraïn le déçoit : elle choisit mal son moment pour manifester soudain cette sensibilité des plus ordinairement humaines. L'enfant sera mieux élevé. Il ignore encore de quelle façon ce sera une Natéhsin, mais il ne commettra pas les mêmes erreurs qu'avec Ouraïn – il s'occupera personnellement de toute son éducation, dès le début ; l'enfant sera mis en contact avec son héritage européen autant qu'avec son talent mynmaï et pourra circuler sans inconvénients entre les deux mondes. Il y veillera.

7

Pierrino ouvre les yeux dans la pénombre. Il est encore tôt, pas plus de huit heures du matin. Il entend qu'on entre sans faire de bruit, reconnaît la silhouette de Nèhyé.

« Je suis réveillé », dit-il.

Le vieux Ghât'sin vient l'examiner : « Oui, tu ne dors plus. »

Il va ouvrir les rideaux sur la lumière du jour.

Le commentaire, comme l'intonation, était un peu étrange, mais Pierrino se lève pour s'habiller. Son corps lui semble soudain bizarre : plus grand, plus large, plus dense. Est-ce du poil sur sa poitrine, là où elle était lisse auparavant ? Il se tâte les joues : barbe et moustache, bien trop fournies. Il était imberbe la veille.

Il demande "Quel jour sommes-nous ?", partagé entre l'agacement et la résignation.

Nèhyé se livre à une brève réflexion : « Le 24 septembre. »

Il ne peut se retenir malgré tout de s'exclamer "Quoi ?" en se laissant tomber sur le rebord du lit.

« Suis-je donc resté près d'un mois en *igaôtchènzin*? » souffle-t-il.

Le vieil homme tend la main pour lui tirer la barbe : « Tu ne serais pas aussi poilu ! dit-il avec un clin d'œil. Seulement douze jours. Ensuite… Tu as dormi. Tu avais beaucoup donné. »

L'intonation n'est pas narquoise du tout. Pierrino se souvient. Il se souvient très bien. Le Dragon de la Montagne volant à l'envers comme le Dragon Fou dans le jeu de cartes de Grand-mère, sa métamorphose aquatique et des images très précises de ce qui a suivi l'apparition du Dragon de Feu. Mais surtout, ce sentiment de plénitude parfaite, enfin…

Nèhyé n'ajoute rien et s'emploie à étaler sur le lit les vêtements qu'il apportait. Pierrino l'observe un moment, la tête vide.

« Pourrais-tu me raser ? » demande-t-il enfin.

« Bien sûr. »

Le vieil homme s'éclipse sans plus de bruit qu'à son arrivée.

Pierrino va s'accouder à la fenêtre. Sous lui tremble le vert lumineux des arbres du parc. Il a plu, les pierres sont plus roses, des nuages filent vers l'ouest dans le ciel bleu bien lavé. Il se laisse envahir par les sensations, avec le vague espoir que sa cervelle, ainsi stimulée, va se remettre en branle. Mais les pensées sont lentes, bien lentes à se former. Il ne se sent pas différent. Son talent a pourtant été ouvert, il en a subi le contrecoup, n'est-ce pas ? Un mois. *Igaôtchènzin*, puis… coma ? Cela peut-il durer aussi longtemps ? Et il n'en a pas même des souvenirs confus. S'il avait été plongé dans une profonde léthargie, sa psyché ne se rappellerait-elle pas son séjour dans l'Entremonde ?

Nèhyé revient avec de l'eau chaude, un rasoir et des petits ciseaux de métal noir bien aiguisés. Après avoir coupé les poils au plus ras possible, il étale une décoction mousseuse sur les joues de Pierrino et, à l'aide d'un rasoir des plus européens, entreprend de le raser de près, avec une rassurante aisance. Lorsqu'il a terminé, en lui tapotant les joues d'une eau astringente parfumée au benjoin, il va tirer du coffre un miroir d'argent qu'il tend à Pierrino.

Médusé, Pierrino se contemple dans la surface métallique parfaitement plane, aussi fidèle qu'un vrai miroir. Il a bel et bien vieilli – un effet de son *igaôtchènzin*, il doit bien l'admettre à présent. La tristesse, d'abord : il ne pourra plus tout à fait reconnaître Senso dans son reflet. Et puis, la bouffée d'angoisse. Il rend le miroir au vieux Ghât'sin, en forçant sa voix à rester ferme : « Vieillirai-je ainsi chaque fois que je tomberai dans la transe ? »

Le Ghât'sin penche un peu la tête de côté, puis déclare, après un temps de réflexion : « Cela ne t'arrivera plus.

— En es-tu certain ? »

L'autre émet son habituel petit gloussement : « De quoi pouvons-nous être certains dans les Maisons de la Déesse ? » Mais il retrouve presque aussitôt son sérieux : « Cela ne devrait plus arriver », en enchaînant, comme s'il y avait un rapport : « Hyundpènh et Nomghu désirent te rencontrer dans le parc. »

Que lui veulent-elles, encore ?

Et soudain, comme une brusque saute de vent fait virer le coq et la rose des girouettes, sur les toits, ses pensées se tournent vers l'ouest, l'Europe, la France, Aurepas. À travers toutes ses incertitudes pointent, inattendus, stupéfiants, une nostalgie dévorante, un désir, un besoin forcené de retour qui lui font monter des larmes dans les yeux.

◆

Les Natéhsin se trouvent dans le parc, mais ne jardinent pas. Elles sont assises sur leurs bancs. Torse nu, pieds nus dans ses minces sandales, il s'incline devant elles. Les Ghât'sin le saluent, avec respect. Après s'être levées, la femme de la triade Nomghu et celle de Hyundpènh viennent le prendre par la main pour l'asseoir avec elles sur le banc du Phénix. Et, après une brève immobilité – désapprobatrice, ou simplement surprise ? –, leurs Ghât'sin les suivent pour se tenir derrière le banc.

Elles lui tiennent toujours la main lorsque Hyundpènh dit avec douceur : « La suite du monde, petit Dragon. »

Et elle pose la main de Pierrino sur son ventre.

Il la dévisage, abasourdi, dévisage Nomghu lorsqu'elle lui pose à son tour l'autre main sur son ventre.

Enceintes ? Elles sont enceintes… de lui ? Chacune ? Leurs orgies rituelles entre elles ne sont-elles pas toujours stériles ? Ah, mais il était là, lui, un humain ordinaire.

Pas ordinaire. Talenté.

Comme Gilles… Mais non, pas comme Gilles !

Il secoue la tête, il veut se lever, s'écarter des impossibles idées qui roulent dans sa tête, mais les Natéhsin lui tiennent toujours fermement les mains sur leur ventre.

« Deux fils du Dragon », dit Hyundpènh.

Pierrino sort enfin de sa stupéfaction : « Mais je ne suis pas… »

Elle le lâche pour le faire taire, d'un doigt sur ses lèvres, presque en souriant, puis effleure le pendentif sur sa poitrine : « Tous les Dragons sont en toi. Tu viens de partout. »

Partout. Son esprit s'enroule autour du mot, le triture pour en tirer un sens. Veut-elle évoquer ainsi son talent, issu de l'Atlandie comme de l'Europe et d'ici ?

Elle lui reprend la main pour la poser sur son ventre. Il ne sait pas très bien ce qu'il perçoit, une petite étincelle incandescente derrière une membrane transparente comme du verre, mais fine et souple comme une peau. Est-ce là son enfant – leur enfant ?

La voix de Nèhyé dit, derrière lui : « Il n'y a jamais eu de tels enfants chez les Natéhsin. » Le vieillard rit tout bas. « Toi aussi, tu es l'Étranger de l'Ouest. »

Veut-il dire que c'est la fin du monde ? Le début d'un autre monde ? Des hoquets de la Prophétie, ou des échos ? Comme si en tout cas elle cherchait à se réaliser sans cesse, obstinée.

« Suis-je donc vraiment un talenté, maintenant ? » murmure-t-il.

Et doit-il donc supposer que Senso et Jiliane en sont aussi, chacun à sa façon ? Un soulagement hésitant naît en lui : peut-être Jiliane n'a-t-elle vraiment pas été enlevée, alors ! Peut-être se cache-t-elle, ou bien elle est cachée par Grand-mère et les serviteurs – qui leur ont menti, à lui et à Senso, quant à leur propre talent, mais pourquoi ?

« Non, tu nous as presque tout donné, dit la Natéhsin de Nomghu.

— Tu nous as presque tout rendu », dit celle de Hyundpènh.

Il ne comprend pas d'abord, puis, lentement, par à-coups, un sens s'ébauche. Rendu : restitué. À peine ouvert, il a été séparé de son talent, alors ? Il ne sait s'il en éprouve du regret ou du soulagement. Voilà qui expliquerait mieux sa longue léthargie, en tout cas.

Il entend de nouveau les paroles des deux Natéhsin, se tourne vers celle de Hyundpènh : « Presque tout ?

— Tu t'en souviendras lorsque tu en auras besoin », dit-elle avec une douce gravité.

Il la contemple, puis celle de Nomghu, qui a la même expression indulgente. Elles ont des expressions.

Elles parlent. Sont-elles donc devenues sans cesse plus humaines, génération après génération, les Natéhsin orphelines de Phénix ? Il ne peut soutenir plus long-temps le regard doré, baisse les yeux sur le sol entre ses pieds, l'herbe revivifiée, encore humide de la pluie nocturne. Il ne parvient pas à appréhender la ma-gnitude de ce qui s'est passé. Elle porte son enfant. Et l'autre Natéhsin aussi. Ses enfants. Il aura des fils. Qui seront des Natéhsin. Deux d'un coup ! Devrait-il être ému, heureux, fier ? Il ne ressent rien, simplement une immense stupeur hébétée. Le Dragon de Feu est revenu. La suite du monde. À cause de lui, grâce à lui. Ou bien n'a-t-il plutôt été qu'un outil, un conduit, un pion de tous ? Grand-mère, Gorut et maintenant les Ghât'sin, les Natéhsin elles-mêmes ? Ou les Dragons. Va-t-il croire aux Dragons, maintenant ? Mais il se rappelle très exactement la sensation des doigts de Hyundpènh refermés autour de sa taille – et tout le reste. Il ne peut ni ne veut nier ce qu'il sait.

Et pourtant l'irritation chagrine renaît : jouet des humains ou de créatures magiques, il n'a tout de même été qu'un jouet. Pis encore, interchangeable avec Senso. Ce pourrait être Senso qui se trouverait ici ! Non, les dés avaient décidé… Mais si les dés en ont bien décidé ainsi, qui les a réellement lancés ?

Il dévisage une fois de plus la Natéhsin de Hyundpènh et, avec un petit tressaillement intérieur, prend soudain conscience de sa jeunesse. Leur gra-vité, leurs gestes posés l'ont induit en erreur. Elles sont toutes très jeunes ! Celle-ci semble n'avoir guère plus de seize ans ! Et elle porte ses enfants ?

« Avez-vous un nom ? » lui demande-t-il, soudain embarrassé et saisi de compassion.

Les deux Ghât'sin ont un haut-le-corps. Après un moment, la jeune fille esquisse un sourire : « Nan-dèh'djo.

— Feï'djo », dit la Natéhsin de Nomghu.

D'abord stupéfait, il se rappelle les premiers carnets d'Ouraïn. Ce sont les mêmes Ancêtres qui reviennent, croient les Mynmaï, dans chacun de leurs âges, dans chacune de leurs Maisons. Kurun, Nandèh'djo, Feï'djo. Mais ce sont davantage des titres que des noms, n'est-ce pas ?

« Vos noms à vous », insiste-t-il avec une légère impatience.

La jeune fille hausse les sourcils, la tête un peu penchée sur le côté.

« Elles n'en ont pas d'autre », dit Nèhyé dans le dos de Pierrino.

Il se retourne vers le vieux Ghât'sin, agacé : « Elles en avaient bien un quand elles sont nées.

— Elles naissent Kurun, Nandèh'djo, Feï'djo, dit le vieillard. Et elles le sont depuis très longtemps.

Pierrino hausse les épaules : « Ce sont des adolescentes !

— Elles ont assisté au dernier Mariage Sacré », intervient l'une des Ghât'sin, d'une voix roide.

Il s'agrippe aux accoudoirs de son siège, il a l'impression de tomber.

Les mêmes. Ce sont les mêmes Natéhsin que celles rencontrées par Gilles Garance. Arrêtées dans l'âge de Hyundpènh, dans l'âge de Nomghu, parce que le cycle du recommencement a été brisé.

Et Hétchoÿ…

Il demeure un moment accablé, le cœur brûlant de honte, de chagrin. Puis il se lève et va s'agenouiller, mains jointes à la mynmaï – le geste lui est venu tout naturellement – devant le banc de la troisième triade, qui était autrefois la quatrième, celle qui permettait le retour du cycle en s'offrant au Dragon de Feu. Les yeux mordorés l'observent avec sérénité tandis qu'il s'agenouille devant Hétchoÿ. Il comprend maintenant, il comprend leur lenteur, les reflets écarlates de leur peau. Il s'efforce de ne pas baisser la tête, de ne pas se protéger de leur regard, et s'entend balbutier : "Pardonnez-nous."

Celle du milieu, cette jeune fille qui est la plus vieille des Kurun, celle qui a vingt ans depuis plus de deux siècles, lève lentement les mains pour en entourer les siennes. Des mains chaudes, et pourtant il voit qu'elles sont plus nettement cristallisées en surface. Et même des cristaux se forment pendant qu'il les regarde, en d'infimes glissements. Le processus s'accélère depuis la nuit du Petit Mariage, comme il le faut pour réparer le cycle, il le comprend dans un éblouissement de compassion horrifiée.

« Tu reviendras », dit la voix grave, avec une sorte de tendresse. Surpris, il relève les yeux et, oui, il y a une esquisse de sourire sur ce visage miroitant.

« Je reviendrai où ? » demande-t-il, envahi d'une inexplicable gratitude.

Elle le regarde toujours, mais elle ne le voit plus.

« Viens, dit Nèhyé, elles dansent, maintenant. »

Après un moment, Pierrino dégage doucement ses mains de celles de la Natéhsin qui restent tendues autour de son absence, moitié prière, moitié offrande. Il se relève, étourdi, jette un coup d'œil autour de lui : les autres Natéhsin sont immobiles aussi. Leurs Ghât'sin contournent les bancs pour venir s'asseoir en tailleur devant elles. Nèhyé le tire par le bras, et il ne résiste pas. Après quelques pas, il se retourne. Les Natéhsin n'ont pas bougé. Sur le banc de Phénix sont toujours assises, Nandèh'djo de Hyundpènh et Feï'djo de Nomghu. Il se demande rêveusement si c'est la première fois dans toute l'histoire des Natéhsin.

Comme si cette pensée avait ouvert une porte, une curiosité inquiète renaît en lui.

« Que va-t-il se passer, maintenant, Nèhyé ?

— Au prochain petit festival, les enfants naîtront, dit le vieux Ghât'sin, paisible. Et Hyundpènh et Nomghu diffuseront ce qu'elles pourront de la substance divine parmi ceux des nôtres qui réussiront à se rendre à la ville sacrée. Comme tous les ans.

— Mais le Dragon de Feu est revenu, dit Pierrino, déconcerté.

— Cela ne veut pas dire qu'il reviendra pour le Grand Festival. Il n'y a toujours pas de Phénix.

— N'y en aura-t-il pas lorsque Hétchoÿ...

— Rien n'est certain. Le prochain Grand Festival aura lieu dans deux années. *L'Aigle des Mers* est à Anhkin. Humphong veut rouvrir le pays. Gorut a sacrifié un *tihyund* et s'est oint de son sang. Qui sait où rouleront les dés ? »

Ils longent un carré de pelouse où picorent des coqs et des poules aux plumages extraordinaires, avec des plumes de queue parfois aussi longues que celles de faisans. Pierrino accueille un instant la distraction bienvenue, en observant les volailles qui s'égayent devant eux : certaines sont d'un noir de jais, avec une abondante crête de fines plumes blanches qui retombent autour de la tête comme une chevelure ébouriffée, d'autres semblent plus poilues qu'emplumées, et d'une improbable teinte orange ; les longues plumes cuivrées qui entourent leur tête sont toutes recourbées vers l'avant, telle une collerette. Senso aimerait ces bestioles, songe Pierrino, vaguement amusé, on dirait des espèces de dragons. Mais la question de Nèhyé tourne dans sa tête. Quels dés ont été jetés, en vérité, lorsqu'il est arrivé ici ? La ville sacrée est toujours fermée. Les Kôdinh sont toujours là qui en interdisent le passage, et ils massacrent les talentés. Mais la nouvelle du retour du Dragon de Feu finira bien par se répandre dans la population. Les Bôdinh ne sont ni si passifs ni si résignés que le prétendait Gorut. Galvanisés par la nouvelle, ne résisteront-ils pas davantage ? Quelles en seront les conséquences pour la mission de Haizelé, les ambitions de la Royauté, les plans retors de Grand-père ?

« Essaiera-t-on d'empêcher Humphong d'exporter encore… les substances primordiales ? »

Nèhyé fait un petit geste désinvolte : « Oh, ce ne serait pas si terrible, le Dragon Fou soufflerait de nouveau chez vous. Il y a soufflé pendant près de deux siècles, et cela ne l'a pas dérangé.

— Le Dragon Fou ?

— L'ambercite. Nous l'appelons ainsi. N'en as-tu pas vu le souffle, à bord du navire qui t'a amené ici ? »

Pierrino hoche lentement la tête : « Elle diffuse la magie, alors, comme les Natéhsin.

— Beaucoup plus lentement, comme la maladie blanche. »

Pierrino ne voit pas très bien le rapport, mais il engrange cette information pour plus tard – pour une fois que Nèhyé semble en humeur de répondre à ses questions !

« Mais maintenant que le Dragon est revenu, allez-vous résister, agir ? »

Le vieil homme laisse échapper un gloussement : « Garang Xhévât n'est pas là pour cela.

— Gilles Garance croyait…

— C'est lui qui a lancé les premiers dés. Et les autres ont été emportés dans son sillage. » Le petit homme ajoute plus bas, avec regret, comme pour lui-même : « Oui, même Phénix s'est mise à vouloir. Et Chéhyé. Et moi. » Sa barbiche tremble, comme sa voix.

Après un silence surpris, Pierrino demande : « Les deux autres de Phénix, que sont-elles devenues ? Se trouvent-elles à Garang Xhévât? Elles avaient été arrêtées dans leur âge aussi, n'est-ce pas? »

Le vieillard s'immobilise en plein milieu de l'esplanade, si brusquement que Pierrino doit reculer d'un pas pour revenir à sa hauteur.

« Tu savais cela?

— J'ai lu les journaux d'Ouraïn. Ou, du moins, ceux de ses premiers âges. »

Le vieillard le dévisage, la face toute plissée dans le soleil.

« Kurun a rejoint la Déesse », déclare-t-il, après un long silence.

Il a encore répondu à côté, mais Pierrino ne s'en irrite pas; il est trop stupéfait: les mémoires d'Ouraïn indiquaient bien que sa mère avait commencé de vieillir, mais… morte?

« C'était une Natéhsin!

— Elle a choisi Gilles et le Dragon Fou », soupire Nèhyé. Il se remet en marche.

Pierrino le rattrape: « L'ambercite, ou Hyundigao? »

Le vieil homme lui jette un regard en biais, soudain narquois: « Les deux.

— Mais l'ambercite prolonge la vie!

— Pas forcément celle des Ancêtres. »

Pierrino s'engage avec lui dans la rampe menant à la tour de la Maison Xhaïgao, à peine conscient des saluts qu'on leur adresse au passage. Kurun a participé à la fabrication de l'ambercite, et les deux autres Natéhsin de Phénix aussi. Trop de contrecoups? Mais Ouraïn n'écrivait-elle pas qu'il n'y en a point à l'usage de la magie pour les Natéhsin?

« Sont-elles donc mortes aussi, les deux autres?

— Non. Elles ont choisi à temps de revenir à Garang Xhévât. » Le vieillard lui adresse un regard en biais: « N'est-ce point dans les écritures d'Ouraïn?

— J'ai lu seulement jusqu'au milieu de la Période des Dix Ans.

— Ah. » Encore trois pas. « C'était après. »

Ils s'engagent dans l'escalier menant à l'étage.

« Et où sont-elles, toutes ces écritures d'Ouraïn ? » demande subitement le vieux Ghât'sin.

Pierrino émet un rire bref : « Dans l'estomac de Kempo, s'il faut en croire Chéhyé : il les a jetées à la mer. »

Il surveille du coin de l'œil la réaction du vieillard. Nèhyé sourit : « Il a bien fait.

— Pourquoi ?

— Elle n'aurait jamais dû écrire. Elle n'était pas destinée à se souvenir ainsi.

— Mais c'est l'histoire de ma famille », ne peut se retenir de dire Pierrino, soudain ulcéré.

Le vieil homme lui ouvre la porte de la chambre : « La mémoire te reviendra bien assez tôt », dit-il en s'effaçant pour le laisser entrer.

Il va pour s'en aller, mais Pierrino émerge à temps de sa perplexité pour retenir la porte : « Et Nandèh et Feï, alors, où sont-elles ? »

La figure du Ghât'sin se plisse encore davantage : « Elles sont retournées au domaine. On ne m'a pas dit quand. » Il laisse échapper son habituel petit rire saccadé : « La durée ne s'écoule pas toujours de la même façon pour tout le monde, à Garang Xhévât. »

Et il s'éloigne de sa démarche un peu cahotante.

Pierrino, résigné, ferme la porte. Puis il examine la chambre – les sculptures éternellement amoureuses, le lit encore défait. Machinalement, il va tirer draps et couverture, regonfle les coussins de plume, les range les uns sur les autres.

Et maintenant ? Se sentant soudain trop léger, flottant, vide, il va à la fenêtre, referme les mains sur le solide rebord de pierre comme pour s'y ancrer, tout en contemplant l'activité tranquille de la ville sacrée. Il y a des barques dans la douve, des pêcheurs. Les carpes de Garang Xhévât n'étaient-elles pas sacrées ? Mais c'était autrefois, du temps de Gilles. Les traditions se sont transformées, comme les Natéhsin.

Qu'est-il censé faire ? Aller se promener dans la ville ? Explorer les environs ? Il contemple les frondaisons du parc, songe à celui, invisible, où les Natéhsin immobiles dansent partout, perdues, ou retrouvées, en *igaôtchènzin*. Avec ses enfants dans le ventre de la Feï'djo de Nomghu, de la Nandèh'djo de Hyundpènh.

Leurs enfants à tous – à toutes –, pas seulement les siens. Il se rappelle bien, sur la plage, ces déconcertantes frénésies, ces métamorphoses répétées. Il n'en comprend rien, sinon qu'elles étaient nécessaires et justes. Il se sent curieusement détaché, cependant, comme si tout cela était arrivé à un autre. Trop d'étrangetés à la fois, il en est comme engourdi. Quoi qu'il ait été alors, il a fait ce qu'il devait, tout comme les triades ont obéi à leur nature. S'il éprouve quelque chose, c'est de nouveau de l'irritation, un persistant ressentiment à avoir été ainsi manœuvré par des forces qui le dépassent, ballotté au fil d'événements déclenchés par d'autres.

Et que pourrait-il bien faire à présent ? Attendre, peut-être longtemps, que des Européens reviennent peut-être au Hyundzièn dans le sillage des négociations de Haizelé. Qui doivent s'achever à Téh'loc. C'est déjà la dernière semaine de septembre, et Haizelé avait dit qu'elle repartirait au début d'octobre, à la fin de la première semaine au plus tard si les négociations traînaient jusque-là. Il ignore quelle distance sépare Garang Xhévât de la capitale kôdinh, mais s'il se rappelle bien la Carte, c'est extrêmement loin, à travers de massives montagnes de surcroît, un terrain très difficile s'il voulait suivre le chemin le plus court et le moins dangereux. Passer par les plaines ou la côte, avec les Kôdinh à l'affût… Ce serait possible, bien sûr, s'il parvenait à persuader un Ghât'sin de l'accompagner, puisqu'il n'est plus talenté. Même ainsi, ce serait un voyage de plusieurs semaines, voire de plusieurs mois. Non, *L'Aigle des Mers* repartira sans lui. Et ils le croient certainement mort. C'est la nouvelle qu'ils rapporteront en France. À Grand-mère. À Senso.

Mais non ! Il ne faut pas ! Il doit essayer de faire parvenir un message à Haizelé ! Il existe bel et bien une résistance aux Kôdinh, avec des talentés, ce doit être possible de passer par là. Qu'ils partent sans lui, passe encore. Qu'ils le croient mort, et l'abandonnent ici sans espoir d'être jamais secouru si les négociations échouent…

Abandonné. Secouru. Les mots résonnent étrangement, tout à coup. Il se trouve à Garang Xhévât, pourtant, qui est d'une certaine façon le berceau de ses ancêtres. Ses enfants y naîtront. Il ne devrait pas s'y sentir captif, ni impatient à la perspective de devoir y demeurer pour une durée indéfinie. Déconcerté, il contemple les allées et venues des indigènes sur l'esplanade, sur la chaussée des Phénix. Qu'est devenue sa curiosité ? Il pourrait tant apprendre ici. Il pourrait… tenir un journal de ses découvertes, lui aussi, pour lorsqu'il retournera en France.

En France. Chez lui.

Ce n'est pas ici, chez lui. Malgré la paix, la beauté, le mystère immémorial, il a le sentiment aigu, insistant, de n'être pas à sa place. Il ne peut rien *faire*, ici. Tout ici lui rappellera, encore et toujours, qu'il y a été amené par une destinée dont il ignorait tout et que, cette destinée accomplie, il ne sert sans doute plus à rien.

Il se détourne de la fenêtre, à la fois furieux et accablé. C'est une pensée insupportable. Disharmonieuse.

Si Senso était là, il lui dirait même sans doute qu'elle est impie. Il n'y a pas de destinée. Grâce aux Gémeaux, les humains naissent libres. Ils ne l'ont peut-être pas encore appris à Garang Xhévât, tout empêtrés qu'ils sont dans leur magie, mais il n'est pas un Mynmaï, lui, pour se résigner aussi aisément. Garang Xhévât n'est ni la fin de son voyage ni une prison, n'est-ce pas ? Et son voyage vers le nord, ce n'était pas à la ville sacrée qu'il devait l'amener, même si Gorut mentait. Il voulait aller au domaine Garance. Il veut toujours aller au domaine. Il en a même davantage de raisons à présent, si les deux autres Natéhsin de Phénix s'y trouvent. C'était là qu'il se rendait lorsque son chemin a bifurqué. Ce pèlerinage, il doit l'accomplir, il le sent, il le sait.

8

Au début de septembre, à Bordeaux, c'est la fête de Saint-Émilion, et la Foire des Vendanges – elles sont déjà bien commencées dans le Médoc; on aime fêter, à Bordeaux, et il y aura une autre foire à la fin des vendanges. Envoie-t-on, ici, comme à Aurepas, deux adolescents pubères courir dans les champs ou les jardins, les pieds couverts du sang de la vigne? Non, répond-on à Senso avec un petit haussement de sourcils, c'est une coutume par trop païenne. « On le fait chez moi, pourtant, et nous sommes de bons géminites », ne peut s'empêcher de répliquer imprudemment Senso, piqué. Il le regrette aussitôt, mais on ne semble pas y voir un rappel importun du passé chrétien de l'Aquitaine, pas plus qu'on ne lui demande d'où il vient; on se contente de sourire d'un air un peu protecteur: « On le fait encore parfois dans les campagnes, en effet », et il se rappelle alors l'origine du mot païen – "paysan".

Le 8 septembre, c'est aussi l'anniversaire de naissance d'Adriana Sampas, une des violoncellistes du petit orchestre de la troupe, Portugaise aux doux yeux bruns. Comme c'est un jour de relâche au théâtre, on en a profité pour aller déjeuner sur l'herbe au bord de la Garonne, on s'est promené sur le terrain de la foire installée sur la vaste esplanade des Quinconces, on est allé danser dans un des innombrables bals en plein air qui font résonner la ville de musique et de rires. C'était beaucoup de foules, beaucoup de bruit, beaucoup d'agitation, Senso en est aussi saoulé qu'Alexis à la fin de la journée, et il ne se fait guère prier lorsque celui-ci lui demande d'aller souper plus tranquillement en tête-à-tête – ou du moins avec Larché à une autre table proche, puisqu'il ne laisse jamais Senso sortir sans sa protection. Après être passés à leur hostellerie, cours de l'Intendance, pour se vêtir plus dignement, ils se rendent dans leur auberge favorite aux abords de la basilique Saint-Marc.

On est plutôt à la foire ou dans les gargotes qui bordent l'esplanade, et il fait assez calme à l'Auberge du Coq Bleu, ce qui convient parfaitement à Senso. Il a la tête qui tourne un peu, et le manque de Jiliane, de Pierrino, est soudain plus douloureux que d'habitude : trop de souvenirs de trop de fêtes joyeuses à Aurepas, avec eux. Tout semble si loin, inaccessible, perdu… Il n'est parti que depuis six mois, maudivine !

Il prend soudain conscience du juron, et de l'aisance avec laquelle il s'est formulé. Lui qui ne sacrait jamais… Il n'est pas allé à l'Office, dimanche dernier. S'est réveillé trop tard, a fait la grasse matinée avec Alexis et, surtout, ne s'en est pas senti terriblement coupable. Que lui est-il arrivé ? Une vie trop pleine de distraction, au fil des routes, des auberges, des théâtres, des réceptions mondaines ? Ne croit-il donc plus ?

La protestation jaillit aussitôt : bien sûr que si !

Mais il y a six mois, remarque impitoyablement son Pierrino intérieur, tu aurais fait feu de tout bois en te retrouvant à Bordeaux, tu aurais profité de tes temps libres pour visiter des églises, tu aurais harponné les ecclésiastes dans tous ces beaux salons, tu m'aurais accablé de dissertations savantes sur la façon parfois bizarre dont on est géminite ici…

Senso arrache la mie de son pain pour en faire une boulette, soudain irrité. Il y a six mois, tu aurais été avec moi, réplique-t-il à la voix narquoise.

« Il est presque dix heures, il faudrait partir, dit Alexis, si nous voulons voir les feux d'artifice… »

Ils ont déjà payé leur écot. Le dernier verre de Senso est encore presque plein. Il le vide d'un trait, un défi, mais à qui? Il se lève, voit avec un petit sursaut Larché se glisser près de lui. Divine, que cet homme a le don de se faire oublier!

Pas le don, la malédiction: excommunié, invisible…

Invisible à la magie, dit le Pierrino intérieur. Te voilà talenté, à présent?

Les mages ou les magiciens verts ne sont pas les seuls à réagir comme ils le font lorsque leurs yeux de chair leur montrent soudain Larché là où leur talent n'avait rien perçu. Les gens tout à fait ordinaires oublient souvent aussi sa présence. Après tout, nous sommes pétris de la substance divine, pourquoi notre psyché ne sentirait-elle pas confusément cette étrangeté?

Il n'a jamais rien lu ni entendu à ce propos, pourtant… À vrai dire, les excommuniés vivants ne courent pas les rues, non plus! Et le Magistère ne tient assurément pas à voir rendu public le fait que des mages peuvent commettre des erreurs aussi affreuses.

Est-ce vraiment l'imaginaire Pierrino qui se livre à cet acide commentaire, ou lui-même, ce nouveau Senso qui le déconcerte de plus en plus?

Ah non, il suffit, assez de ruminations moroses. Il va y avoir un feu d'artifice, il a toujours aimé les feux d'artifice, Alexis a gaiement passé son bras sous le sien, ce fut une belle journée, ne la gâchons pas.

Il règle son pas sur celui d'Alexis, Larché à sa main droite, et ils retournent vers la rue Sainte-Catherine, qu'ils remonteront pour rejoindre la rue des Fossés puis, par les quais, l'esplanade et la foire, une petite marche d'un kilomètre; cela devrait suffire à dissiper l'effet de ce stupide dernier verre de trop.

La rue Sainte-Catherine est agréablement vide de ses charrois de livraison, en cette nuit de fête, mais ils n'y sont pas depuis plus de cinq minutes quand le pas de Larché ralentit. « Entendez-vous? »

Ils s'arrêtent. Une rumeur s'en vient dans leur direction, qui se transforme en vacarme de voix puis, tout au fond de la rue, entre les réverbères, en une indistincte masse mouvante. Des gens. Des gens lancés à toutes jambes. Et ce n'est pas une joyeuse cavalcade, Senso le perçoit presque aussitôt. Les voix sont affolées, ou furieuses, avec, derrière, une ligne de reflets métalliques qui avance en ondulant. Il lui faut un moment pour comprendre, jusqu'à ce qu'il reconnaisse les uniformes noir et violet. C'est la milice de la ville. Armée de fusils équipés de baïonnettes. Qui avance au pas, épaule contre épaule. Avec quelques chevaux, derrière.

Ils restent un instant indécis, tandis que les premiers fuyards arrivent à leur hauteur. La plupart continuent tout droit, mais deux jeunes gens se réfugient dans une embrasure de porte près d'eux, pliés en deux, haletants. Alexis en saisit un par le bras: « Que se passe-t-il?

— Un groupe… de Girondins… et des gars… de Brach… mal tourné… »

Le garçon a repris son souffle et se dégage de la main d'Alexis. « Des têtes chaudes se sont mises à démolir des portes et à casser des fenêtres place du Parlement. Le guet est arrivé, on a lancé des pierres… vous feriez mieux de ne pas rester là ! »

« Revenons sur nos pas jusqu'à la rue Pocquelin, lance Larché, les autres rues du quartier devraient être dégagées. »

Ils n'auront pas d'autre choix que de se mettre à courir avec les émeutiers : la foule, plusieurs centaines de personnes au jugé, occupe toute la rue, et les minces trottoirs. Et ce ne sont pas seulement les émeutiers, ni même principalement : des femmes courent aussi, jupes relevées, et des enfants, et des gens d'allure trop respectable, et trop âgés, sûrement, pour être des têtes chaudes.

Senso reste un instant pétrifié, horrifié. Tant de violence sans discrimination ? Pour une simple émeute ? Que font les mages ? Mais on est à Bordeaux, ici. On n'y a peut-être pas même eu recours, les traditions christiennes reparaissent vite, on dirait, dans les cas d'urgence… Puis Larché lui prend le bras, « Allons, Senso ! », et il se met à courir en retraçant leurs pas.

À l'orée de la ruelle où ils voulaient bifurquer, cependant, ils ralentissent en voyant une poignée de gens qui se précipitent vers la rue Sainte-Catherine, avec derrière eux le claquement des sabots, et la silhouette massive de trois chevaux qui occupent presque toute la largeur de la ruelle. Senso a le temps de penser : mais c'est stupide, pourquoi ne pas laisser la foule se disperser dans les rues et les venelles adjacentes, et diffuser ainsi la force de l'émeute ? Puis il fait volte-face, prêt à se remettre à courir, mais Larché le plaque contre un mur tout en retenant Alexis de l'autre main. « Laissons-les passer ! »

Les trois gardes montés sont en effet trop occupés à maîtriser leurs montures, prises au dépourvu par tout ce bruit et ce mouvement qui leur file sous le nez, bien trop près. Une des bêtes, un grand bai, se cabre soudain en hennissant et veut faire volte-face. Son cavalier le retient tant bien que mal… et ensuite Senso ne sait plus trop ce qui se passe, quelqu'un a sauté à la tête du cheval pour arracher les rênes aux mains du soldat, un autre a agrippé le bras du soldat pour le faire tomber de sa selle, l'homme oscille en se débattant, tandis que sa monture piaffe. Et puis, dans la rue Sainte-Catherine, il y a un crépitement, comme des pétards, et des cris aigus dans la foule, qui court plus vite. Le soldat a tiré aussi son pistolet qu'il décharge par deux fois au-dessus de la tête de ses assaillants. Une balle miaule en ricochant sur de la pierre. Puis il se sert de son arme vide comme d'une petite massue, tout en dégainant son épée. Mais on a été découragé : quatre ou cinq silhouettes s'enfuient par la ruelle. Les soldats montés ne donnent pas la chasse – leurs ordres devaient seulement être de barrer la rue.

« Filons ! » lance Alexis. Il détale comme un lapin, mais Senso a eu le temps de voir son expression excitée. Le cœur battant à tout rompre, il file derrière lui vers l'ouest, avec Larché.

Ils tournent à droite dans la rue Castillon, à gauche dans la rue Ports-Dyaux puis encore à droite pour tomber dans la rue des Fossés, où se trouve leur hostellerie. « Rentrons », dit Larché dans le dos de Senso, d'une voix rauque.

« Oui, on pourra aussi bien voir le feu d'artifice depuis ta fenêtre, Senso ! »

Il dévisage Alexis, interloqué. Les feux d'artifice ? C'est à cela qu'il pense, après ce dégoûtant, ce disharmonieux chaos ? Mais il n'a certainement plus envie, quant à lui, de retourner aux Quinconces.

À l'hostellerie, on ne semble pas avoir entendu grand-chose, ou on l'a mis sur le compte de groupes de fêtards plus bruyants qu'à l'accoutumée. Alexis monte quatre à quatre l'escalier menant à leurs chambres, Senso plus posément. Sur le palier, il fouille dans une poche de sa jaquette pour y prendre sa clé. Un mouvement bizarre à la périphérie de sa vision, de haut en bas, lui fait tourner la tête.

Larché glisse le long du mur auquel il s'est appuyé, lentement. Ses genoux plient, jusqu'à ce qu'il soit assis dans le corridor, les bras vaguement croisés sur la poitrine.

Une traînée rouge marque la tapisserie du couloir derrière lui.

◆

Avec précaution, Senso déboutonne l'habit. Aucune marque de sang par-devant. Il soulève Larché, qui gémit, voit la large tache poisseuse dans le dos, presque à la hauteur du cœur. Il applique sur la blessure la serviette pliée en quatre que lui tend Alexis affolé, repose Larché sur le lit. En même temps, une voix énumère des explications dans sa tête, obscènement calme : c'est la balle qui a ricoché ; il perd son sang depuis près de quinze minutes ; cette blessure est fatale.

« Il faut aller chercher des magiciens ou des mages ! » dit Alexis d'une voix blanche.

« Non… »

Larché a ouvert les yeux. Son regard passe d'Alexis à Senso, retourne à Alexis, le fixe avec une expression implorante.

« Mais… » proteste Alexis.

Senso l'arrête en lui posant la main sur le bras : « Non. La magie ne peut rien pour Étienne. Il n'y est pas accessible. Il a été excommunié vivant autrefois.

Une terrible erreur des mages lorsqu'ils l'ont tiré de sa suspension. »

Alexis reste un instant l'air vacant, bouche bée. Puis son visage s'anime de nouveau : « Mais il faut au moins aller chercher un médecin ! »

Larché répète faiblement « … Non, non… vous… », il essaie de se redresser, grimace. Senso se penche : « Ne bougez pas, Étienne, pour l'amour de la Divine, ne bougez pas ! »

Son mouvement a déplacé son médaillon, qui sort de sa chemise pour pendre au-dessus de la poitrine de Larché. La main de celui-ci se lève et vient agripper le pendentif pour l'attirer vers lui. Son visage s'éclaire. Il souffle : « Le Serpent… le Phénix, les petits-enfants du Dragon… »

Le malheureux délire. Senso lui prend la main avec une douceur désespérée, afin de se dégager, au moment où Alexis en faisait autant ; leurs mains se touchent sur la main glacée de Larché.

Senso se redresse brusquement, arrachant le médaillon des doigts affaiblis du blessé. Il brûle ! Sa cheville brûle. Son bracelet d'avers… Un instant, cette brûlure l'enveloppe tout entier et, tout aussi brusquement, elle disparaît.

Il a par réflexe porté la main à sa cheville. Rien. Le bracelet a disparu aussi.

Il flotte. Ce n'est pas de l'hébétude. Il sait ce qu'il doit faire. De très loin, il sent qu'il se relève. De très loin, il voit qu'Alexis s'est relevé aussi, Alexis a pris le tambour des esprits sur l'étagère des objets de Jacquelin. Senso s'approche de l'étagère et, avec des gestes lents mais délibérés, il passe le collier de griffes d'ours autour de son cou. Autour de son front, il passe le bandeau de perles et d'os.

Le tambour des esprits commence de résonner lentement entre les mains d'Alexis, puis plus vite lorsque la pierre noire a pris son élan.

La durée change de vitesse, et Senso bouge avec elle, glissements, décrochements, il se déverse d'un espace dans un autre, souple comme de l'eau, il se dédouble, il se multiplie, non, c'est l'espace qui se multiplie, des salles à l'infini, non, des tourbillons qui s'engendrent les uns les autres, non, des tourbillons de tourbillons, de plus en plus petits, non, des réseaux imbriqués d'anneaux sombres et duveteux, de plus en plus grands, mais c'est la même chose.

Et soudain trois créatures blanches flottent dans la pièce. Leurs ailes, ou leurs manches, battent avec lenteur comme dans une eau invisible; elles ne tiennent pas de fil ni de fuseau. Translucides, elles observent. Elles ne bougent pas. Elles ne feront rien. Elles ne peuvent rien faire.

Senso ne sait où il se trouve – immobile, assis sur le rebord du lit, debout, agenouillé? Mais en même temps il tourne. Il tourne autour du psychosome de Larché, autour de la membrane vitreuse, infranchissable, qui entoure le psychosome de Larché : on peut le voir, mais on ne peut le toucher. C'est comme s'il était là sans y être, juste… à côté. Dans sa giration immobile, une puissance immense, vibrante, a envahi Senso, mais en même temps elle se dérobe, elle est lui sans être lui, il ne sait par où la saisir.

« Le dragon », murmure Larché d'une voix exsangue, « appelle… le… dragon. »

Et soudain, Senso se trouve à voler au-dessus de la ville, au-dessus de ses petites lumières, vers une lumière plus vive, à l'impérieuse brûlure. Il traverse des couches de pierres et de ciment aussi immatérielles qu'une brume, mais ce sont les tours et la nef de la basilique Saint-Marc. Et sous la nef est lovée une créature à l'éclat si aveuglant que les contours s'en perdent dans leur propre embrasement. Mais Étienne a dit "le dragon" et, peu à peu, Senso perçoit queue et pattes de flammes, et le cou serpentin et la gueule énorme.

La créature se soulève avec lenteur, enveloppe Senso de sa curiosité, un souffle igné qui pourtant ne le réduit pas en cendres : *Toi, encore ?*

Une étrange sensation de décrochement. Il flotte au-dessus d'une autre ville et c'est Aurepas, et la même créature est tapie sous le Temple. Il est brusquement précipité dans une petite salle en pente tendue d'une tapisserie bleu sombre, ornée d'étoiles dorées. Il y a là une dizaine de personnes vêtues de longues tuniques bleues, des mages, aux visages masqués par des capuchons. Devant eux, un jeune homme aux cheveux roux, à l'air féroce, vêtu d'une simple tunique. Il est en flammes, auréolé de flammes, il est un corps de flammes dont les bras s'étirent dans l'Entremonde et sous le sol d'Aurepas jusqu'à la créature de feu qui se trouve sous la nef du Temple, et qui lui dit : *Toi, encore ?*

Une autre sensation de glissement, vertigineuse. La créature se déploie, c'est bien un dragon, un dragon de feu, et toute la basilique insubstantielle en est illuminée, tel un palais de cristal. Baignant toujours dans la mer ardente, Senso implore : *Aidez-nous !*

Et soudain, lui-même créature de flammes, il est de retour dans la chambre avec Larché qui essaie toujours de se redresser, et Alexis qui fait toujours résonner d'une main le rythme lancinant du tambour des esprits. La petite pierre noire virevolte avec frénésie au bout de sa lanière de cuir pour frapper la peau jaunie. Senso prend l'autre main d'Alexis, tendue vers Larché.

Le rythme ne change pas. Mais Alexis s'enflamme à son tour. Saisi d'une impérieuse certitude, et sans avoir l'impression de changer de place, Senso se couche contre la bulle qui emprisonne Larché. Alexis en fait autant, sans que le battement du tambour cesse de résonner. Leurs flammes se conjuguent, se fondent, brillent plus fort encore. Lentement, très lentement, elles traversent la membrane vitreuse, qui se fronce et ondule et se tord puis, subitement, disparaît dans un soupir d'étincelles.

Larché s'auréole à son tour de flammes.

La vouivre de feu se tient avec eux dans la petite chambre. Elle est toujours gigantesque et, en même temps, elle n'est pas plus grande que Senso. Elle prend Larché dans ses pattes de devant, comme une mère son enfant. Les flammes qui sont Larché deviennent de plus en plus transparentes. Enfin, seul son sourire demeure, et sa joie, tel un parfum capiteux, avant de s'évanouir à leur tour. Il est encore là un moment, invisible. Sa présence se diffuse en anneaux toujours plus larges, lentement, vers un horizon infini. Et Senso se diffuse avec lui, attiré, aspiré, il se dissipe aussi, il se sent devenir l'un de ces anneaux à la pulsation si étrangement familière qui pénètrent l'univers, et au-delà.

La vouivre ardente disparaît en même temps que le tambour se tait. Senso brusquement rassemblé contemple Alexis encore environné comme d'un halo de flammes, puis les flammes s'éteignent, et il n'est plus là.

9

Il faut tout de même trois jours à Pierrino pour mettre l'expédition sur pied : le temps d'en parler à Nèhyé, pour celui-ci d'en parler aux Ghât'sin, pour les Ghât'sin de se concerter puis de consulter les triades, lesquelles semblent être presque continuellement en *igaôtchènzin*. Ensuite, Nèhyé ayant décidé de venir avec lui, la ronde de consultation recommence – le vieil homme doit apparemment obtenir la permission de quitter la ville sacrée et "les avis sont partagés", comme il le dit à Pierrino qui s'impatiente, la veille du départ projeté.

Tout cela donne tout de même à Pierrino le temps de trouver enfin une carte de la région : à sa demande, une jeune Ghât lui en apporte une, qu'elle déroule comme elle le ferait d'une précieuse tapisserie, et c'en est une, constate-t-il, un grand panneau de tissu brodé avec une exquise délicatesse, représentant le Camtchin. Comme sur la Carte, il y apparaît toutes sortes de créatures bizarres, dans les montagnes, le long de la Nomhuéthiun, dans la plaine alluviale du Nomhtzé, dans le delta, où Garang Gatun, Daïronur et Nomghur sont représentées avec leurs murailles. Au nord-ouest, brodé d'un bleu mauve aux nuances chatoyantes, le lac est lui aussi plein d'animaux aquatiques, ordinaires aussi bien que magiques. Mais Garang Xhévât est représentée avec trois niveaux et non cinq. La jeune fille, qui à sa grande surprise parle le français – mais on la lui a évidemment envoyée pour cette raison même –, dit en souriant : "C'est une carte très ancienne." Et en effet, Banang Thu, la ville qui borde le fleuve et entoure la ville sacrée, y étend en tous sens sa splendeur intacte.

« Les pistes seront-elles exactes, si la carte est si ancienne ? » s'inquiète Pierrino.

La jeune fille sourit : « Elles n'ont pas changé depuis le commencement du monde. »

Si elle exagère, ce n'est sans doute pas très important. Il profite de sa bonne volonté pour lui demander s'il existe une carte montrant tout le Hyundzièn. Elle revient quelques minutes plus tard avec une autre carte, gravée cette fois, mais avec le même luxe de détails, sur un cuir fin. Après s'être fait expliquer tant bien que mal les unités de mesure mynmaï, il voit confirmé ce qu'il pensait de la distance qui le sépare de Téh'loc et d'Anhkin : plus de mille six cents kilomètres à vol d'oiseau à travers la cordillère des Lihundkôh, leurs hauts plateaux et leurs jungles quasiment impénétrables. Mais il refuse d'en être chagriné, et d'ailleurs le vieux Nèhyé arrive, la face toute plissée d'un plaisir malin : on le laisse partir.

Et les voilà enfin en route, balancés sur le dos des petits éléphants aux courtes oreilles, un pour lui, un pour les deux indigènes qui s'occuperont des bêtes et un pour Nèhyé. Pas question de passer par le fleuve, ni même par le réseau des canaux qui traversent les rizières, des patrouilles kôdinh y circulent constamment, juste à la limite des protections de la ville sacrée. Pierrino reçoit le commentaire de Nèhyé avec une certaine surprise : s'il comprend la prudence des habitants de Banang Thu, qui ne sont pas tous des talentés, il s'en faut, en quoi la présence des Kôdinh pourrait-elle déranger un Ghât'sin comme lui ?

« Il y a très longtemps que je n'ai été un Ghât'sin, soupire le petit vieillard.

— Mais vous êtes quand même un talenté. »

Nèhyé reste un moment sans répondre. « J'ai trop longtemps et trop usé de mes pouvoirs », dit-il enfin ; il regarde au loin, et sa voix n'a plus rien de son enjouement accoutumé. « Maintenant, je dois passer le reste de mon existence sans eux. Mais rassure-toi, reprend-il avec un clin d'œil, Binh Dô et Térang sont tous les deux des Ghât. Ils nous protégeront très bien, si nécessaire. »

Pierrino est un peu inquiet en grimpant sur la patte obligeamment pliée de sa monture – il n'a jamais monté d'éléphant. Mais on lui montre comment procéder, les bêtes sont parfaitement dressées, et la sienne suit de toute façon l'éléphant de tête, monté par les deux cornacs. Après les premières heures, qui lui rappellent de façon inquiétante son éveil initial à bord de *L'Aigle des Mers*, il apprend à s'accommoder du lent tangage, et de la posture, jambes écartelées derrière la grosse tête placide. Il n'est pas assez sûr de lui pour en replier une comme le font Nèhyé et les deux autres indigènes.

Ils contournent Banang Thu par le nord et obliquent plein est afin de gagner les collines puis le haut plateau qui surplombe le bassin du fleuve. Les éléphants avancent d'un pas régulier dans le sous-bois, qui n'est pas trop dense pendant les premiers kilomètres. Ils traversent la ligne invisible qui protège Garang Xhévât, mais il ne s'en rend pas compte – de fait, au moment où il y pense, ils doivent l'avoir dépassée depuis longtemps. On se trouve désormais dans la jungle profonde ; la piste, assez large néanmoins, serpente obstinément de collines en collines toujours plus hautes. On doit y passer plus souvent à pied qu'avec des éléphants, car branches et lianes descendent parfois bien bas, il faut les éviter, couché sur la tête de la bête, et parfois les trancher à coup de machette – ce sont les deux Ghât qui s'en chargent, puisqu'ils ouvrent la marche. Des singes hurleurs les suivent de temps à autre, invisibles, des vols précipités de grues et de colombes sauvages se soulèvent à leur approche pour s'abattre plus loin. Les prédateurs y regardent à deux fois avant de s'attaquer à des éléphants, a assuré Nèhyé. Pierrino le regrette presque : il aurait aimé voir des panthères, ou des ours.

Soudain, à un détour de la piste, l'éléphant de tête s'immobilise, et celui de Pierrino, de sa propre initiative, en fait autant.

« *Têp'tida* », lance Binh Dô par-dessus son épaule.

Le mot de passe des pêcheurs, à Nomghur ? Inquiet, Pierrino essaie de se hausser pour mieux voir, avec prudence, afin de ne pas se jeter à bas de sa monture. Trois silhouettes translucides flottent devant eux, apparemment humaines mais avec des proportions subtilement déformées, trop minces, trop longues, le torse trop uniformément bombé, la taille trop mince, un peu comme une guêpe à forme humaine – et ces longs doigts… Les draperies blanchâtres qui les entourent, sont-ce des voiles, des ailes ? Mais si ce sont des ailes, comment pourraient-elles voler ici ?

Elles ne volent pas : elles passent au travers des troncs, des branchages, et même un peu de l'éléphant de Pierrino qui ne bronche cependant pas. Leurs ailes, ou leurs draperies, sont agitées d'un vent paresseux qui n'appartient pas à la jungle ; et quand elles tournent vers Pierrino leur visage triangulaire aux grands yeux uniformément noirs, sans iris, il se demande si elles le voient vraiment.

Une fois qu'elles sont passées, l'éléphant de tête reprend sa route de la même placide démarche chaloupée. Tandis que le sien s'ébranle à son tour, Pierrino se retourne vers Nèhyé : « Qu'est-ce que c'était ?

— Tu les as vues ? » dit le vieil homme. Il semble un peu surpris.

« Ne le devais-je pas ?

— Gilles ne les voyait jamais. » Nèhyé laisse son éléphant se remettre en marche, puis il ajoute : « Ce sont des Têp'tida. Des servantes de Huètman' dans les forêts. Elles soignent les bêtes et les plantes blessées. Elles collectent l'âme des animaux et des arbres morts. Elles punissent les malfaisants. La meilleure traduction de leur nom en français serait "ange", je pense. » Il glousse tout bas : « Les christiens n'approuvaient pas. »

Il parle avec désinvolture, comme si c'était là une occurrence des plus normales. Et Pierrino se rappelle avoir vu une image de ces Têp'tida sur la carte brodée. Des créatures magiques, des créatures qui n'existent pas, encore, comme les Dragons.

Comme les Dragons.

« Est-ce un bon ou un mauvais présage d'en rencontrer ? demande-t-il enfin.

— Ce n'est pas un présage du tout. Elles vivent où elles veulent, voilà tout. Il faut simplement leur céder le passage, et ne jamais les suivre.

— Et si l'on enfreint cette règle ?

— On le regrette, je suppose. Mais pourquoi l'enfreindrait-on ? »

10

Après deux jours entiers de voyage sans incident
majeur – excepté une course des éléphants dans une
zone plus dégagée du haut plateau, lancée sur un défi
de Binh Dô, que Nèhyé a gagnée et à laquelle Pierrino
a survécu il ne sait comment sans dégringoler de sa
monture –, on commence à redescendre vers les
collines et la jungle plus dense. On longe un petit
lac long et étroit à l'extrémité duquel Pierrino reconnaît avec surprise un barrage, presque intact : la
structure de bois qui en coiffait le sommet et permettait de passer d'un côté à l'autre n'est pas encore
entièrement pourrie, et surtout la maçonnerie semble
intacte. Il arrête son éléphant, par force celui de Nèhyé
en fait autant et un appel du Ghât'sin retourne vers
eux Térang et Binh Dô : ils s'arrêtent aussi. Après
s'être laissé glisser au sol en se retenant au harnais
de sa bête, Pierrino s'approche du barrage. Une chute
de près de vingt mètres précipite son écume dans une
gorge assez resserrée en contrebas, pour devenir
ensuite une petite rivière qui a visiblement été cana-
lisée, car les rives en sont rectilignes sur un bon

kilomètre en aval. On ne voit cependant que des arbres, depuis cette altitude.

« La fabrique se trouvait là en dessous », dit le vieux Nèhyé dans son dos. « Il n'en reste plus rien, nous y avons veillé. Mais détruire le barrage aurait inondé la vallée.

— Nous sommes au domaine ? »

Nèhyé vient le rejoindre : « Certains l'appelaient "Itunchètman", Le sang du Fantôme dans la Montagne. Gilles l'appelait "Ihundchètman", La Merveille dans la Montagne. Il disait "La Miranda". »

La Miranda. Lamirande. Un instant déconcerté, Pierrino se sent malgré lui touché : Gilles Garance n'avait pas oublié Amélie, la bien-aimée perdue. Ou bien c'était sa revanche. Songeur, il examine la forêt qui moutonne, un tapis serré qui ne laisse percer aucune ruine. La jungle a complètement repris possession du domaine. Nèhyé tend un doigt : « Là-bas, c'étaient les villages des ouvriers, avec les temples. Les entrepôts et les quais bordaient la rivière. Le manoir était par là… » – le maigre doigt noueux indique le sud-est.

« Allons-y. »

Binh Dô veut d'abord installer le campement. Ils remontent sur le dos des éléphants pour emprunter ce qui était la route du barrage, devenue une piste assez praticable bien que peu fréquentée. Des masses touffues de lianes et d'arbres se sont emparées des édifices de la fabrique et les ont apparemment disloqués puis réduits en poussière, car on n'aperçoit pas un seul pan de mur debout, pas une pierre. Mais les abords de la rivière sont relativement dégagés – les éléphants passent comme une charrue dans la végétation, de toute façon.

« Là », dit Nèhyé en désignant le coude à angle presque droit de la rivière vers l'est. Les éléphants s'arrêtent, Binh Dô et Térang sautent à terre pour finir de dégager à grands coups de machette l'espace où l'on s'installera.

« Là-bas, en face, marmonne Nèhyé, c'était le moulin, avec le petit pont et l'embarcadère où l'on chargeait l'ambercite. Et là… » – il désigne l'eau verte de la rivière – « … la canonnière a sauté. Et alors, nous avons lancé les dés, Chéhyé et moi.

— Et le manoir, a-t-il été détruit, lui aussi ?

— Pas vraiment », dit Nèhyé.

Alors, c'est là que doivent se trouver les deux Natéhsin de Phénix.

Le camp est enfin installé à la satisfaction des deux Ghât. Pierrino ne tient pas en place.

« Le manoir est-il loin ?

— Environ une demi-lieue. »

— Est-il nécessaire de prendre les éléphants ? »

Binh Dô fait une grimace en marmonnant quelque chose en mynmaï.

« Il vaut mieux pas, dit Nèhyé. C'est plus accessible à pied, de toute façon. Il y a une piste, par là, à gauche, dans le parc, sur l'emplacement de l'ancien chemin cavalier. »

Ce qu'il appelle le parc est une jungle sauvage : cette "piste" n'est pas souvent utilisée. Il va en faire la remarque à Nèhyé quand il surprend un mouvement, du coin de l'œil. Il ralentit, regarde autour de lui, déconcerté, cherchant ce qui l'a alerté. Rien.

Et puis, de nouveau, une vague passe sur le paysage. La jungle folle devient un parc bien tiré, le chemin s'élargit, les arbres rapetissent, disparaissent, sont remplacés par d'autres essences d'une autre taille, des essences européennes. Mais cette métamorphose n'est pas statique. C'est comme une bulle qui se déplace et, dans son sillage, la jungle se reconstitue. Au milieu de la bulle, de plus en plus précise à mesure qu'elle approche, se tient une silhouette vêtue de bleu mage.

« La mémoire folle du domaine », dit Nèhyé avec une mélancolique malice.

C'est une Européenne, vêtue en ecclésiaste. Une vieille petite femme d'environ quatre-vingts ans. Elle ne semble pas du tout folle. Ses cheveux sont bien peignés, ses robes superposées impeccables. Elle s'arrête devant eux, la tête rejetée en arrière, les yeux un peu plissés.

« Le bon jour de la Divine », lance-t-elle en mynmaï d'une voix un peu chevrotante. « Que puis-je faire pour vous ? »

Nèhyé désigne Pierrino : « Ce jeune homme est venu vous rendre visite, Domma Antoinette. »

Pierrino, pétrifié, contemple cette autre impossibilité surgie des mémoires d'Ouraïn. *Antoinette*. Antoinette de Margens.

Le paysage vacille autour d'eux, se reconstitue, tremblant par moments comme un mirage de chaleur. A-t-elle été surprise en voyant un Européen, après tout ce temps ? Ou bien c'est de le trouver vêtu en indigène ?

Pierrino la salue, se sentant un peu absurde de le faire à l'européenne dans son sarang : « Pierre-Henri Garance, Domma Antoinette. »

Elle le considère d'un air méfiant : « Vous n'êtes point talenté.

— Eh bien, je ne le suis plus », dit Pierrino, qui attendait une tout autre remarque, sur ses vêtements par exemple, ou plutôt leur quasi-absence.

L'ecclésiaste prend un air de commisération, mais une petite lueur narquoise s'est allumée dans le regard : « Je vois. Il a dû s'y résigner. Ah, que voulez-vous, cela devait arriver. Du moins a-t-il un fils, maintenant. Vont-ils revenir bientôt, alors ? »

Il ne sait de qui elle veut parler, mais répond très poliment :

« Je ne crois pas. Et je ne resterai pas très longtemps.

— Ah ? Mais vous voudrez demeurer au manoir pendant votre séjour, bien sûr. Venez, vous verrez que tout est en très bon état, j'en ai bien pris soin. »

Elle se détourne pour s'engager dans le chemin – bien plus large et dégagé dans la bulle qu'elle traîne avec elle – et il la suit, étonné de ne point trébucher sur des obstacles invisibles, en regardant le paysage se transformer à leur passage pour se reformer derrière eux. Traversent-ils la végétation sauvage qui se trouve pourtant là, puisqu'elle reparaît derrière eux ? Le talent d'Antoinette de Margens peut-il construire et maintenir une illusion aussi concrète ?

« Comment va Garang Nomh ? » demande l'ecclésiaste, très mondaine. « Ils pourraient revenir, vous savez, tout est très tranquille ici. Vous auriez dû amener votre sœur. »

Mais de qui veut-elle parler ? Pierrino répond comme il peut, partagé entre un rire incrédule et une compassion attristée. « Elle n'a pu venir. »

Ils arrivent en vue d'un espace plus dégagé où les arbres sont moins grands. De proche en proche, cela se métamorphose en une vaste cour ronde entourée de supports à torchères en fine maçonnerie. Le manoir se recompose plus précisément à mesure qu'ils avancent. Tout semble très neuf, comme si l'on avait fini de construire la veille. Une longue barrette de pierre, deux tourelles sur les côtés, un grand escalier coiffé de ses colonnes classiques sous le fronton en triangle du porche : le plan d'ensemble de Lamirande, en miniature.

Abasourdi, Pierrino souffle à Nèhyé : « Quelle est cette magie ?

— Comment le talent limité de votre Reine folle a-t-il pu jeter sur votre contrée le sortilège de silence ? » lui répond le vieillard à mi-voix.

Ce n'est pas une réponse, mais il devra sans doute s'en contenter.

Le Ghât'sin ajoute cependant, méditatif : « Domma Antoinette se souvient bien, mais elle n'est pas dans le bon temps. »

Ce qui n'éclaire pas davantage Pierrino.

L'illusion est si complète qu'il sent la pierre de la rambarde de l'escalier sous ses doigts, le choc de ses sandales sur les marches. Il gravit bel et bien des marches, il pénètre dans la fraîcheur d'un vestibule, un domestique le débarrasse de son chapeau de paille conique comme s'il s'agissait d'un feutre – c'est une simple silhouette sans visage, et pourtant on lui a bien pris le chapeau des mains. Il remarque alors que Nèhyé ne l'a pas suivi. Il se retourne machinalement vers la porte, mais elle s'est refermée. Au-delà du vestibule, il distingue l'amorce d'une galerie rectangulaire entourant, comme à Lamirande, un jardin baigné de soleil.

Ils pénètrent dans un salon bleu qui se déplie autour d'eux, complet avec ses meubles d'un autre siècle : il reconnaît les dressoirs aux pattes de lion et les marqueteries tellement à la mode sous le règne de la reine Hélène, dans les années 1630. Les tapisseries de Lyon, aux riches couleurs sombres, mettent en relief la délicate nuance bleutée des murs et des tissus d'ameublement.

L'ecclésiaste l'invite à s'asseoir et, après une hésitation, il s'exécute avec prudence, mais le coussin du fauteuil est des plus solides, et moelleux.

« Vous offrirai-je un rafraîchissement et une collation, mon cher Pierre-Henri ? »

Une cafetière et deux tasses de belle porcelaine de Limoges apparaissent sur la table, remplies de café fumant, avec un plateau de fruits et de biscuits. L'ecclésiaste en prend une, avec sa petite assiette, y verse deux cuillerées de sucre roux, lui sourit d'un air affable : « Servez-vous, je vous en prie. »

Que faire, sinon s'exécuter ? La chaleur de la porcelaine, l'arôme du café, le tintement de la cuillère, le croquant du biscuit lorsqu'il y mord – toute cette exactitude concrète des sensations commence à agir sur les nerfs de Pierrino.

L'ecclésiaste savoure son café en lui lançant de brefs coups d'œil par-dessus le bord de la tasse.

Comment parler avec cette femme ? Que lui dire ? Elle ne vit pas dans le même temps que lui – pas dans le bon temps, a dit Nèhyé. Voulait-il dire que son sortilège, de quelque façon, les transporte dans le passé à son voisinage ? C'est une hypothèse si séduisante et si impossible à la fois que Pierrino s'en détourne aussitôt. Une pensée le traverse, moins douloureuse que mélancolique : elle ravirait Senso, en tout cas.

La vieille femme lui demande des nouvelles plus précises de Garang Nomh, qu'il est bien en peine de lui donner. Après un échange de plus en plus embarrassé, il n'y tient plus.

« Madame, je ne sais comment vous le dire, mais… le comptoir n'existe plus. Beaucoup de temps a passé… »

Il ne sait si elle l'a entendu : elle ne réagit pas, continue de le fixer avec la même attention souriante. Soudain, l'air plaisamment surpris, elle se tourne vers la porte en s'exclamant : « Mon cher Philippe, devine qui vient nous rendre visite ? »

Pierrino se retourne : nulle robe bleue à la porte. "Philippe", c'est l'autre ecclésiaste, dom de Carusses.

Mais il est mort la même année que Gilles a feint de disparaître, n'est-ce pas ? Dans un accident. Un véritable effroi fait frissonner Pierrino : y a-t-il ici une âme perdue, qu'il ne voit point mais avec qui la malheureuse ecclésiaste est capable de converser ?

« Mais, mon ami, reprend celle-ci d'un air indulgent, il est des façons de procéder, je te l'ai déjà expliqué. Ce jeune homme est de la famille, comme elle. On peut leur dire. Les pénalités du lien sont très supportables, je te l'assure. »

Elle écoute l'invisible, la tête un peu penchée sur le côté, fronce les sourcils. « Vraiment, mon cher, qu'est-ce qu'une petite migraine lorsqu'il s'agit de dire la vérité ? C'était nécessaire alors, ce l'est toujours maintenant, tu en conviendras. »

Puis elle se tourne d'un air grave vers Pierrino : « Mon pauvre enfant, des choses terribles s'en viennent, terribles. Vous et votre sœur… il vous faudra beaucoup de courage. »

Pierrino est ébranlé malgré lui. Si cette femme est portée par son talent devenu fou, si elle se promène au hasard dans l'Entremonde… y aurait-il elle rencontré la psyché de Jiliane ? Ou même, horrible possibilité, son âme ?

Comment établir un contact avec cette malheureuse ? Il a beau chercher désespérément, il ne trouve rien. Il ne faut pas l'aborder de front, en tout cas, il est clair qu'elle entendra seulement ce qu'elle veut entendre.

« Parlez-moi de ma sœur, Domma Antoinette.

— La pauvre petite ! » La vieille femme a une expression angoissée, mais sévère. « Je suis navrée de devoir vous dire cela de votre père, mais il lui fera du mal. C'est dans sa nature. Il ne peut s'en empêcher. Il a toujours été ainsi, hélas, même enfant.

Vous a-t-il dit que nous étions condisciples, à la Maîtrise ? »

Il hoche la tête, muet, soudain accablé par tout ce qui croule de nouveau sur lui de manière si inattendue, tout ce qu'il avait réussi à tenir à distance dans l'insistante étrangeté de Garang Xhévât, mais qui l'écrase ici, dans ce salon bleu inexistant, ou transplanté d'une autre époque : la disparition de Jiliane, le rôle éventuel de Grand-père, de Grand-mère... La pauvre folle ne veut sûrement pas parler de Jiliane. D'Agnès ? Un autre souvenir vient le transpercer : les dernières phrases du dernier journal, celui de Grand-mère. Agnès arrivée de Toulouse avec Henri, enceinte de seulement quatre mois.

Brusquement, il n'en peut plus, il se lève en renversant la tasse de café. Le liquide lui brûle la jambe.

L'ecclésiaste pousse une exclamation navrée, l'aide à s'essuyer avec une serviette.

« Mon cher enfant, je comprends votre émotion, je suis navrée, mais qui protégera cette pauvre petite, si vous ne le faites pas ? » Elle tourne la tête vers l'autre fauteuil, en face d'elle. « Sa mère... oui, bien sûr, sa mère. Mais, Philippe, elle n'a jamais rien fait contre lui, même après cette horrible nuit... »

Elle écoute le silence puis hoche la tête avec un sourire agacé : « Mais c'est comme avec Ouraïn, je te le répète. Cela ne sort pas de la famille, n'est-ce pas ? Le lien ne peut agir, ou agit peu, avec quelqu'un de la famille. Et puis, il faut sauver l'âme de Gilles, tu as assez prié pour cela, mon pauvre Philippe. »

Ses traits se contractent. Elle répète tout bas : « Mon pauvre Philippe. » Elle se penche soudain vers Pierrino, en chuchotant : « Savez-vous ce qu'il lui a fait ? Il l'a suspendu, et ramené, et suspendu, pendant des années, jusqu'à ce que mon pauvre Philippe devienne fou et consente à son infâme marché.

Et moi… » Des larmes lui viennent aux yeux. « …
et moi, je ne pouvais rien ! Je lui faisais croire que
j'étais d'accord, vous comprenez, j'espérais toujours
qu'il finirait par comprendre l'horreur de ses gestes,
mais non, il a continué, et continué, et continué… »

Elle se tourne vers l'invisible Carusses, se lève
brusquement d'un air outragé : « Ce n'est pas vrai !
Comment peux-tu t'abaisser à de si lamentables ca-
lomnies ? »

Elle suit des yeux cette absence en mouvement, se
jette en avant, mains recourbées en serres, se débat
en repoussant le vide devant un dressoir où s'alignent
plats et assiettes de superbe faïence émaillée : « N'y
touche pas ! C'est à moi ! Va-t'en, c'est cela, retourne
à tes prières inutiles ! »

Le dressoir qu'elle défendait est soudain rempli
de sphères de toutes tailles, d'un délicat rose orangé,
certaines aussi grosses qu'un petit boulet. L'ecclésiaste
sourit fièrement à Pierrino en désignant les étagères :
« Vous voyez comme j'ai tout bien conservé ? Je l'ai
toute transportée moi-même, depuis la fabrique, ils
n'en avaient rien pris, ces sauvages. »

Elle va ouvrir le panneau coulissant du secrétaire,
près de la fenêtre, en tire un à un les tiroirs : ils sont
remplis d'ambercite. Le salon bleu se transforme,
s'élargit, s'assombrit de lambris de teck, devient une
bibliothèque : jusqu'au plafond, rangée sur rangée
d'ambercite dans les étagères.

« J'ai tout rapporté, tout. Oh, il m'a fallu du temps,
mais j'ai tout rapporté ici, au manoir, bien en sécurité. Mes sortilèges de protection ont toujours été
excellents. Il le sait bien. Vous pourrez lui dire, que
tout est bien en sécurité. Votre héritage, mon jeune
ami. Hein, que dites-vous de cela ? »

La bibliothèque est devenue une chambre à coucher
– encore du mobilier Reine Hélène, du beau chêne

luisant pour le lit à baldaquin, sur les murs, l'armoire et le coffre de lit. Des rangées de billes rosées de grosseurs différentes, les plus grosses en bas, un échafaudage impossible, remplacent papiers peints et tapisseries. Il y en a aussi par terre sur le plancher, empilées comme pêches ou pommes. Quelques billes éparpillées ont roulé au hasard. En les évitant, l'ecclésiaste va se jeter assise sur le lit, qu'elle tapote avec allégresse : « Il y en a sous le matelas. Je les protège même en dormant. Oh, non, ce n'est pas dur du tout, le matelas est épais, et je ne suis pas la Princesse au Petit Pois. » Elle se met à glousser : « Ce n'est plus de mon âge d'avoir la peau si délicate qu'une bille la meurtrirait sous trois épaisseurs de crin ! »

Elle vient prendre Pierrino par le bras, familièrement : « J'en ai entreposé aussi dans les étables. Voulez-vous venir voir ? »

Il essaie de se dégager, à bout d'horreur, en luttant contre une nausée : « Non, non. Je vous en prie, Domma Antoinette, ce ne sera pas nécessaire. »

Elle semble déçue, mais se penche pour ramasser une bille qu'elle caresse dans sa paume en roucoulant tendrement : « Tu n'es pas perdue, ne crains rien, tu n'es pas perdue… »

Une autre main saisit le bras de Pierrino, et il sursaute violemment. Mais c'est Nèhyé. Il se trouve avec lui dans l'espace dégagé où étaient auparavant le manoir, le salon, la chambre. Il n'y a pas ici une seule pierre. Seulement de l'herbe, des arbres, des buissons. À quelques pas, la vieille femme caresse la bille invisible dans sa paume.

« Faites quelque chose ! » murmure Pierrino une fois qu'il a repris ses esprits.

Le vieillard hausse un peu les épaules : « C'est ainsi qu'elle se maintient en vie.

— En vie ? Vous appelez cela une vie ? Elle est complètement folle.

— C'est son choix.

— On ne peut la laisser ainsi ! proteste Pierrino.

— Elle nous a oubliés. Quand on ne la dérange pas, elle est très bien ici.

— Mais… où vit-elle ?

— Dans une cabane, de l'autre côté du parc. Elle cultive le jardin, elle soigne la volaille. Les paysans et les pêcheurs des alentours lui apportent des offrandes. Ils pensent que c'est une Têp'tida devenue folle. Mais elle finira bien par mourir malgré tout un jour, comme nous tous. »

La tête levée vers Pierrino, il le dévisage avec une petite grimace narquoise : « En as-tu vu assez ?

— Si vous saviez ce qui se passait ici, pourquoi m'avoir laissé y venir ? »

Le vieillard fait une petite moue : « Parce que c'était ton choix. »

Le vestibule du manoir se reconstitue subitement autour d'eux. L'ecclésiaste vient les prendre par les bras pour les accompagner jusqu'à la porte qui s'ouvre d'elle-même à deux battants.

« Vous transmettrez toutes mes amitiés à votre père et à cette chère Ouraïn. Je regrette vraiment de n'avoir pu venir au baptême de votre sœur, Pierre-Henri. Savez-vous, Ouraïn ne m'a jamais dit comment elle l'appellerait ! Quel nom lui a-t-elle donné, finalement ?

— Jiliane », marmonne Pierrino, malade de pitié, de chagrin, d'épouvante. « Ma sœur s'appelle Jiliane. »

La vieille femme semble se figer, le regard lointain : « C'est un joli nom, dit-elle néanmoins. Mais, mon cher enfant… » Elle se hausse vers lui pour souffler d'un air navré : « Protégez-la ! Il lui fera du mal. Il voudra sucer son talent, comme il l'a fait de Kurun et des autres. Il ne pourra s'en empêcher. C'est dans sa nature. »

Pierrino s'incline avec maladresse – les sarangs mynmaï ne sont pas faits pour les politesses géminites – et sans répondre, car il ne peut supporter de rester une seconde de plus au voisinage de la malheureuse. Alors qu'il descend l'escalier de grès rose, la cour gravillonnée s'efface autour de lui. Il se retourne : la tache bleue s'éloigne vers la jungle entre les arbres. Il la regarde disparaître avec un mélange de désespoir et d'exaspération. Du coup, il ne lui a pas même demandé si elle avait vu les deux autres Natéhsin ! Mais lui adresser de nouveau la parole, c'est au-dessus de ses forces.

Il se passe une main sur la figure, se rend compte qu'il est en sueur, que le soleil lui brûle les joues. Son chapeau est resté dans le vestibule du… Est-ce possible ? Il cherche autour de lui dans l'herbe. Le chapeau a bel et bien disparu.

« Allons aux mines », dit-il enfin en serrant les dents sur tout ce qu'il ne comprend pas et l'irritation désespérée qui menace de refaire surface. Qu'au moins ce voyage serve un peu de quelque chose. Si les mines sont encore en état, il pourra l'indiquer dans le message qu'il fera parvenir à Haizelé, cela lui sera peut-être utile.

« On peut commencer par la toute première mine d'ambrose, à l'ouest », acquiesce Nèhyé. « Mais passons d'abord au campement. J'ai faim, et puis, nous prendrons les éléphants, cette fois. C'est loin, près de deux lieues, et la route n'existe plus. » Il émet son petit rire caquetant : « Je n'ai plus mes jambes de cent ans ! »

11

29 janvier 1736…

La main d'Ouraïn hésite sur la page vierge. Puis elle reprend : *…Sigismond est à Daïronur avec Chéhyé et Nèhyé, pour une audience avec le régent.*

Il lui est curieusement plus facile de relater les événements dans son journal en utilisant ce prénom. Elle peut penser "Gilles", mais le voir écrit suscite en elle des réactions qu'elle a parfois du mal à maîtriser : le sortilège bénéfique de l'écriture semble lui échapper et se retourner en évocation funeste.

…Elle lui a été accordée, non sans réticence, et il n'en espère pas grand résultat. Mais Garang Nomh lui a confié cette mission, et il devait s'exécuter.

Son regard s'attarde un instant sur le dernier mot. *Exécuter.* Mais quand bien même il le pourrait, Bakkôh Ayvanam n'oserait sans doute pas toucher à un seul cheveu du Dragon Blanc et de ses Ghât'sin ; la situation ne s'est pas encore détériorée à ce point.

Une réflexion qu'elle n'inscrira pas dans son journal. Elle n'a pas pourvu ces pages de protection magique, Gilles ne les lirait pas, au demeurant, par simple habileté sinon par véritable respect. Mais c'est pour elle. Elle ne veut pas diluer sa rage et sa haine en les dispersant dans des mots. Elle veut les garder près de son cœur, comme elle couve désormais sa magie en ne se livrant à l'igaôtchènzin qu'une fois par jour.

Il en est content. Il croit qu'elle s'entraîne à vivre plus aisément encore dans le monde des Itun. Un mot qu'elle n'écrit jamais, ne prononce jamais, mais elle n'en utilise plus d'autres pour penser le monde d'où il est venu, le monde qu'il a apporté ici, le monde maudit.

On frappe à la porte. Un des serviteurs.

« Un envoyé de Garang Xhévât, Madame », dit la voix calme.

Elle reste un instant figée. Force sa main à répandre la poudre sur l'encre encore humide, la regarde s'imbiber, la souffle posément, referme le carnet.

Alors seulement elle se lève. Mais le chaos ne s'est pas calmé dans son esprit. Elle ne désire pas vraiment qu'il se calme, qu'il se fixe sur une idée en particulier : elles sont toutes tendues d'un espoir trop violent, et elle ne veut pas commencer d'espérer.

À la porte, le serviteur s'écarte pour la laisser passer, lui emboîte le pas telle une ombre. Elle songe distraitement qu'elle ne sait toujours pas les reconnaître l'un de l'autre. Lequel est Dinh et lequel Tchèn ? Elle pourrait le dire, sans doute, si elle se donnait la peine de fouiller en eux, mais quelle importance ? Ils se sont proposés, Gilles les a examinés et acceptés, mais c'est à elle qu'ils sont dévoués, c'est tout ce qu'elle a besoin de savoir. Des Ghât, des Bôdinh convertis au culte de l'Abomination, pardon, de l'Enfant Plusieurs Fois Né de Plusieurs Pères. Prophétie imbécile : comment un enfant pourrait-il naître plusieurs fois ? Et un père, pour cet enfant-ci, ce sera déjà trop.

Mais il en aura deux, oui : son père et son grand-père.

Eh bien, si c'est l'enfant de la prophétie des triades telle que l'avait rapportée Xhélin, c'est lui qui la vengera, alors, qui les vengera tous.

Elle écarte ces pensées douloureuses et calme délibérément sa rage.

L'envoyé de Garang Xhévât attend au pied de l'escalier d'honneur, avec deux porteurs et une sorte de civière où repose une longue boîte étroite drapée d'un simple tissu blanc. Les porteurs sont des indigènes ordinaires. L'envoyé est un Ghât'sin, il en porte les couleurs vert et doré. Assez jeune, il ne la salue pas et son regard la détaille avec une répugnance discrète mais perceptible. Un Ghât'sin, de Garang Xhévât. Et on l'a laissé passer ?

Mais bien sûr : les ecclésiastes et les autres géminites ne l'auront pas vu, ou l'auront pris pour quelque riche paysan venu apporter un présent au maître du domaine ; les talentés mynmaï sont occupés à la fonderie ; et les Ghât du manoir, s'ils ont juré allégeance au Dragon Blanc, n'ont pas forcément rompu avec la ville sacrée. Ils auront jugé l'homme inoffensif.

Et que lui importe, à elle ? On n'osera jamais rien contre Sintchènzin. L'Abomination est une Natéhsin, malgré tout.

Il continue de la regarder en silence. Elle ne perdra pas de temps à jouer à ces petits jeux absurdes, attendre qui parlera en premier, qui cédera en premier : « Que veux-tu ?

— Je dois parler au Dragon Blanc. »

Ignorent-ils donc qu'il se trouve à Daïronur ?

« Il est absent.

— Je dois parler au Dragon Blanc. »

Un instant, elle est tentée de répliquer "Très bien, attends-le" et de le laisser dans l'antichambre pendant encore cinq ou six jours, mais d'une part il en serait aisément capable, si ses porteurs, de simples indigènes, ne le seraient pas. Et d'autre part ce serait absurde aussi.

« Je le remplace ici », dit-elle plutôt, sans pouvoir s'empêcher d'en ressentir un vague plaisir vengeur. Et, comme l'homme prend un air buté, elle ajoute, impérieuse : « Parle. »

Elle est satisfaite de voir qu'il a tressailli malgré tout, en baissant les yeux.

Il dévoile la boîte que les porteurs ont déposée sur les dalles et, depuis les marches, elle peut en voir le contenu : un corps. Elle s'approche, flanquée des deux serviteurs.

Un homme, nu. La trentaine, pas très grand, mince mais musclé, de longs cheveux noirs dénoués, une bande de peau très blanche sur les hanches, un peu moins sur les cuisses, le reste du corps brun, le hâle que les Itun doivent au soleil. Sur l'un de ses bras s'enroule une marque sanglante où l'on peut discerner l'empreinte des torons d'un filin. Fraîche, la marque, luisant, le sang. Mais il ne coule pas. La poitrine de l'homme ne se soulève pas.

« Des pêcheurs de Doreng Dhu ont trouvé cet homme flottant aux environs de l'île, déclare le Ghât'sin. Ils l'ont amené à leur yuntchin. Qui l'a amené à Garang Xhévât. On nous y a dit de l'amener ici. On nous a dit de dire : "Cet homme appartient au Dragon Fou." »

Elle va pour demander qui a donné cet ordre, mais le Ghât'sin a déjà tourné les talons et s'éloigne sans un mot de plus avec les deux indigènes, en laissant la civière à terre là où ils l'avaient posée.

Elle laisse s'éteindre son sursaut de colère. S'approche de la boîte oblongue, qui n'est pas un cercueil après tout, malgré le drap blanc. N'ouvre pas son talent – c'est superflu, et elle ne veut pas encore alerter Gilles. Elle examine l'homme avec plus d'attention.

Les vêtements ne sont pas suspendus en même temps que le soma, et le naufragé a dû séjourner longtemps dans la mer, qui a tout détruit. Ou bien il a passé du temps dans des estomacs marins, comme le Jonas des christiens, et les acides ont détruit ses vêtements, jusqu'à ce que l'animal recrache cette nourriture indigeste, ou en meure.

Mais pourquoi ce sentiment croissant qu'elle a de le connaître? Elle sait qu'elle ne l'a jamais vu de sa vie – elle s'en souviendrait. Elle ne sait pas qui il est, et pourtant, il lui est presque familier.

« Allez chercher Antoinette », dit-elle à la cantonade.

Elle s'assied sur la banquette qui flanque le mur, en arrangeant avec soin les plis de sa robe-sarang, et elle attend, en s'interdisant de penser. Elle se laisse plutôt glisser dans une prière, avec un amusement lointain lorsqu'elle reconnaît celle que sa mémoire lui a offerte: l'incantation de Hundgao, la Danse. Qui n'est pas le Chaos mais entretient avec le Dragon Fou des relations aussi aimantes que secrètes.

La jeune madame Cournoyer arrive bientôt à pas pressés de l'aile nord – elle travaillait encore à la bibliothèque, elle n'en sort presque plus, ces temps-ci. Elle n'a pas de réticences à ouvrir son talent, elle, dès qu'elle voit de loin la boîte sous son drap replié. Ce n'est pas pour appeler Gilles, évidemment, il est bien trop loin pour elle. Ouraïn l'observe avec curiosité pendant qu'elle se livre à son examen. Voit son visage prendre une expression stupéfaite, puis effrayée. La regarde se tourner vers elle, plus pâle que d'habitude: « Il faut appeler Gilles sur-le-champ.

— Quoi, pour un naufragé suspendu? Nous pouvons le rassembler nous-mêmes. »

Madame Cournoyer redevient Antoinette – elle doit être réellement bouleversée. « Ce n'est pas n'importe

quel naufragé », murmure-t-elle d'une voix entre-
coupée.

Ouraïn se lève et vient la rejoindre près de la boîte,
sans rien manifester de la vaste satisfaction qui fuse
en elle. Antoinette ne s'en rendrait pas compte, de
toute façon : les yeux légèrement exorbités, elle désigne du doigt le bras marqué de rouge. « Gilles ne
t'a-t-il jamais raconté son naufrage ? »

Oh, bien sûr, et plus d'une fois. Mais elle ne voulait
ni désirer ni espérer avant d'en avoir confirmation.
Et elle veut se donner le temps de réfléchir davantage
avant de contacter Gilles à Daïronur. Que signifie
cette apparition ? Flottant près de la côte ouest, dé-
couvert par des pêcheurs. Qui avaient sans doute
oublié la Prophétie, car ils ne l'ont pas rejeté à la mer.
Ou, plus simplement, n'étaient pas des talentés mais,
capables de reconnaître les effets de la magie, l'ont
amené à leur yuntchin. Et Garang Xhévât l'envoie
au domaine. Même si elle croyait aux coïncidences,
ce ne pourrait en être.

Car enfin, le voici, le véritable Fantôme Blanc. Que
Kempo a finalement relâché sans l'avoir rassemblé
comme elle l'avait fait de Gilles. Ni aux environs de
Garang Nomh, ni ailleurs plus loin sur la côte où ses
compatriotes auraient pu le trouver. Et c'est maintenant
qu'il arrive, alors que Gilles se trouve à Daïronur et
ne pourra revenir avant plusieurs jours.

"Cet homme appartient au Dragon Fou." Mais de
quel Dragon Fou s'agit-il ? De Hyundigao ou de Gilles
qui a usurpé ce nom dans les superstitions mynmaï ?
Ce présent de Garang Xhévât, est-ce bien à Gilles
qu'on l'a envoyé ou, secrètement, à elle ?

12

La carrière d'ambrose est un gigantesque trou dans la dernière colline, comme si une gueule énorme avait croqué d'un coup un morceau de paysage; on l'aperçoit même au-dessus des frondaisons depuis la piste qui a remplacé l'ancienne route, bien moins fréquentée que les autres et que les éléphants dégagent en avançant.

Mais on avait gratté le sol jusqu'au roc à l'orée de la carrière, et la végétation n'y a pas encore vraiment repris. Pierrino, qui ouvrait la route, arrête son éléphant et, après s'être laissé glisser au sol, il s'avance sans attendre Nèhyé.

Comme tous les écoliers d'Aurepas, il a visité les carrières de Saint-Tonin, d'où a été tirée la ville, et qui continuent de la nourrir en blocs de pierre. Celle-ci est encore plus vaste. Une plate-forme dégagée à peu près plane s'étire jusqu'au front de taille, qui forme un demi-cercle de près d'un kilomètre, s'étageant sur au moins cinq cents mètres de haut. Une large voie en lacets passe d'un niveau à l'autre. Des chariots vides et pleins devaient y circuler, tirés à force d'hommes ou d'animaux sur des rails, mais il n'en reste pas trace, seulement les pans de roche grise et ocre alternant avec les veines plus ou moins horizontales de minerai rouge, vaguement miroitant.

Il entend les sandales de Nèhyé claquer derrière lui sur le roc du chemin, lance par-dessus son épaule, sans se retourner : « Et pourquoi ne l'avez-vous pas effacée, cette carrière ?

— Parce que la terre se souvient encore trop », réplique Nèhyé sans se troubler. « Lorsqu'elle décidera de pardonner, les blessures disparaîtront. »

Pierrino commence de gravir le chemin pour s'approcher de la paroi rocheuse, en escaladant une petite coulée de roc qui traverse la voie. Une autre la bloque aussi un peu plus loin. Battue par les moussons, minée par les infiltrations d'eau plus secrètes mais non moins puissantes, la carrière s'effrite, de roc en cailloux en poussière qui, mêlée à des graines apportées par le vent et les petits animaux, finira par former un humus fertile ; la jungle y reprendra ses droits comme partout ailleurs dans le domaine. La terre oubliera. Il ne restera plus trace de Gilles Garance, de son orgueil et de ses disharmonies.

Pierrino pose une main sur la roche rougeâtre. Il ne sent rien sous sa paume, que la chaleur du soleil, mais le geste le renvoie en arrière, aux promenades à la Combe aux Géants et aux alentours de la Malegude avec les savants amis de Grand-père. Avec Senso, et Jiliane.

À quoi bon penser de ce côté ? Il recule plutôt, tête rejetée en arrière, pour examiner le front de taille. Il aurait cru que l'ambrose se présentait sous forme de cailloutis, comme l'ambre, mais non. Une pression, une chaleur énormes, dans un lointain passé, ont dû fusionner les sécrétions des ambrosiers antiques. Ou bien le Sang de la Montagne coulait-il librement alors, comme dans les contes mynmaï ?

Il se retourne pour redescendre vers le vieux Nèhyé qui l'attend, toujours juché sur son éléphant, lorsqu'il sent le sol vibrer légèrement sous ses pieds. Il se fige, inquiet : y a-t-il des tremblements de terre dans cette région ? Une petite averse de cailloux dégringole plus haut, il lève les yeux par réflexe.

Et la paroi se bombe comme un torse, la paroi est un torse aux écailles vert bronze, les coulées de roches, de chaque côté de Pierrino, s'étirent en deux énormes pattes griffues rattachées à des hanches de pierre mouvante à demi dissimulées par le pli d'ailes où cascadent des reflets rougeâtres. Et la montagne penche vers lui une tête au long museau où, sous une aigrette de sourcils duveteux, deux yeux grands comme des boucliers brillent d'un feu doré, fixés sur lui.

Que fais-tu encore là, Petit Dragon ? dit Hyundpènh. *Ce n'est pas ta place.*

Une autre patte plus mince, aux longs doigts agiles, se détache de la pierre pour se refermer sur la taille de Pierrino et, d'un seul élan, le Dragon se propulse dans les airs, vire, et file vers l'est.

13

Senso ouvre brusquement les yeux. On frappe à la porte, avec insistance. Il va pour dire "Je suis réveillé, Étienne !", mais une angoisse naît dans sa poitrine, qui se diffuse en un éclair dans tout son soma. Pendant une fraction de seconde, il s'en étonne. Et puis il se rappelle.

Il s'assied brusquement dans le lit, doit s'appuyer des deux bras pour ne pas retomber.

« Senso ? »

Ce n'est pas Alexis. C'est Margarete Van Laar, la compagne d'Adriana. « La fête est finie, Senso ! Il est passé neuf heures. Si tu veux encore déjeuner… »

Avec un effort surhumain, il réussit à dire : « … ne me sens vraiment pas bien », un croassement qui le stupéfie.

« Tu n'avais pourtant pas beaucoup bu… Ou bien t'es-tu rattrapé lorsque tu nous as quittés avec Alexis ?

— Plutôt… une petite grippe. La fête… n'a pas aidé. Pas grave, besoin de sommeil, c'est tout. » Il se racle la gorge, essaie de maîtriser sa voix. « J'irai mieux demain.

— Eh bien, je suppose que nous pouvons survivre sans toi pendant une journée ou deux, dit la voix amusée. Nous t'apporterons du bouillon de poulet ! »

Les pas de la jeune fille s'éloignent dans le couloir. Senso ferme les yeux et se laisse emporter par le tourbillon de la faiblesse qui le saisit, sans plus de pensées claires.

Il est conscient dans l'après-midi, toujours affaibli et surtout terriblement inquiet, lorsque le second visiteur le réveille. Ce n'est pas non plus Alexis mais Théodora et, oui, elle porte sur un petit plateau un bol fumant d'odorant bouillon. Après avoir placé le plateau sur la table de nuit en repoussant le bougeoir, elle s'assied au bord du lit, pose une main pleine de sollicitude sur le front de Senso. « Pas trop de fièvre, c'est bien. » Elle hausse un sourcil légèrement sarcastique : « Tu es sûr que c'est une grippe ? Devons-nous appeler un médecin ?

— Ce sera terminé demain. »

Avec un sourire quasi maternel à présent, Théodora remonte le drap sur sa poitrine et il se rend compte, pour la première fois, qu'il est nu. Il n'a aucun souvenir de s'être déshabillé, ni couché.

« Et c'est maintenant que Larché choisit de t'abandonner ? »

Il se sent soudain glacé. « M'abandonner ?

— Eh bien, il n'est pas là. »

Avec un soulagement qui le stupéfie autant que sa première réaction de terreur, il comprend que c'était une simple remarque sans portée. « Il a dû repartir à Aurepas », s'entend-il improviser ; son Pierrino intérieur, brusquement éveillé lui aussi, lui fait ajouter : « Un message nous attendait hier soir. C'était urgent. Il n'a même pas pris ses affaires. »

Théodora dit "rien de grave, j'espère", sans véritable curiosité, il réussit à répondre d'un ton désinvolte "oh, sûrement des affaires de famille" et cela s'arrête là : elle se lève, désigne le bol de bouillon : « Bois pendant que c'est chaud. »

Elle sort sans qu'il ait osé demander comment va Alexis.

Il peut penser à présent. Il le regrette. Pour retarder encore un peu le moment de la réflexion, il prend le bol de bouillon, souffle dessus, commence à boire à petites gorgées prudentes, en se concentrant sur ses sensations.

Et puis c'est la dernière gorgée, et il n'a plus de rempart contre les pensées qui montent à l'assaut. La première, étrangement, n'est pas une question mais une réponse, qui lui vient alors qu'il contemple par-dessus le bol vide les motifs floraux du dessus de lit. Pas de sang. Pas de sang dans le couloir non plus, alors, ni sur la serviette. Tout ce qui appartenait au soma d'Étienne a été sublimé en même temps que lui. Le commentaire qui surgit ensuite – "ce doit être bien pratique pour des mages meurtriers" – est si évidemment, si absurdement, une tentative de fuite que son Pierrino intérieur ne peut retenir un sourire ironique.

Il n'a pas le temps de penser plus loin : on frappe encore à la porte. Et cette fois, c'est Alexis.

Qui ne dit rien. Qui va s'asseoir sur la chaise devant le petit secrétaire. Senso le dévisage avec angoisse. Le garçon ne le regarde pas. Il contemple ses mains croisées sur ses cuisses. Il ne semble guère souffrir du contrecoup de la veille, en tout cas...

Contrecoup.

Senso repose le bol sur la table de chevet, en le serrant très fort, parce que ses mains tremblent.

Contrecoup.

Cette créature de flamme, magique, impossible, mais il sait désormais à quoi s'en tenir quant à l'impossible, n'est-ce pas ? cette créature de flamme qui dormait sous la basilique, elle les a… magnétisés, elle a déclenché en eux un talent temporaire, ils ont servi de conduit à cette magie. Une magie qui n'a rien à voir avec la magie géminite. Et que nul n'a perçue, puisque aucun ecclésiaste n'est accouru à l'hostellerie lors de son soudain déclenchement.

Une magie capable de sublimer un excommunié.

Alexis le regarde à présent, d'un air inquiet, mais détourne les yeux dès que leurs regards se croisent pour fixer l'étagère, au-dessus du secrétaire, où se trouvent les objets de Jacquelin – Senso ne se rappelle pas non plus les y avoir replacés. Un espoir soudain, douloureux : a-t-il rêvé ? Étienne est-il vivant ?

À la fin, il n'y tient plus : « Alex, sais-tu ce qui s'est passé hier ? »

Les yeux toujours baissés, le jeune homme marmonne : « Étienne allait mourir. C'était un excommunié, mais la Divinité a choisi de le rassembler et de le sublimer. »

Senso reste figé un instant. Quoi, rien d'autre ? Mais il sent comme son esprit s'en empare avec joie, avec soulagement, avec honte. Pourquoi avoir de suite imaginé des explications profanes, de la magie païenne ? La Divinité, bien sûr. L'immense bonté, l'immense justice de la Divinité…

Il n'ose interroger Alexis davantage, il en a bien entendu l'intonation butée. Mais pourquoi ? Il ne se rappelle pas bien ?

Et s'il n'avait rien à se rappeler ? Senso se redresse dans le lit. Et si sa propre vision de la créature de flamme était une interprétation délirante qu'il s'était donnée de ce qui se passait à cause… du choc, des paroles d'Étienne – cela, il s'en souvient très clairement –, de souvenirs des contes de Grand-mère mêlés, qui sait, à son expérience des créatures magiques, avec Étienne, en Savoie… Comment le savoir ?

De quoi se souvient-il exactement, lui? Étienne dans la chambre, le sang, cela est bien réel… Le bracelet d'avers qui lui brûlait la cheville… N'a-t-il pas disparu?

Sa main est déjà sur sa cheville. L'anneau de métal est toujours là.

Il se laisse aller contre les oreillers. Rien à se rappeler. Rien qu'une accablante merveille, l'intervention directe de la Divinité.

Mais pourquoi ces folles images de flammes? Pourquoi – une douche froide, le Pierrino intérieur – pourquoi la chambre, l'hostellerie tout entière ne débordent-elles pas de mages exultants et dévots? La Divinité peut-Elle accomplir Ses merveilles sans qu'elles soient perceptibles à Ses talentés? Elle le peut sans aucun doute, mais pourquoi le voudrait-Elle? Pour dissimuler une de leurs fautes passées? Voilà qui ne serait pas très divin, hein, Senso?

« Comment te sens-tu, Alexis? » demande-t-il enfin.

Alexis hausse un peu les épaules sans répondre. Senso insiste: « Pourquoi viens-tu maintenant? » Il n'ajoute pas "seulement", c'est inutile.

« Je voulais voir si tu allais bien », murmure Alexis.

Il sait. Il sait qu'il s'est passé une chose étrange, impossible. Il est géminite, il sait, et il a peur.

Si ce n'est pas la Divinité… Va-t-il falloir parler à Alexis de la magie mynmaï et le terroriser davantage encore?

Son Pierrino intérieur arrive à la rescousse, et il l'accueille avec gratitude: Mais est-ce bien de cela qu'il s'agit? Le somnambulisme magnétique serait encore l'hypothèse la plus raisonnable, n'est-ce pas? Plus acceptable en tout cas par Alexis…

Plus tard. Senso ferme les yeux en enfonçant sa tête dans l'oreiller, exténué. Plus tard.

◆

Alexis hausse violemment les épaules : « Je ne suis pas un talenté !

— Moi non plus », dit Senso, patient, « mais c'est une autre sorte de talent. Et tu étais là tout du long, tu t'en souviens. C'est toi qui tenais le tambour. Nous avons tous deux aidé Étienne à passer.

— Il n'y a pas d'objets magiques. Je n'ai rien fait, répète Alexis, obstiné. Seule la Divinité peut aider les excommuniés. »

Alexis est-il donc un géminite si orthodoxe ?

"Orthodoxe"… Mais non, ce n'est pas de l'hérésie que de se faire une idée plus vaste de la Divinité, n'est-ce pas ? En tout cas, il ne mentira pas à Alexis sur ce qu'il croit désormais.

« Eh bien, dit-il avec douceur, tu as raison, mais Elle nous a choisis comme instruments de cette merveille. Elle nous a permis d'exercer Sa Charité afin de sauver Étienne d'un sort bien injuste, puisqu'il avait été excommunié par accident. »

Alexis ne réplique pas, au moins. Il s'adosse sur la chaise et croise les bras, mais il ne semble plus aussi irrité. Deux jours qu'il lui rend visite, et pas une seule fois il n'est venu s'asseoir sur le lit, pas une seule fois il ne l'a touché.

Le garçon se redresse brusquement, les yeux agrandis : « Mais, si nous avions le talent, même comme tu le dis, temporaire, pourquoi les ecclésiastes n'ont-ils rien vu ? Ils auraient dû se précipiter ici lorsqu'il s'est ouvert ! »

Une fugitive tendresse traverse Senso : Alexis, décidément, pense comme le ferait Pierrino. Et il a raison, bien sûr. La seule explication à offrir, c'est la vérité. Alexis sera-t-il capable de l'accepter ? Il faut

lui donner le bénéfice du doute, la charité l'exige –
et leur affection mutuelle.

Que dire sans en dire trop ?

« Il y avait des talentés dans ma famille. Certains
n'étaient pas des talentés géminites. »

Alexis va-t-il comprendre à demi-mot ? Il n'a jamais
regimbé à l'évocation de l'Émorie dans leur projet
de pièce…

Mais le jeune homme fronce les sourcils : « Ton
grand-père atlandien ? » Il jette un regard du côté de
l'étagère, marmonne de nouveau : « Il n'y a pas
d'objets magiques. Et puis, le talent atlandien et le
nôtre sont Harmonisés depuis longtemps. »

Senso se résigne : « Il est des métissages qui em-
pêchent la perception d'un talent. » Il attend un peu.
Alexis a relevé la tête et le dévisage avec intensité.
Avec un mélange d'espoir et de crainte, Senso conclut
à voix basse : « Une partie de ma famille vient
d'Émorie, Alexis. »

Le garçon le regarde toujours fixement. Est-il
sous le choc ? Senso murmure – il ne peut revenir en
arrière à présent : « Je ne vois que cette explication à
l'absence de réaction des ecclésiastes. »

Alexis ne réagit toujours pas. Puis ses traits se
détendent un peu. « Ce serait seulement toi, alors. »

Eh bien, c'est tout de même mieux que l'horreur,
la terreur ou la fuite. Senso, un peu attristé, hoche la
tête sans se compromettre davantage.

Alexis s'est levé pour aller se planter devant
l'étagère. Senso l'observe, le cœur lourd, en se demandant ce qu'il se rappelle exactement, ce qu'il
pourra admettre de ce qui s'est passé. Il ne veut pas,
non, il ne veut pas de cette faille entre eux.

« Ce sommeil magnétique, dit soudain Alexis,
cela arrive donc à des gens qui ne sont pas de vrais
talentés… »

C'est cela qui le tracasse, de toute évidence. Curieux, pour un géminite, de craindre ainsi le talent.

« … Nous nous sommes magnétisés mutuellement, alors, conclut-il.

— Sans doute. »

Mais tu n'en sais rien, dit le Pierrino intérieur. Lequel n'en est pas à une contradiction près – mais n'est-il pas davantage Pierrino ainsi ? –, lui qui s'était si vigoureusement opposé à cette hypothèse lorsque Senso l'avait avancée autrefois pour expliquer la fenêtre-de-trop et les visions de la Carte ; une magnétisation à trois, ou le fait de Jiliane seule. La chose est évidemment possible – il avait peut-être raison alors aussi.

Il est bien trop tôt pour conter tout cela à Alexis.

Celui-ci semble s'apprivoiser peu à peu à l'idée, en tout cas : « Mais ça n'arrivera plus : c'était un cas extrême, pour sauver Étienne. Et même ainsi, ce peut encore être le fait de la Divinité.

— Sans doute », répète Senso, accommodant, malgré sa déception : Alexis ne veut pas discuter davantage, de toute évidence. Mais c'est normal. Il lui faudra un certain temps pour assimiler tout cela.

Alexis vient enfin s'asseoir sur le bord du lit, dévisage Senso, lui touche la joue : « Un contrecoup, ce n'est jamais bon, même quand on n'est pas vraiment talenté. Tu devrais aller voir un médecin, au moins. »

Senso lui sourit, attendri : « Non, demain ce sera sans doute passé. »

14

Gilles se détourne de la proue, légèrement amusé de son impatience : cela ne fera pas avancer plus rapidement la jonque. Le voyage est plus lent dans ce sens, le fleuve suit de nouveau son cours normal à la fin de novembre, et l'on remonte le courant. Il va s'asseoir sous l'auvent qui protège des dernières ondées. Toujours vêtu à l'indigène, il peut sans encombre s'asseoir en tailleur sur la natte pour regarder l'eau huileuse onduler de part et d'autre de la petite jonque. Des souvenirs d'autres voyages montent à la surface, et celui-là, inévitable et qu'il ne réprime point, le tout premier, avec les dragons d'eau appelés par Xhélin, agiles silhouettes blanches à l'avant de leur barque.

Avec un soupir, il s'adosse aux coussins, plus triste qu'irrité. On n'a pu sublimer le pauvre Xhélin, en définitive : son corps avait disparu lorsqu'on est venu le reprendre dans sa tombe. Inutile de s'en inquiéter : même parmi les partisans du Dragon Blanc, il n'y a pas beaucoup de convertis au géminisme ; il s'en sera trouvé parmi les domestiques pour emporter le cadavre. Qui sait, peut-être même Chéhyé ou Nèhyé – leur désir de vengeance n'allait sans doute pas jusqu'à souhaiter à Xhélin ce qui est dans les superstitions mynmaï l'équivalent d'un long purgatoire.

D'une certaine façon, il pourrait être reconnaissant au Ghât'sin de l'avoir alerté au réveil de Garang Xhévât. Daïronur, de toute évidence, s'en soucie comme d'une guigne : ses allusions ont été accueillies sans crainte et même avec dédain, sans doute parce qu'on a déjà lancé ses dés ailleurs. Ou bien l'on sait fictive son alliance avec la ville sacrée.

Un affrontement est vraisemblablement en cours à Garang Xhévât – devrait-on dire un schisme ? – entre au moins trois partis : les tenants du plan obscur qui veut user de lui et de sa descendance, ceux qui sont prêts à s'allier aux Kôdinh pour combattre les Fantômes Blancs et ceux qui désirent demeurer confits dans leur dogme de la non-action, se refusant à user de magie. Tant mieux : Garang Xhévât divisée, c'est Garang Xhévât affaiblie. L'alliance de Bakkôh Ayvanam et des plus extrêmes sectes kôdinh est déjà bien assez de pain sur cette déplorable planche.

L'audience avec le régent et ses hauts dignitaires a été par trop concluante : il a fallu écourter la visite tant l'atmosphère était hostile partout dans le palais et même, pour la première fois, dans la ville. Retenir les incursions des rebelles du nord contre les géminites ? "Les incursions diminueraient certainement, Monsieur Garance, s'il y avait moins de géminites sur les lieux." Le régent parle un français impeccable, qu'il maîtrise dans ses moindres nuances, et le caractère abrupt de sa déclaration était de toute évidence délibéré. "Si le transfert des pouvoirs et des terres aux Mynmaï, leurs légitimes propriétaires, s'accélérait, tout ce monde pourrait retourner dans le comptoir ou dans son propre pays. La présence de vos Caristes et de leurs auxiliaires n'est plus requise. Il n'y a pas eu de nouveaux cas de la maladie blanche depuis vingt ans." Il fallait bien poursuivre l'agenda, à ce stade, en évoquant la rumeur voulant que les Kôdinh, et en particulier dans le nord agité par les sécessionnistes, aient recours à des procédés pour le moins expéditifs, qu'on ne saurait tolérer : on parquerait les affligés dans des mouroirs, quand on ne les tuerait pas sur place – l'élimination des "impurs". Du moins a-t-il obtenu qu'on réfrène et punisse ces pratiques affreuses. Mais voilà qui ne rehaussera pas le statut de négociateur du jeune Sigismond Garance aux yeux de Garang Nomh. Non qu'il ait à s'en soucier beaucoup, au demeurant : il demeure pour l'instant le seul interlocuteur officiel de la royauté mynmaï.

Une brûlure soudaine à son poignet, le bracelet d'avers, et en même temps un brusque désordre de rames désaccordées qui frappent l'eau, des cris épouvantés : "Nomghuma' ! Nomghuma' !" Des remous se forment en bouillonnant autour du bateau, des éclairs verts et dorés qui deviennent d'énormes replis tortueux, les anneaux d'un python d'eau, deux, trois serpents, qui encerclent la jonque. Le bateau tangue et roule de façon alarmante. Une gueule énorme s'ouvre, les puissantes mâchoires broient une rame. Les bêtes continuent de se dresser hors de l'eau, de longs cylindres aux écailles luisantes, aussi gros qu'un torse d'homme, et qui se replient sur la poupe : les tiges de bambous s'écrasent, les planches explosent. La substance des serpents n'est qu'illusion, mais une illusion pourvue de muscles, d'une terrible matérialité. Dans le déluge de feu magique, la source en est invisible. Arc-bouté sur le pouvoir des deux Ghât'sin, Gilles saisit les serpents, sombrement prêt à une bataille féroce.

Ils disparaissent.

L'embarcation prend du gîte par l'avant. Les rameurs terrorisés la poussent à grands coups de rames vers la rive. Tandis qu'elle s'échoue dans la vase de la mangrove, on saute dans l'eau peu profonde pour la tirer plus au sec. Gilles cherche toujours furieusement dans le maelström aveuglant de magie qui les environne. Soudain, froissement de feuillage, éclair jaune et noir, l'un des indigènes se retourne en poussant un cri aigu, coupé net lorsque les crocs du tigre lui broient la gorge. Deux autres silhouettes grondantes bondissent à travers les herbes, une autre illusion, mais tout aussi mortelle que celle des *nomghuma'*. Des indigènes se précipitent dans l'eau, d'autres brandissent leurs rames dérisoires. Mais cette fois, Gilles ne se laisse pas distraire. Avec les deux Ghât'sin, en un éclair, il suit le fil jusqu'à son origine : à une centaine de pas, trois indigènes assis en tailleur dans un nid d'herbe, les yeux clos : des *yuntchin*. De misérables *yuntchin* !

Le fil tressé de leurs trois talents est solide, mais pas au point de résister à la lame de Chéhyé. Une lutte silencieuse s'engage autour de la dague, mais comment ces petits talentés tiendraient-ils tête au Dragon Blanc et à l'arme magique d'un Ghât'sin ? La flamme de métal tranche la substance étincelante et, comme si elle s'était enfoncée dans leur flanc, deux des indigènes s'effondrent. Le troisième s'était dégagé au dernier moment de leur synergie, mais il n'a pas le temps de s'enfuir. Avec un cri de douleur, il s'écroule sous le filet jeté par Nèhyé et sa peau crépite tandis que les rets se resserrent – comme si chaque maille en était chauffée à blanc.

Il nous le faut vivant !

L'incandescence du filet diminue, s'éteint. L'homme reste recroquevillé dans l'herbe, haletant.

Allez le chercher.

Mais les Ghât'sin semblent aussi pressés que lui d'interroger le survivant : un geste, un murmure, et l'homme apparaît sur la rive.

C'est un Kôdinh, visage plus carré, nez plus fort, paupières moins bridées – l'ascendance dinhga qu'ils nient si véhémentement. Et très jeune, comme les deux autres. La douleur causée par le filet semble s'être atténuée, car il se relève tant bien que mal à genoux pour darder sur Gilles un regard de défi : « L'eau et le feu ! » s'écrie-t-il dans un des rugueux dialectes du nord. « L'eau et le feu, Hyunditun, et ce n'est que le commencement ! »

Sur un geste d'un des Ghât'sin, il se plie de nouveau en deux. Gilles le contemple, déconcerté : le commencement ?

Le domaine !

Ouraïn !

Nous allions t'appeler.

Il s'empare de son talent, sans même lui en demander la permission comme il le fait d'habitude, pour explorer fiévreusement les environs. Rien. Tout est calme au domaine.

Ouraïn ne semble pas troublée. Elle ne demande pas même ce qui se passe. Elle répète, patiente : *Nous allions t'appeler. On nous a amené cet homme depuis la côte. Le reconnais-tu ?*

Il tourne alors son attention vers ce qu'elle lui montre. Elle se trouve dans l'une des chambres d'invités. Antoinette est là, et les deux serviteurs Ghât. Sur le lit…

Sa première réaction est une pure terreur. Une autre illusion, en plein cœur du manoir, et elles ne l'ont pas discernée ? Mais au même moment, alors qu'il s'en saisit pour l'écraser en en cherchant partout la source, il comprend son erreur, et la stupéfaction est encore plus violente que la terreur. Il sent ses jambes se dérober sous lui, et le bras de Chéhyé qui le retient. Il balbutie tout haut : « Nathan ? »

C'est ce que nous pensions. Devons-nous t'attendre pour le rassembler ?

Comment peut-elle être si calme ? C'est Nathan, *Nathan* !

Il essaie de réfléchir, mais tout ce qu'il peut penser, c'est "non, non, mon pauvre Nathan, pas une seconde de plus !", et Ouraïn le perçoit, bien sûr, car elle dit : *Très bien*. Et Antoinette ajoute : *Il sera peut-être éveillé quand tu arriveras*.

Du coup, il revient à la situation présente. Examine d'un œil critique la jonque démolie. Il ne va pas se laisser retarder par un détail aussi insignifiant. Ils ont passé un village, il y avait des pirogues, on ira en chercher une, il va rentrer avec Chéhyé et Nèhyé. Les rameurs répareront l'embarcation et reviendront ensuite.

Il va pour dire *j'arrive*, mais Ouraïn a déjà relevé sa garde. Inutile de la rappeler. Il faut plutôt se consacrer au problème présent, qui est toujours agenouillé dans la boue, talent grand ouvert, et qui le dévisage avec une haine palpable.

« Toi et tes Abominations, s'écrie le jeune indigène, vous connaîtrez vraiment la couleur de Yuntun au moment du jugement dernier ! »

Un geste de Chéhyé le fait tressaillir de douleur, mais il se redresse aussitôt. Gilles l'observe en silence. Trois Kôdinh, et talentés. Mais qui sait ?

« Est-ce Garang Xhévât qui vous a envoyés ? »

Les yeux du jeune homme s'élargissent un peu, puis il éclate d'un rire méprisant. « Les vieilles pierres de Garang ? Elles n'ont rien à dire. Quand bien même elles le voudraient, elles ne le pourraient pas ! Leur pouvoir a disparu avec le Dragon de Feu ! » Il crache par terre puis relève la tête, les yeux flamboyants : « Mais notre pouvoir à nous se lève, Hyunditun. Ceci n'est que le commencement ! »

Et comme Chéhyé fait un pas vers lui d'un air menaçant, il découvre en un sourire féroce ses dents tachées par le bétel : « Avoir lancé vos dés du côté du Dragon Blanc ne vous protégera pas quand votre monde finira, vous et tous ceux qui vous ressemblent, chiens battus de *Natsin* ! »

La pire insulte pour des Ghât'sin : enfants-de-trop-de-parents. Gilles sent la dévorante fureur qui éclate en Chéhyé et en Nèhyé, une réaction si inattendue de la part des impassibles Ghât'sin qu'il en reste figé. Et ensuite, il est trop tard : dans un éclair de lumière glacée, le jeune indigène a disparu.

La stupeur fait place à une certaine irritation : ils auraient pu en apprendre davantage. D'un autre côté, il en sait bien assez. Garang Xhévât n'est pas impliquée, c'était clair. Ni même Daïronur, sans doute, ou pas de manière directe : c'étaient simplement des illuminés nordistes du Jugement Dernier, une secte kôdinh marginale et des plus bizarrement christianisées. L'inquiétant, c'est d'en trouver des membres si loin à l'ouest.

Mais surtout, c'est la première fois qu'on l'attaque en usant de magie, si maladroit eût été cet assaut. Un pas décisif vient d'être franchi. Les attaques contre les communautés géminites, dans le nord et l'est, ont toujours été menées avec des moyens ordinaires. Si cela devait changer…

Les conséquences s'en déploient l'une après l'autre dans son esprit, accablantes. Il faut parer au plus pressé : convaincre la Royauté française et sa Hiérarchie de modifier leur politique stupidement roide et d'ordonner des évacuations. Mais comment ? La seule menace d'un monarque et de rebelles ordinairement hostiles y suffira-t-elle ? Confiantes en la magie de leurs ecclésiastes et de leurs magiciens qui ont prévenu ou contenu jusqu'alors les attaques, pourquoi accepteraient-elles ?

Il sent poindre en lui une consternation horrifiée : le voilà ligoté par ses secrets ! Seule la révélation de la magie indigène pourrait convaincre les autorités géminites.

Mais quelle que soit la façon dont on la présenterait – elle pourrait très bien être *revenue*, cette magie, nul besoin de dire qu'elle n'a jamais disparu –, le choc spirituel… Ce serait la panique chez les géminites émoriens, ce qui ne ferait qu'amplifier le chaos. Les rebelles démasqués s'en donneraient à cœur joie. Et ce, même si l'invisibilité des talentés indigènes ne signifie pas que la magie géminite soit impuissante contre tous les effets de leurs magies, il l'a vérifié avec Antoinette.

Non, il faut tenter d'amener cette révélation de manière plus progressive. Et surtout que l'évacuation commence, dans l'ordre, si c'est possible.

Comment convaincre Garang Nomh et la Royauté ?

Il n'a pas à y songer longtemps. Un grand calme résigné l'envahit : il devra se sacrifier. Si lui-même et sa maisonnée quittent le domaine parce qu'ils craignent pour leur sécurité, ce sera un signal assez clair pour les autres géminites. Il peut laisser la responsabilité du domaine à Chéhyé et Nèhyé. On prendra le prétexte de la grossesse d'Ouraïn – même si, sous l'illusion, elle n'est pas plus visible après un an que celle de Kurun : Sigismond ne voudra rien risquer. Ce seront bientôt les fêtes de l'Avent, on les a invités comme chaque année, mais cette fois, ils auront décidé de s'y rendre ; ils resteront plus longtemps à Garang Nomh, voilà tout.

Comme d'habitude, une fois la décision prise, il en est réconforté. Et par le fait, somme toute, que Garang Xhévât n'est pas impliquée. Il observe les indigènes rassemblés autour de celui qu'a tué l'illusion de tigre, et pour lequel les Ghât'sin psalmodient les rites funèbres. Il connaît assez les Mynmaï pour savoir que de multiples allégeances ne les dérangent point. Jusqu'à nouvel ordre, on peut adorer les Natéhsin et leurs gardiens tout en étant un fidèle du Dragon Blanc de la Prophétie.

Et s'il pouvait conclure une véritable alliance avec la ville sacrée, après tout, ou du moins avec celle de ses factions qui ne lui serait pas hostile ? Il devrait s'y rendre, exiger d'être entendu. Il ne l'a pas tenté depuis très longtemps. Qui sait, peut-être accepterait-on maintenant de le recevoir ? Quoi qu'on veuille faire avec l'enfant d'Ouraïn, ce ne peut être qu'une manœuvre dynastique, des manigances politiques. Elles ne sont pas nécessairement incompatibles avec ses propres intérêts. Ses petits sentiments personnels n'ont pas à entrer en ligne de compte ici : quoi qu'on lui ait infligé, quoi qu'on ait infligé aux siens, s'il le faut, si c'est à ce prix qu'une présence géminite pourrait être maintenue – ne serait-ce que l'essentiel, au domaine et au comptoir –, il serait prêt à marcher sur sa fierté.

15

Le Dragon se pose sur le dernier plateau, d'où l'on voit la plaine côtière. Avec des gestes hésitants, Pierrino descend le long de la patte qui s'offre comme une rampe, touche le sol, regarde autour de lui en vacillant un peu, hébété. Un moment, il était au pied de la paroi rocheuse, au domaine Garance, l'instant d'après les doigts du Dragon se resserraient sur lui, et maintenant, il se trouve sur ce plateau rocheux à la maigre végétation, et la lumière de l'après-midi n'a pas changé.

Un léger tremblement fait onduler le paysage, le plateau est brusquement illuminé à l'oblique par les rayons orageux d'un soleil qui se couche. Pierrino voit soudain son ombre s'allonger devant lui.

Le Dragon n'a pas d'ombre.

Reprends ton voyage, Petit Dragon, dit la grande voix rocailleuse.

Le vaste corps vert et bronze perd de ses couleurs et commence de se fondre dans les rochers. Pierrino crie : « Attendez ! »

Il ne l'espérait pas réellement, mais le Dragon se rematérialise en partie pour l'observer avec une calme attention. Il le contemple en retour, la tête renversée en arrière, l'esprit en chaos. Comment s'adresse-t-on à une créature qui ne peut exister ?

Parle, dit le Dragon.

Une créature impensable peut-elle sourire ?

Les humains nous amusent parfois.

Pierrino cherche où s'asseoir, les jambes un peu flageolantes, mais il n'y a que la patte postérieure du Dragon à proximité et, même si elle est à demi confondue avec de la roche, il ne l'ose pas.

« Comment dois-je vous appeler ? » finit-il par dire, hésitant, et conscient à la fois de l'absurde de la situation : il ne veut pas manquer de respect à une impossibilité.

Encore cette impression de sourire.

Ici et maintenant, nous sommes Hyundpènh.

Une étincelle de curiosité incongrue s'allume en Pierrino, et avant de pouvoir se retenir, il s'entend demander : « Et ailleurs ? »

C'est un rire, cette fois, comme des galets froissés par le ressac, si des galets peuvent être indulgents.

Tu n'es pas encore ailleurs.

Du coup, il se rappelle ce qui l'a fait retenir le Dragon. « Où sommes-nous ? »

Regarde derrière toi.

Il se relève, se retourne : il peut apercevoir en contrebas d'arides collines bosselées qui s'aplanissent en forêt, en champs, en rizières, avec des routes qui serpentent entre des villages. Beaucoup plus loin, comme un pan de ciel étrangement horizontal, une vaste étendue gris-bleu au-dessus de laquelle des nuages tumultueux s'ourlent de rose et de violet. L'océan.

On viendra te chercher tout à l'heure pour aller à Anhkin.

Le cœur de Pierrino fait un bond dans sa poitrine. C'est le début de la première semaine d'octobre.

« *L'Aigle des Mers* y est toujours ? »

De nouveau le rire indulgent.

Tu dois apprendre à faire silence, Petit Dragon, ou tu n'entendras jamais rien qui vaille.

La vaste figure devient transparente et disparaît, comme aspirée par la terre.

Pierrino se laisse tomber sur un rocher redevenu pierre, la tête bourdonnante, vide de pensées. Est-ce là le silence recommandé par Hyundpènh ? La question le fait sourire, qui a justement mis fin au silence. Puis un long grouillement résonne dans son estomac, et il éclate de rire malgré lui : quelle que soit la durée, ou l'absence de durée, pendant laquelle a eu lieu le voyage avec le Dragon, son soma a réintégré cette durée-ci : il a faim.

16

Gilles se laisse tomber sur le rebord du lit, en regardant fixement le visage de Nathan.

« Que s'est-il passé ? »

Il croyait avoir parlé avec calme, mais Antoinette a un léger haut-le-corps.

« Selon Ouraïn, dit-elle d'une voix hésitante, il est resté trop longtemps dans la Maison des Dragons d'Eau. Cela aurait… modifié son talent, voire la nature de sa suspension. » Elle ajoute un ton plus bas, butée. « Pour ma part, je n'en crois rien. »

Il faudra obtenir l'autre version, mais Ouraïn repose. Il aurait dû s'en occuper lui-même. Après tout ce temps, qu'auraient été quelques jours supplémentaires ? Mais il n'a écouté que sa stupeur joyeuse – son impatience : non, non, que Nathan ne demeure pas suspendu un instant de plus ! Un simple rassemblement. Qui aurait pensé que cela pouvait tourner aussi mal ?

Eh bien, ce n'était pas tout à fait un simple rassemblement. Personne n'a jamais été suspendu pendant cent soixante ans.

Atterré, encore incrédule, il contemple Nathan. Inchangé, exactement comme dans son souvenir, ou comme dans un rêve. Mais s'il ouvre son talent… Nathan n'est pas là, sa psyché n'est nulle part. Sans l'infime scintillement de la vie qui l'illumine, ce soma pourrait tout aussi bien être un cadavre. Ouraïn dirait sans doute que la psyché de Nathan se trouve dans une Maison si lointaine qu'un talent géminite, si métissé soit-il, n'y a pas accès. Elle n'établirait certainement aucun rapport avec l'*igaôtchènzin* – et d'ailleurs la ressemblance est trompeuse, puisque l'*igaôtchènzin*, on en revient.

La voix d'Antoinette le ramène à l'instant présent, insistante – elle veut se défendre : « Sa psyché a été très difficile à retrouver, et très lente à revenir. Peut-être parce que la suspension n'a pas été effectuée de la bonne manière… »

Par le talent de Nathan, un talent sauvage, qui n'a pas été éduqué dans une Maîtrise, veut-elle dire. Gilles se mord les lèvres pour retenir son irritation.

« … La coque de suspension était très épaisse, et comme… glissante, il était difficile d'y avoir prise. Ensuite, la psyché s'est rapprochée du soma, avec l'accélération que l'on constate normalement à ce stade du processus, mais cela s'est… emballé. J'ai alors tenté de freiner, et de diverger…

— Pour le séparer de son talent alors qu'il était encore suspendu ? »

Il ne s'est pas retenu, cette fois, et Antoinette rentre de nouveau la tête dans les épaules. Mais elle poursuit malgré tout, obstinée : « Je voulais simplement laisser ce talent suspendu ! C'était peut-être cela qui dérangeait le processus, comme… un réflexe de résistance, qui sait ? »

Ingénieux. Mais dis plutôt que le talent de Nathan te dérangeait, toi, et que tu le voulais sous cloche lorsqu'il se réveillerait ! Allons, Antoinette est bien restée une mage-ecclésiaste, malgré tout.

« Continue.

— En synergie avec Ouraïn, cette opération délicate était possible, je le voyais bien… » Ses yeux brillent de nouveau ; elle est excitée au souvenir de l'expérience, une procédure nouvelle, un défi à son savoir et à son habileté. « La suspension du talent a donc eu lieu. Mais… » – elle se rembrunit – « … une sorte d'instabilité impossible à compenser s'est créée et… et Nathan est passé de l'autre côté. »

L'expression consacrée, à la Maîtrise, pour désigner l'excommunication. D'une certaine façon, il peut comprendre. Les grandes magies sont proches les unes des autres. Trop. Semblables en nature, différentes en degrés. C'est en resserrant soma et psyché qu'on rassemble les suspendus et, poussée plus loin, la procédure mène à la sublimation. Quand on en diverge au bon moment, avec la force exacte, on peut suspendre un talent – ou, en suivant une procédure subtilement différente, séparer un talenté de son talent. Des opérations délicates, toutes, et si l'on dérape, c'est l'excommunication. Il y en a plus d'un, n'est-ce pas, Antoinette, de ces lazares mal rassemblés, victimes infortunées de l'incompétence ou même de la vindicte du Magistère ? Bien sûr, ils ne disent rien ensuite, grâce au sortilège d'oubli qu'on leur a imposé au début, "par Charité" ; réduits à des ombres apathiques, ils s'effritent et disparaissent dans l'indifférence générale.

Et pas seulement des lazares : c'est ce qu'il a failli subir lui-même, et bien pis. Il était sur la voie de la sublimation vivante lorsque Foulques est intervenu. Il n'a pas été excommunié, mais son talent oui. Un nouveau cas curieux pour les archives secrètes de la Maîtrise, ce puits où se perd tout ce que l'on ne comprend pas bien, ou point du tout.

Mais rien ne sert de ruminer sur ce qui a été ou aurait pu être. Nathan est là, excommunié. Il sera temps plus tard de s'en affliger.

« Se réveillera-t-il ?

— Il le devrait. »

Il ne demande pas quand : il est resté quant à lui trois semaines en léthargie à Aurepas, après son épreuve aux mains des ecclésiastes et des Maîtres. Mais ici, ils ne disposent pas de trois semaines.

« Que se rappellera-t-il ?

— Eh bien, le sortilège d'oubli est incorporé à la procédure dès le début et devrait avoir pris effet en route. Jusqu'à quel point, cependant, il est difficile de l'évaluer. »

Le regard de l'ecclésiaste se détourne. Il sait ce qu'elle pense : il s'est bien vite souvenu par bribes, lui, puis en totalité, après sa séparation manquée.

« De toute façon… » murmure-t-elle d'un ton navré.

Il sait aussi ce qu'elle veut dire : c'est le plus vieux lazare connu, il ne survivra certainement pas long-temps.

Nathan, oh, Nathan ! Le retrouver ainsi pour le perdre aussitôt ?

Plus tard, le chagrin. Pour l'instant, il faut agir, et vite.

« Tu confieras à Nèhyé tout ce que tu sais et qui pourrait l'aider à mieux survivre, et il va l'emmener…

— À Garang Nomh », conclut avant lui Antoinette, qui veut se racheter en montrant qu'elle a compris.

Il lui adresse un mince sourire : « À Sirilanka. »

Où il le déposera sur la côte est et verra à le faire acheminer à Sardopolis, dans le meilleur hospice possible – avec une histoire appropriée que personne ne pourra vérifier magiquement ou d'une autre façon, et pour cause, mais assez proche de la vérité : un marin suspendu lors d'un naufrage et récupéré par des indigènes, la tentative de rassemblement par un mage tamil, et qui a mal tourné… Personne chez les géminites ne questionnera l'incompétence d'un mage indigène.

Antoinette est déconcertée : « Mais pourquoi pas à Garang Nomh ? »

Est-elle vraiment aussi stupide ? « Parce qu'il ne doit pas demeurer en Émorie. »

Elle continue de le dévisager, toujours sans comprendre.

« Parce qu'il ne peut toucher ni être touché », reprend Gilles au bord de l'exaspération. « Et je ne laisserai pas Garang Xhévât l'utiliser contre nous. Qu'il ait été retrouvé maintenant, qu'on nous l'ait amené ainsi, et même que cela ait tourné de cette façon… »

Antoinette fronce les sourcils : « Mais nous n'avons perçu aucune interférence…

— Vous n'en auriez pas perçu, non plus. »

Il contemple encore une fois Nathan, la poitrine brûlante d'une rage qu'il ne maîtrise plus. Un vrai Fantôme Blanc, afin d'allumer définitivement l'insurrection – voilà pourquoi Garang Xhévât est intervenue, c'est la seule explication possible. On y a fait cause commune avec Bakkôh Ayvanam et ses Kôdinh.

Dans un brusque élan de tendresse désespérée, Gilles se penche pour embrasser Nathan sur le front. Une dernière caresse aux cheveux noirs, à la joue lisse. Puis il se lève et quitte la pièce à grands pas.

17

Les effets du contrecoup ne se dissipent pas aussi rapidement que l'aurait cru Senso. Il a des retours de migraine, des étourdissements, des nausées, mais il prétend que ce sont les retombées d'une grippe plus tenace que prévue, qu'il soigne comme on soigne les grippes, avec des infusions et des remèdes ordinaires. Plus secret, mais plus insidieux, le contrecoup spirituel ne s'efface pas non plus. A-t-il vraiment été, avec Alexis, l'instrument de la Divinité? Pourquoi une telle élection, sinon pour renforcer sa foi chancelante? D'un autre côté, cette vision d'une créature de flamme, peut-il l'écarter comme un simple délire, après ce qu'il a vu dans la montagne savoyarde avec Étienne, et les commentaires de ce dernier? Quel sens donner à tout cela? Qu'en dirait Pierrino? Si ce n'est pas une intervention directe de la Divinité, ni une induction magnétique mutuelle, qu'est-ce donc?

L'autre hypothèse est plus grave, trop grave, mais le Pierrino intérieur ne lui permet pas de se l'épargner: c'est lui. Il est talenté, son talent s'est déclenché, un talent trop métissé pour être perceptible par des gé-minites. Il ne se sent pourtant différent en rien – à part les séquelles persistantes du contrecoup, lequel n'est cependant pas incompatible avec l'explication première, une intervention divine, unique et qui ne se renouvellera pas…

Alexis a de façon étonnante retrouvé son comportement habituel, mélange d'affection et de réticence, d'expansivité et de silences. Sans doute est-ce la seule attitude raisonnable. Senso essaie de l'imiter, de reprendre une vie normale. Il accomplit ses tâches dans la Compagnie, il s'essaie même à la rédaction de sa pièce, dont il n'a toujours pas trouvé le titre et qui résiste toujours, après ce premier départ si encourageant, à Bordeaux. Pendant un temps, il envisage d'y intégrer de quelque façon ce qui s'est passé, y renonce bientôt, faute de trouver comment sans susciter le refus de Théodora, des censeurs et du public, et d'ailleurs Alexis s'y est catégoriquement opposé : « Ce serait sacrilège. »

Un après-midi, cependant, alors qu'il travaille sur des décors d'*Othello*, il est pris d'un étourdissement sérieux.

« Il faut aller consulter un somatologue », dit madame Galas, et elle lui donne l'adresse d'une magicienne verte des environs.

« Tu ne peux pas ! » lui lance Alexis une fois revenu avec lui dans sa chambre. « Tu ne dois pas aller consulter une magicienne ! Dans sa transe magique, elle verra peut-être ce qui est arrivé avec Larché !

— Mais non, voyons », le rassure Senso, étonné. « Pour la somatologie ordinaire, on n'a pas nécessairement recours à la magie. Et il n'y a rien de magique dans un contrecoup, cela n'affecte que le soma, et c'est seulement mon soma qu'examinera cette magicienne. Elle ne songera pas même à un contrecoup. »

Alexis refuse cependant de l'accompagner, ce qui peine un peu Senso, mais il y va avec le solide Grondin, même s'il ne croit pas qu'après tout ce temps il pourrait y avoir d'autre agression contre lui, ordinaire ou magique ; et d'ailleurs, dans ce cas, il a toujours son bracelet d'avers, n'est-ce pas, et toujours efficace, ou l'on ne se serait pas fait faute de venir aux nouvelles.

Oui, mais si la magicienne en constate la présence ? Eh bien, il faudra lui dire qui il est, d'où il tient le bracelet et pourquoi, en lui demandant la plus grande discrétion. Quitte à la renvoyer au réseau des mages pour vérifier la véracité de ses dires.

La magicienne, une femme boulotte, d'âge mûr, est aussi du plus beau noir – ce que son nom, Marie-Ange Desrouleaux, n'indiquait pas de prime abord. Sa salle d'examen est sensiblement la même que celle de la magicienne consultée à Langon – il y a des siècles, lors de la disparition de Jiliane. Il lui explique d'emblée que ses malaises sont purement physiques et que c'est la somatologue qu'il vient consulter.

Elle l'examine. Aucun signe de maladie ni d'infection, mais il est fatigué et tendu... A-t-il vécu récemment des événements pénibles ?

Il formule sa réponse avec précaution, soudain inquiet : « J'ai perdu un ami cher, dans des circonstances tragiques, une mort violente. Et puis... » – il en rajoute, mais c'est vraisemblable aussi, après tout –, « ... je me suis séparé de ma famille dans des circonstances assez pénibles aussi. »

Madame Desrouleaux hoche la tête : « Eh bien, c'est sans aucun doute ce qui affecte ainsi votre psychosome. »

De retour dans son salon, elle lui prescrit des infusions et des gouttes calmantes, et lui prête un ouvrage sur la méditation en l'invitant à en user tous les jours. Senso empoche l'ordonnance et le livre, soulagé. En se levant, il hésite. Après tout, c'est la première magicienne verte qu'il consulte depuis qu'il a entrepris la rédaction de sa pièce…

« Pourrais-je vous poser quelques questions, Madame ? Non plus sur ma santé, mais… J'appartiens à une troupe de théâtre, et j'écris une pièce dont certains personnages sont des magiciens verts. J'aimerais profiter de l'occasion pour approfondir mes connaissances sur le sujet en faisant appel à votre expérience. Serait-ce possible ? »

Elle le considère un moment, les yeux plissés. « Un certain nombre de données ne peuvent être rendues publiques, vous le savez sans doute ? Vous devrez limiter ces questions à ce qui le peut. Mais vous en trouveriez aisément les réponses dans des ouvrages que je pourrais vous recommander. »

Il joue son va-tout – si elle est de ces géminites que le sujet irrite ou met mal à l'aise, il s'excusera, il sera charmant, et il s'en ira.

« Mais ce que je désirerais savoir, c'est votre opinion sur les magnétiseurs et leurs sujets. Si j'ai bien compris, cela ne ressemble-t-il pas un peu à ce que vous faites ? »

Il attend, un peu inquiet. Après l'avoir longuement dévisagé, elle sourit.

« Les conditions sont différentes, mais en effet, on pourrait dire que les passes des magnétiseurs jouent le rôle du sortilège d'appel dont on nous pourvoit à la Maîtrise.

— Mais ils ne sont pas talentés.

— Ils sont peut-être pourvus d'une infime quantité de talent, indécelable par nos mages, mais qui suffit à mettre certains sujets en résonance avec l'Entremonde, pendant une durée limitée. »

Il se retient de remarquer qu'on y aurait sûrement pensé chez les mages. Et cette réponse l'a pris au dépourvu, moins par son contenu que par sa largeur d'esprit peu orthodoxe, et qu'il n'attendait pas d'une magicienne inféodée malgré tout au Magistère.

« Leurs sujets non plus ne sont pas talentés, insiste-t-il.

— Non, mais certains ont, comme certains d'entre nous, de très lointains ancêtres talentés. »

Senso ouvre de grands yeux : « Les magiciens verts en ont dans leur lignée ?

— Pas tous, mais une certaine proportion. » Elle sourit encore, éclatantes dents blanches dans cette belle peau sombre, un peu plus narquoise cette fois : « Nos guides ne nous acceptent pas ou ne viennent pas nous chercher n'importe comment, vous savez. Ma lignée maternelle remonte à Padoue. Ma guide, Séréna, qui m'a nommément choisie, est italienne, de Padoue – sans être de ma parenté, mais ce n'est pas un hasard. »

Cette splendide femme noire a des Italiens parmi ses ancêtres ? Ah mais, il est des Africains voyageurs en Géminie… Et son Pierrino intérieur ne peut laisser passer sans commentaires l'autre partie, plus importante, de la confidence : « Cela ne règle pas le cas des magnétisés qui n'ont pas de talentés dans leur lignée. » Il pense surtout à Alexis – dont, au fait, il ne sait rien de l'ascendance ; il devra s'en enquérir, alors.

« Assurément non. Mais pour la substance divine le temps n'existe pas comme pour nous. Présent, passé, avenir ne se succèdent pas dans l'Entremonde comme dans le monde ordinaire. Ces occurrences curieuses sont peut-être… » Elle laisse échapper un petit rire : « … un présage des temps futurs. Peut-être, dans plusieurs siècles, des talentés normaux naîtront-ils un jour de ces magnétisés. »

L'hypothèse est assez bizarre pour séduire Senso, quoique trop tirée par les cheveux pour le Pierrino intérieur. « Est-ce une hypothèse officielle ? » demande-t-il, curieux.

La femme sourit d'un air entendu : « Non, elle est de mon cru. »

Il lui rend son sourire. Il n'aurait pas supposé autant d'imagination chez une magicienne verte – comme quoi l'on ne doit pas se fier à ses présuppositions. Cela lui rappelle cependant le but premier de cette conversation : « J'ai consulté il y a plusieurs mois une jeune magicienne qui avait un fils, un enfant doté d'un infime talent… Est-ce fréquent parmi vous ?

— Non, rien que les lois des grands nombres ne puissent expliquer.

— Le talent n'est-il pas un don de la Divinité ? » dit-il, interloqué.

La magicienne hausse les sourcils : « Pourquoi la Divinité ne serait-elle pas aussi dans les nombres ? »

Senso ne peut s'empêcher de sourire en songeant à mademoiselle Lamarck : « Ah, vous êtes donc pythagoricienne, Madame ?

— Non. Mais puisque la Divinité a tout créé, Elle a créé les rapports entre les phénomènes que nous observons dans le monde ordinaire, n'est-ce pas ? Si la distribution du talent s'inscrit dans une courbe de probabilités, c'est qu'Elle l'a voulu ainsi.

— Mais l'on ne peut rattacher tous les magiciens et tous les magnétisés à cette courbe. Ni les talentés sauvages. »

La magicienne le dévisage d'un air soudain inquisiteur : « Est-ce donc là le sujet de votre pièce ?

— Non, Madame, s'empresse-t-il de dire, mais j'ai des parents qui travaillent à l'Encyclopédie.

— Ah », fait la magicienne, pensive.

Il prend un ton plaisant : « De fait, je dois admettre que je suis surpris de vous voir accepter d'en discuter ainsi. Je croyais ces sujets interdits aux profanes. »

Elle se met à rire, de manière inattendue : « Nous sommes à Bordeaux, ici, mon jeune ami, une ville de libres-penseurs, un peu comme Paris. Nous le devons peut-être, comme la principauté, aux détours de l'Histoire et au mélange des religions. »

Elle se lève, elle veut mettre fin à la consultation, et il se lève aussi en cherchant sa bourse : « Merci infiniment de votre assistance, Madame, combien vous dois-je ?

— Dix liards. Je n'ai pas fait grand-chose, à dire vrai », ajoute-t-elle d'un ton d'excuse, « mais c'est le tarif pour une somatologie. »

Il sort les pièces de son porte-monnaie et les dépose sur la table.

« À propos des talentés sauvages », dit-il en se dirigeant avec elle vers la porte, et comme s'il venait seulement d'y penser, « est-il possible, à votre avis, que le déclenchement soudain d'un tel talent sauvage puisse avoir le même effet qu'un magnétiseur sur un… autre sujet potentiel qui s'ignorait jusque-là ? »

Elle l'observe avec attention, mais il ne s'en inquiète pas trop ; elle pensera qu'il songe toujours à son enquête.

« Avez-vous assisté à ce phénomène ?

— Non, mais on m'a parlé d'un cas curieux, et c'est une hypothèse que j'aimerais vérifier. »

La femme réfléchit en silence. « Ce n'est pas avec moi que vous la vérifierez », dit-elle enfin, comme à regret. « Il faudrait aller consulter des magnétiseurs.

— Y en a-t-il à Bordeaux ? Nous sommes seulement de passage, vous comprenez. »

Elle fait une petite moue : « Il y a madame Nérac.

— Est-ce une géminite ? »

La magicienne, comme il s'y attendait, se trompe sur le motif de la question, et répond sans se formaliser : « Non, son sujet non plus. »

Elle va prendre un papier où elle inscrit rapidement une adresse, le tend à Senso : « Elle habite de l'autre côté de la ville. Cela vaut le détour. »

Mais Alexis consulté ne veut pas, absolument pas, aller rendre visite à une magnétiseuse ni assister à une séance. Il s'est renseigné, il arrive des choses étranges, des gens tombent malgré eux sous l'influence du magnétiseur et révèlent de leurs secrets, Senso ne devrait pas y aller non plus !

Senso ne sait que répliquer à cette tirade. Si Alexis est heureux de savoir sauvée l'âme d'Étienne, il regimbe toujours à envisager son propre rôle dans ce salut, c'est évident. Et il a toujours très peur aussi de se voir révélé talenté, ne fût-ce que temporaire, au cours d'une séance magnétique. Senso soupire. Somme toute, ne devrait-il pas être inquiet lui-même, en se rappelant encore la Carte et les spéculations de Pierrino sur leur sensibilité somnambulique à tous deux – à tous trois, avec Jiliane ?

D'un autre côté, ce qui se passait entre eux était d'une autre nature, n'est-ce pas ? Ils étaient ensemble d'une manière unique : le lien qui existait entre eux – le souci des âmes parentales, il faut le croire plus encore à présent, compte tenu des circonstances réelles de la mort d'Agnès et d'Henri, et de leur histoire.

« Et puis, insiste Alexis, elle a beau ne pas être géminite, ta magnétiseuse, peut-être te dénoncera-t-elle. Ou elle bavardera. Y as-tu pensé ? »

Légèrement penaud, Senso doit avouer que non. Et vue sous cet angle, de fait, l'entreprise ne serait pas des plus prudentes. Il ne peut s'empêcher de remarquer : « Tu n'es pas si regardant, tout de même, quand il s'agit de notre pièce.

— C'est du théâtre, rétorque Alexis sans se démonter. C'est à cela que servent les fictions, à parler de ce qui est dangereux, ou défendu. Mais moi, les magiciens, les ecclésiastes… Je m'en méfie. Ils ne savent pas trop ce qu'ils font, ces gens-là. Pense à Larché. »

Senso le dévisage, un peu chagrin, en songeant par-devers lui : et toi, mon pauvre Alexis, tu ne veux rien savoir de toi-même… Mais que sait-il après tout, lui, de l'histoire d'Alexis ? Peut-être y a-t-il eu dans le passé de sa famille des incidents malheureux avec des ecclésiastes. De quel droit le forcerait-il donc à savoir ce qu'il ne veut pas savoir, ce qu'il n'est sans doute pas prêt à savoir ? Après tout, il a du mal lui-même à s'accommoder de ce bizarre talent involontaire qui ne lui sert de rien, qui ne se manifestera peut-être d'ailleurs plus jamais, alors qu'il y a des antécédents familiaux et que ce n'est donc pas une totale surprise pour lui. Tandis qu'Alexis… Et il n'a pas tort en ce qui concerne le pauvre Étienne. Qui n'est sûrement pas le seul. Combien de lazares mal rassemblés au cours des siècles ? Dans le plus grand secret, bien sûr. Encore et toujours le secret.

Il se penche pour caresser les boucles noires d'Alexis : « Je n'irai pas, va. »

◆

La tour. L'escalier de la tour. Les marches de plus en plus étroites. La terrifiante urgence. Les parois de pierre, la lumière rouge qui y respire, les murs qui gonflent sous sa main quand il s'y appuie. S'arracher de chaque marche comme d'avides bouches de sable gluant, les gueules du temps. À quatre pattes. Au ralenti. Avec la certitude d'arriver trop tard.

Et les dents de la tour sur la lune livide, et la silhouette qui saute, qui plonge, qui s'envole – mais c'est lui, c'est lui qui tombe !

Une main lui saisit l'épaule. Une autre main, sur son autre épaule. Jiliane ? Pierrino ? Flot de soulagement, de gratitude, de pure joie. Ils sont enfants dans leur chambre de Lamirande. Agenouillés sur le tapis. Et puis glissement soudain, c'est leur petite chambre d'Aurepas, Jiliane adolescente, nue, les cheveux dénoués. Pierrino aussi, dont le corps luit dans la pénombre. Tous les trois, nus. C'est lui qui a posé la main sur l'épaule de Jiliane, et Pierrino de l'autre côté, qui en a fait autant. Mais c'est Jiliane qui les tient, qui les empêche de tomber. Les mains de Jiliane, immobiles sur leur sexe tendu. Ils penchent la tête. Ils prient. Ils ne bougent pas, mais ils se diffusent tous trois en lents anneaux sombres, à la fois miroitants et duveteux, de plus en plus larges, au-delà des murs de leur chambre, au-delà du château, jusqu'aux confins du monde. Et soudain tous les anneaux refluent en même temps sur eux en un grand jaillissement soyeux, sonore et lumineux, et il pousse un cri d'exultation, un cri de triomphe : maintenant, maintenant, il ne tombera plus jamais !

◆

La main sur son épaule est celle d'Alexis. Il le dévisage, hébété, puis accablé. Un rêve. C'était un rêve. Ombres inscrutables dans la lueur palpitante de la bougie, le visage d'Alexis, lorsqu'il se penche et pose sa bouche sur la sienne. Senso referme ses bras sur lui, désespéré, reconnaissant. Un autre corps se glisse dans le lit, seins érigés, ventre rond et chaud, Théodora. Mais il se laisse faire. Il les laisse faire, car il n'y a pas vraiment de plaisir pour lui, comme lors de leur première rencontre. Tout ce qu'il désire, c'est s'endormir entre deux corps chauds, comme autrefois.

18

La carriole, tirée par deux petits chevaux aux muscles en boule, comme sur le paravent de Grand-mère, s'arrête. On est loin de toute agglomération, au-dessus d'une crique illuminée par le soleil levant. Les indigènes descendent de la carriole, Pierrino les imite, en refermant sa veste matelassée. Il fait décidément plus frais par ici.

Ses deux compagnons s'engagent sans l'attendre dans la pente caillouteuse menant à la crique. Il les suit. Il ne sait toujours pas leurs noms – une mesure de prudence, suppose-t-il. Il a été surpris, puis réconforté, de voir que c'étaient des Kôdinh, ces alliés, et des jeunes. Ils lui ont donné d'autres vêtements, ont brûlé les siens, sans offrir d'explications, mais ce n'était pas nécessaire. Ils ne sont d'ailleurs pas très loquaces, bien que l'un d'eux parle un français hésitant. Le voyage a duré trois jours, sans qu'ils soient jamais inquiétés.

La crique est déserte. Quoi, pas de bateau ?

« Viendra-t-on me chercher plus tard ? »

Le plus vieux des deux indigènes secoue la tête : « À Anhkin, tu iras à l'Auberge des Deux Grues. À l'entrée, on t'arrêtera. Tu diras…

— Têp'tida », l'interrompt Pierrino. Il a la satisfaction de voir une expression étonnée passer sur les traits du jeune homme. « Comment trouverai-je cette auberge ?

— Elle n'est pas très loin à l'est du port. Écoute bien, et tu entendras. »

Cet écho étrange des paroles du Dragon le fait sursauter. Il dévisage le jeune homme, dont la physionomie n'a rien de particulier : cheveux noirs tirés sur le crâne par une courte natte, sombres yeux bridés, le nez et les mâchoires plus prononcés des Kôdinh.

« Es-tu un magicien ? » demande-t-il.

Le jeune homme le dévisage longuement, et soudain, il ne semble plus si jeune : « Toi aussi. N'aie crainte, tu te souviendras ». Il désigne le pendentif de Pierrino : « Range-le. »

Pierrino, médusé, replace le médaillon sous sa veste.

« Et comment vais-je me rendre à Anhkin ? »

Le Kôdinh lève une main pour désigner la mer. Machinalement, Pierrino se retourne. Pas une voile en vue, pas une barque. Dans le lointain, les murailles d'Anhkin forment une ligne rosie par le soleil levant.

« Dans la mer. »

Pierrino reste saisi, mais alors qu'il ouvre la bouche pour protester, l'autre fait demi-tour avec son compagnon et remonte vers la carriole à travers les éboulis.

Après un temps de réaction outragée, Pierrino se calme, en imaginant la réaction amusée de Senso : toi qui n'aimes pas l'eau ! Mais avec un peu de chance, il ne se souviendra pas du voyage, là encore. Car le mage kôdinh devait vouloir dire que Kempo revien-

drait le prendre, c'est la seule possibilité. Il s'avance
au ras de la petite plage, laisse une vague lui recouvrir
les pieds, fait une grimace. Il va falloir aller plus
avant dans cette étreinte liquide, et se laisser couler…
Il frissonne malgré lui. Ne pourrait-il pas simplement
appeler la Reine des Ouragans ? Pas à haute voix,
sans doute, mais en esprit. Il s'y essaie, de toutes ses
forces, même s'il n'est plus un magicien comme le
croyait le Kôdinh – mais sans doute le jeune homme
y était-il autorisé, après avoir été convoqué par le
Dragon de la Montagne pour venir chercher un
voyageur destiné à un voyage ordinaire.

Kempo! Kempo!

Rien ne change dans la brise, dans le long ressac
régulier de la houle. Des mouettes passent en criaillant,
virent, surprises de sa présence, s'enfuient.

Finalement résigné, il s'avance dans l'eau jusqu'aux
chevilles, jusqu'aux mollets, sent la vague lui plaquer
désagréablement contre les jambes le coton de son
pantalon lâche. Jusqu'aux genoux…

Il frissonne de nouveau, mais ce n'est plus le froid
ni l'appréhension. Une sensation bizarre monte en
lui : sa réticence a disparu, remplacée par une joyeuse
impatience, il a envie d'arracher ses vêtements, il a
envie de se jeter dans l'eau, de plonger, et de ne pas
remonter.

Il s'immobilise. Que se passe-t-il ? Des frissons continuent de lui parcourir la peau, comme à un cheval
excité avant une course. Un étrange bouillonnement
agite ses muscles, ses nerfs et jusqu'à la moelle de
ses os, c'est… comme avant l'amour, l'anticipation
exultante de la chair, comme le désir, un désir intense,
vibrant, de pénétrer la mer et de s'en laisser pénétrer…

De changer.

Avec la stupeur, un dernier éclair de résistance
l'arrête. Penser est devenu difficile. Vêtements. Il ne

peut pas. Arriver nu. En plein jour. Non. Cela lui demande un effort considérable, mais il se force à se
déshabiller, à faire un paquet de ses habits, à les
ficeler étroitement avec la ceinture de corde qu'il se
noue ensuite autour de la taille. Le fourreau de la
dague magique qui ne l'a jamais quitté lui bat sur la
cuisse. Une dernière pensée lucide : *absurde*. Puis il
cesse de résister, il plonge, il s'abandonne à la métamorphose.

Il exulte un moment dans la puissance de ses
nageoires, dans la souplesse de son mince corps
serpentin, puis il goûte l'eau et ses courants pour
s'orienter et file vers le nord-est. La marée monte, il
faudra lutter contre elle, mais ensuite, il arrivera avec
elle à Anhkin.

19

Oh, c'est si étrange, cette fois ! Comme des boîtes dans des boîtes… La comparaison suscite un bizarre malaise, mais c'est la seule qui vienne à l'esprit : on voit avec Ouraïn, qui voit avec Nathan.

◆

Il ne sait pas qui il est. Il marche à tout petits pas à l'ombre du déambulatoire, appuyé sur le bras d'un frère cariste vêtu de blanc. Il est très blanc lui-même, très pâle : il n'a pas vu le soleil depuis plusieurs mois, le brun cuivré de sa peau s'est éteint. Ils lui ont coupé les cheveux aux épaules, les rassemblant en un petit catogan, et il est vêtu, comme tout le monde à l'hospice, d'habits usagés mais confortables où dominent le vert et le brun, des couleurs qu'il apprécie, reposantes et mesurées.

Les promenades se terminent toujours sous la tonnelle de roses – des roses saintes, c'est ce que disent les frères et les sœurs ; il en aime le parfum. Il se laisse asseoir sur le petit banc de pierre, dans la pénombre si joliment trouée de lumière, et croise les mains sur ses cuisses. L'air est doux et calme. La rumeur de la ville traverse à peine les murs du grand édifice. Frère Martin va rester avec lui un moment, puis s'en ira pour revenir vers midi, ou sœur Adèle, et l'emmener déjeuner. Ensuite, il fera une sieste dont on viendra le tirer pour une autre promenade, et puis ce sera la cloche du dîner, et la petite chambre de l'aile ouest qu'il ne partage avec personne, tout en haut, d'où l'on voit les toits et, plus loin, cette grande étendue parfois bleue et lumineuse, parfois grise et atone. Tous les matins, c'est la même certitude tranquille d'une journée sans heurt et sans surprise – et même lorsque les pluies s'en viennent et que la promenade doit arpenter le cloître, ou même les couloirs si les vents tourbillonnent avec trop de rage en cinglant les fenêtres. C'est déjà arrivé plusieurs fois. C'est un phénomène saisonnier, la mousson.

Il se redresse, vaguement surpris. *Mousson. Saisonnier. Saisons* : un temps qui revient régulièrement. Chaque année. *Année.* Pourquoi les mots ont-ils soudain de l'écho ? Pourquoi cette impression curieuse de sentir quelque chose se déplier et gonfler en lui comme… pourquoi cette image saugrenue d'un beignet rose qui frétille en s'arrondissant brusquement dans l'huile et ce goût de crevette, et la texture croquante et rêche, il n'a jamais rien mangé de tel ici.

Ici. Où est-ce donc, ici ?

Avec une anxiété croissante, il examine ses mains croisées devant lui. Ce ne sont pas des mains de vieillard. Il n'y a pas de miroir dans sa chambre… Il touche avec hésitation son visage. Ses joues sont fermes, la ligne de sa mâchoire, son cou. Il se croyait très vieux. Il n'est pas très vieux ?

Frère Martin se lève. Lui va rester là, seul dans le parfum délicat des roses, comme d'habitude. Mais quelque chose lui fait tendre la main pour attraper la manche de l'habit blanc. Frère Martin tourne vers lui un regard soudain attentif – il se rend compte que c'est un regard attentif, qu'on attend quelque chose. De lui ? Lui aussi, il attend, il attend d'entendre ce qu'il va dire, les paroles qui montent en lui pour éclore sur ses lèvres, pour demander : « Quel est cet endroit ? Que m'est-il arrivé ? »

◆

Ouraïn sourit.

20

Avec un agacement résigné, on reconnaît le paysage intérieur de Gilles, mais… non ? Puis on a de nouveau cette sensation bizarre, avec un tressaillement de joie vengeresse : c'est Ouraïn qui voit tout cela avec lui et, dans la Carte, elle est désormais plus forte que lui.

◆

Il fallait que ce soit la nuit, bien entendu – même s'il n'y a pas de nuit dans l'Entremonde, il y en a pour les humains. La résille lumineuse scintille, posée sur le cœur du domaine. Lorsque les premiers assaillants en traversent les fils invisibles, les frémissements se propagent jusqu'au premier village, au presbytère où domma Courtenay, dont c'est le tour de garde cette semaine, dort profondément. Et veut continuer de dormir profondément, car au lieu d'aller vérifier, sa psyché rétive crée aussitôt un rêve où un importun la tire par le bras pour l'emmener danser. Mais un deuxième assaillant franchit le périmètre, un peu plus au nord, et un troisième, et enfin la psyché traverse les couches de ses propres illusions. L'ecclésiaste s'éveille en sursaut. Désorientée d'abord par ce qu'elle perçoit, il lui faut plusieurs secondes pour comprendre que l'impossible est en train d'arriver : on attaque le domaine.

Des indigènes, des Kôdinh, l'esprit rempli d'exaltation et de meurtre, à demi nus, armés de courtes lances, de machettes… et de mousquets. Elle saute d'un assaillant à l'autre, épouvantée, incrédule, ils se multiplient à mesure qu'elle couvre le périmètre, trente, cinquante, cent, venus du nord. Ils se dirigent vers le barrage ! Et un autre groupe, à l'est, une bonne centaine aussi, marche sur le manoir à travers la jungle !

Dans sa panique, elle appelle si fort dans le réseau des mages qu'ils s'éveillent tous en même temps dans les deux autres presbytères, le cœur battant la chamade, et les magiciens aussi dans les villages. Questions et réponses fusent et s'entrecroisent dans le plus grand désordre. Enfin, dans le troisième village, quelqu'un songe à mettre en branle la cloche du tocsin, au temple.

Quelqu'un d'autre, dom Casgrin, alerte le commandant Deschambault au poste, puis va chercher au manoir Sigismond qui se trouve être encore à veiller à cette heure si tardive, penché sur des registres.

Une attaque, des Kôdinh, une centaine se dirigent vers le manoir !

Sigismond réagit avec le choc et l'incrédulité appropriés, puis se précipite pour réveiller la maisonnée. Il faut admirer sa maestria, songe distraitement Ouraïn, quand bien même la supercherie repose surtout sur sa synergie avec elle et les Ghât'sin. Tout cela ressemble à une chorégraphie bien réglée dans un de ces opéras-ballets que Marys l'avait emmenée voir au grand théâtre de Garang Nomh.

Au poste, dans les cinq villages géminites où d'autres tocsins se sont mis à résonner de concert, au village indigène au bord du lac du barrage, les gens se réveillent et s'habillent en hâte en se demandant où est l'incendie, tandis que les soldats en patrouille de nuit se précipitent le long du chemin de la rivière vers le manoir, comme on le leur a ordonné, car les assaillants sont plus proches; ils avancent plus vite déjà, étant arrivés dans la partie défrichée du parc. Le reste des soldats monte au pas de course vers le barrage, mais les mages ont déjà prévenu les indigènes du village – du moins ceux qui ne sont pas dans les invisibles coulisses en train de tirer les ficelles avec Gilles et les autres. On s'y arme et l'on court vers le barrage.

Au manoir, la maisonnée est réveillée. Allons, il est temps de se rendre dans la grande antichambre du rez-de-chaussée et de participer à la distribution des mousquets. Tranh et Meïong sont déjà partis à la course pour allumer les torchères tout autour de l'édifice, à la circonférence de la cour de gravier. Sigismond n'est pas censé avoir hérité du don de feu d'Antoine, ç'aurait été spectaculaire… quoique, non, pas une soixantaine de torches qui s'allumeraient en même temps, ce serait par trop étrange – seulement des bougies pour le "petit talent" qui se promène chez les Garance d'Émorie.

Elle descend l'escalier d'un pas posé, y est rejointe par Antoinette en robe de nuit, qui ne feint pas son affolement, elle, même si elle a bien dû se rendre compte qu'elle a l'aspect d'Angéline Cournoyer sans y avoir pourvu. Elle ne fait pas partie du réseau des mages et Gilles ne l'a pas mise au courant afin d'ajouter à la vraisemblance. Comme si les ecclésiastes allaient songer à vérifier l'exactitude des réactions des uns et des autres! Ils ont bien d'autres soucis, et cela ne fait que commencer. Dans un instant, une explosion sourde, un ébranlement qui fera trembler le sol, des flammes rugissantes, et le moulin sera en feu au bord de la rivière.

Le petit pavillon s'enflamme au milieu du lac.

Ouraïn, que fais-tu?

Je n'y allais plus.

Pendant quelques instants, avec une sombre satisfaction, elle regarde le pavillon brûler, harmonieuse alliance de l'eau calme et du feu crépitant. Puis, de nouveau, elle s'abandonne à la synergie et regarde le moulin exploser dans le lointain. C'est encore plus fascinant dans l'Entremonde, toutes ces ondes déchiquetées qui se heurtent pour se renforcer ou s'annihiler, comme un grand festival du chaos.

Battus par le fracas et le souffle de l'explosion, les soldats en route vers le barrage, et qui venaient de dépasser le moulin, s'immobilisent, affolés, feraient demi-tour en voyant les flammes, mais la voix de domma Courtenay les pousse – *les villageois vont s'en occuper* – et ils reprennent leur course.

Comment disent-ils, déjà : "être au four et au moulin"? Eh bien, au moins au moulin. Mais ce sont évidemment des magiciens verts qui vont y veiller, les quatre ecclésiastes et les six Maîtres ont fort à faire ailleurs : repérer les assaillants et les immobiliser. Même en synergie, ils ne peuvent les arrêter tous en même temps – et ils sont quelque peu rouillés, les pauvres, n'ayant guère exercé ces magies si inutiles au domaine où la police ordinaire des soldats et la petite milice villageoise suffisent bien largement à la tâche.

Il s'est écoulé une bonne quinzaine de minutes depuis le premier son du tocsin ; les soldats vont arriver au barrage où se trouvent déjà les indigènes du lac, les ouvriers tirent les pompes vers le moulin tandis que les gens du village le plus proche piétinent les étincelles et les débris enflammés ou font la chaîne avec des seaux pour arroser le pont tout proche – c'est le milieu de la saison sèche. Tout cela est plutôt dérisoire, mais ils veulent avoir l'impression d'agir.

Et maintenant, mages et Maîtres en synergie se rendent compte que les assaillants sont plus difficiles à immobiliser qu'ils ne le pensaient : les Kôdinh savaient, bien sûr, qu'on leur opposerait de la magie et, tout en marchant ou en courant – du côté du barrage, ils se trouvent déjà sur la route bien dégagée –, ils se récitent des prières qui rendent leur psychosome glissant comme une anguille. Rien que de très ordinaire là, une contre-mesure chrétienne habituelle que leur auront apprise les Hutlandais, et d'ailleurs certains récitent le Notre Père, bizarrement émaillé de termes kôdinh : ce sont bel et bien des rebelles du nord. Les ecclésiastes relaient l'information à Deschambault en route vers le manoir avec une vingtaine d'hommes, et qui a abandonné le chemin cavalier pour couper à travers pelouses et boisés.

Ils sont presque arrivés, et plutôt hors d'haleine, car il y a une bonne demi-lieue entre le dépôt et le manoir même avec le raccourci, lorsque les mousquets commencent de crépiter, côté nord. Des fenêtres volent en éclats. Très réaliste. Les Ghât du village indigène font bien leur travail. Sigismond donne le signal en tirant lui-même, et les domestiques répliquent aux assaillants par un tir nourri, y compris Chéhyé et Nèhyé, très sérieux. Même Antoinette, qui a enfin compris, a saisi une arme et tire sur les ombres mouvantes qu'elle continue de voir même si elle sait désormais que ce sont des illusions. Ouraïn vise une torchère, la manque, tend un bras derrière elle, sans regarder, pour recevoir une autre arme chargée des mains d'un de ses serviteurs, l'autre étant agenouillé à la fenêtre voisine, en train de recharger pour Gilles. Elle épaule de nouveau, vise, tire. La torchère s'éteint. Pensait-il déjà à cette comédie lorsqu'il a insisté pour lui faire prendre des leçons, au cours de la décennie précédente ? Sans doute pas. Avec la danse et l'équitation, cela faisait simplement partie de l'éducation européenne de l'ouraïn.

Au barrage, les soldats tirent sur tout ce qui bouge. Deux indigènes du village ont déjà été blessés. Nul doute que Gilles a laissé faire : excellent pour la vraisemblance. Les mages ne songeront certainement pas à vérifier la provenance des balles. Au moulin, l'incendie est à peu près maîtrisé, mais le vent a rabattu des étincelles vers les quais où quelques toiles et des structures en bois ont pris feu à leur tour ; les magiciens verts dirigent les opérations de ce côté. Dans l'ensemble, la panique s'est calmée, du moins chez les mages. Ils ont réussi à arrêter une quarantaine d'assaillants, ce qui en a mobilisé une quarantaine d'autres : ils battent en retraite en emportant leurs camarades paralysés. Pas de prisonnier à interroger, mais tant pis, on en a appris assez lors du premier contact. Les autres aussi, autour du manoir, s'évanouissent dans la jungle en emportant leurs morts et leurs blessés – logique : pas question de les abandonner aux mains des *Itun* impies. On ne retrouvera pas de sang, ce qui sera juste assez bizarre sans l'être trop. On découvrira des armes, par contre – quelques-uns de ces fameux fusils hutlandais dernier cri, et des explosifs au barrage. L'un dans l'autre, l'attaque aura été plutôt mal conçue et mal menée, mais qu'attendre d'autre de la part d'une poignée d'indigènes fanatisés ? Au pire, on pensera que c'était une façon d'éprouver les défenses – qui se seront avérées efficaces jusqu'à un certain point, mais très certainement insuffisantes.

Au moment où Deschambault et ses hommes entrent dans le manoir, on déclare la fin de l'alerte : les assaillants sont loin. Des soldats veulent poursuivre, mais les mages relaient l'ordre du commandant : on reste où l'on est, au barrage et à la Fabrique, et l'on évacue les blessés vers les villages – car non contents de blesser des indigènes amicaux, les pauvres imbéciles ont trouvé moyen de se tirer les uns sur les autres. Le moulin fume ; le petit pavillon invisible est entièrement détruit sur le lac ; les autres incendies sont éteints. Il est temps d'établir un bilan, et de réunir ce qui va être un conseil de guerre. Demandera-t-on à madame Garance d'y participer ? Elle est toujours censée représenter son "clan" au domaine.

Gilles règle le problème en s'avançant vers elle, boucles brunes de Sigismond en bataille, mousquet encore en main, taché de poudre : « Ma très chère Aurore, ne vous fatiguez pas davantage, Antoinette va vous préparer une de ces tisanes dont elle a le secret pour vous aider à vous remettre de toutes ces émotions, dans votre état. » Il ne veut sans doute pas rappeler trop directement à ses futurs interlocuteurs qu'il était censé bénéficier d'une protection sans faille : il ne faudrait pas qu'ils se laissent trop distraire en spéculant sur les caprices de la politique intérieure mynmaï. Le domaine a été attaqué, c'est l'essentiel ; par qui, malgré qui, avec l'aide de qui, on pourra en débattre ultérieurement, mais si le statut quasi sacré des Garance a été révoqué, comment quiconque pourrait-il être en sécurité en Émorie ? La synergie des mages et des Maîtres est déjà en train de filer avec la nouvelle vers Garang Nomh.

Ouraïn incline la tête et salue le commandant Deschambault, qui s'incline. Elle gravit l'escalier au bras d'Antoinette, elle et son illusion de ventre de six mois, suivie aussitôt par ses deux serviteurs. Elle leur donne déjà silencieusement ses instructions : elle veut se laver – elle n'a pas tiré beaucoup, mais elle est tachée de noir de fumée et elle sent la poudre. Elle n'a nul besoin d'être là pour savoir ce qui se dira, Gilles s'en est assez longuement expliqué devant elle. On enverra encore une délégation à Daïronur, malgré les réticences de Sigismond, et, cette fois, elle comptera l'ambassadrice, madame de Foix, et sans doute l'amiral Darlant, ainsi qu'au moins l'un des évêques, avec des ecclésiastes – pour la sécurité, et pour signifier le sérieux de la démarche. Les termes du traité concernant le domaine Garance ont été enfreints par des Mynmaï, et le régent est trop rusé pour refuser leur sauf-conduit aux dignitaires de Garang Nomh. Il ne veut certainement pas encore d'affrontement direct. On obtiendra sans doute ce qu'on demandera – surtout si c'est un début d'éva-cuation des communautés géminites du sud et du sud-est, les plus exposées, et même si cela s'ac-compagne d'une présence accrue sur place d'unités militaires pour en assurer le bon ordre et la sécurité. On pourra même arguer qu'on protège les indigènes eux-mêmes, car l'attaque des rebelles ne visait-elle pas aussi ceux du village du lac ?

Et pour ce qui est du domaine, on se pliera enfin aux désirs de Gilles, que Sigismond pourra exprimer avec plus de force, appuyé par les récents événe-ments : on se concentrera sur la production et le transport des matériaux bruts qu'on entreposera à Garang Nomh, et on utilisera enfin des bateaux à ambercite, plus rapides, pour accélérer la rotation. Tant pis pour l'interdit mynmaï – le régent ne sera pas vraiment en mesure de le faire respecter, et ce sera une réponse adéquate à son scandaleux laxisme concernant les rebelles. Corrélativement, on renforcera la présence militaire et magique au domaine, comme dans tout le couloir de circulation qui le relie au comptoir, les canaux et la Nomhuéthiun. Et l'on évacuera une partie des familles des ouvriers, le personnel non indispensable – tout comme la maisonnée de Sigismond, qui ira la rejoindre bientôt à Garang Nomh. Avec bien des réticences, il s'inclinera devant l'argument définitif : il est le seul à détenir le secret de fabrication de l'ambercite.

Pendant qu'on fait chauffer de l'eau, elle s'accoude au balcon de sa chambre. Il fait sec et venteux, agréablement frais. La première aube est encore loin – il n'est pas plus de quatre heures du matin –, mais elle n'a nul besoin de lumière pour voir les ruines brasillantes du petit pavillon, qui dérive dans la brise vers l'autre bord du lac. Il avait été vidé de ses meubles, simple carcasse toujours déserte –, elle limite depuis longtemps ses igaôtchènzin à une par jour, et dans sa chambre. Elle pouvait bien en toucher les parois, ou les montants des portes, il n'y avait plus rien là de Kurun, ni de ses compagnes, leur souvenir s'en était évaporé. Et quant à elle, elle contrôle maintenant assez ses propres souvenirs pour n'en être point débordée aux moments les plus importuns. De chagrin, point. Le chagrin sera peut-être pour plus tard. Ni crainte ni exaltation à l'idée de ce qui s'en vient. Pour l'instant, elle se sent aussi étale et opaque que l'eau où les carpes doivent sommeiller, indifférentes à tout ce remue-ménage.

Demain, on commencera de faire les bagages, en mesurant avec soin ce qu'on emporte, car ce n'est pas un déménagement, n'est-ce pas, mais un petit séjour à Garang Nomh. Il faudra laisser là beaucoup d'objets de valeur, mais bien d'autres ont déjà été expédiés dans les caches secrètes, avec l'ambercite, comme les livres et objets magiques collectionnés par Gilles au cours des décennies. Quant à elle, elle pourrait ne rien emporter, sinon ses journaux – son autre mémoire – et les médaillons que Xhélin lui avait confiés après la mort de Kurun. Les chats, revenus l'un après l'autre au fil des derniers mois… on les laissera là. D'ailleurs, ils ne voudraient sans doute pas aller à Garang Nomh. Et le seul qu'elle regretterait un tant soit peu, ce serait Tchènzin.

Elle se retourne en laissant se dissiper l'illusion de sa grossesse lorsque Antoinette entre dans la chambre sans frapper. Dinh la suit, ou Tchèn, portant un plateau où reposent deux tasses et une théière. Sans doute Antoinette a-t-elle besoin elle-même de se calmer. Et elle vient aux renseignements, car elle ne pourrait se permettre d'espionner les conversations ordinaires ou magiques en train de se dérouler dans le petit salon bleu.

L'ecclésiaste laisse elle aussi se dissiper sa propre illusion, celle de la jeune madame Cournoyer, pour redevenir Antoinette, la soixantaine robuste dans sa sécheresse, cheveux grisonnants qui s'échappent en petites mèches du filet qu'elle porte pour dormir. Mais, après s'être assise dans la causeuse, elle demeure silencieuse, immobile, tasse arrêtée à mi-chemin de ses lèvres. Repose la tasse sur ses genoux, en contemple le rond miroitant de liquide rougeâtre. Se demande-t-elle comment aborder le sujet ?

« Nous partirons demain ou après-demain au plus tard », dit Ouraïn avec un éclair secret d'impatience. « Songe à ce que tu voudras vraiment emporter, car nous ne reviendrons pas de sitôt. »

L'ecclésiaste lève les yeux vers elle mais ne réagit pas davantage. Voyons, est-elle encore sous le choc ?

« Tu vas venir avec nous. Il changera la nature de ton lien afin de te permettre de quitter le domaine, ce n'est pas très compliqué. Je puis même le faire à l'instant. »

Ouraïn va chercher le lien, en observe un instant la substance incandescente, puis elle le coupe et le regarde se dissiper en étincelles qui s'éteignent bientôt. Gilles doit s'en rendre compte, là-bas, en bas, mais il ne le manifeste pas.

L'ecclésiaste la contemple, pupilles dilatées. « Vous reviendrez. L'ambercite est ici. »

Pauvre Antoinette. Elle n'a vraiment pas compris. « Je peux te délier complètement », remarque Ouraïn, avec une curiosité distante.

L'autre la dévisage encore un moment, puis détourne les yeux. « Ma place est ici. »

Parce que l'ambercite y est ? S'imagine-t-elle qu'ils n'en emporteront pas une provision secrète ? Il y en a depuis longtemps à la propriété de Garang Nomh, cachée dans les caves !

« Tu ne fais pas partie du personnel indispensable à la fabrique, lui rappelle Ouraïn. Et tu es censée être ma préceptrice. »

— Il n'a plus besoin de moi », murmure l'ecclésiaste, en haussant vaguement les épaules.

S'il en a jamais eu besoin !

« Tu sais ce qui va arriver, n'est-ce pas ? »

Le regard de l'ecclésiaste se perd au loin. « Rien n'est certain, dit-elle enfin. Il se passera ce qui doit se passer. Ma place est ici. »

Ouraïn l'observe un instant, vaguement apitoyée tout de même. « À ta guise. »

Antoinette ne semble pas l'avoir entendue : « Ma place est ici », répète-t-elle un ton plus bas. « Avec Philippe. »

Ouraïn sent son apitoiement se dissiper. Est-ce donc cela ? Un soudain retour de culpabilité ? Il est bien tard pour cela, Antoinette.

Tchèn ou Dinh reparaît à la porte, annonçant que le bain de Madame est prêt.

21

De la brume. Un mouvement glissant et régulier, celui d'une petite pirogue qui avance sur une eau très calme. Il a l'impression étrangement familière de voir par d'autres yeux en même temps que les siens, de sentir avec une autre peau qui est néanmoins sa peau les rebords un peu rugueux du bois auquel il se tient, une main de chaque côté de l'embarcation. Tout autour, fantomatiques à travers la brume, des arbres, une végétation dense, d'un vert étouffé. Une jungle. Il s'est déjà trouvé dans des jungles. Mais celle-ci a des senteurs différentes. Les cris et les appels des oiseaux, des singes invisibles, ne sont pas tout à fait les mêmes non plus, une dissonance discrète mais qu'il perçoit très clairement. En même temps, il y est habitué : il voyage depuis longtemps dans cette jungle-là.

Tout à coup, au-dessus des nappes brumeuses qui se dissolvent en petits tourbillons aspirés par le ciel, une montagne apparaît, hérissée de pics. Mais ce n'est pas une montagne : surgissant comme une île de la mer, c'est une forêt de pierre, la découpe élancée d'une cité-forteresse. La lumière encore rasante en allume peu à peu de reflets orangés les innombrables tours et tourelles, dans un relief d'une netteté extraordinaire.

La pirogue longe la rive d'un petit lac, non, d'un très vaste canal, non, d'une douve circulaire, en direction d'un pont ou d'une longue chaussée surélevée aux multiples arceaux massifs presque entièrement immergés. Il voudrait tourner la tête pour voir le nautonier qui godille à l'arrière de la pirogue, mais, comme souvent dans les rêves, il ne le peut pas. L'embarcation vient cogner contre un débarcadère en pente douce. Il en saute avec agilité pour nouer l'amarre à un anneau de métal scellé dans la pierre.

Il s'avance sur la chaussée. C'est une véritable avenue, bordée de grandes statues, toutes identiques, une créature fabuleuse, un dragon assis sur un piédestal. Les détails en sont sculptés avec une exquise minutie, les écailles de la peau, les nervures des ailes à demi repliées. La longue queue serpentine est soigneusement enroulée autour des hanches, telle celle d'un chat, et une patte est dressée, sans griffes, comme pour un salut. La tête est penchée, et il en contemple un moment les grands yeux attentifs, où la pupille est une fente noire. Sa main se tend : il faut toucher la statue, cela lui portera bonheur. La pierre est chaude sous sa main, comme vibrante.

Il est transporté aussitôt dans une vaste salle ombreuse, devant une plate-forme à laquelle on accède par cinq marches peu élevées, mais larges et longues. Il ne distingue d'abord pas bien celles qui s'y trouvent, mais il sait que ce sont des femmes. Elles sont assises dans de curieux sièges à trois places contiguës. Il y a trois de ces sièges. De chaque côté, un autre siège, dont les trois places sont vides. Bien que travaillés aussi délicatement que du bois, ils sont tous faits de pierre. Ce ne sont pas des trônes, et pourtant il s'agenouille avec le plus profond respect sur les dalles.

Il voit mieux les femmes maintenant. Elles sont très jeunes, des adolescentes. Petites, minces, la peau couleur de thé ambré, elles semblent toutes avoir le même âge et la même taille, et portent toutes la même longue et épaisse natte noire ramenée sur une épaule ou sur l'autre. Les trois femmes du milieu… ce n'est pas très clair, elles semblent clignoter dans une lumière dont il ne perçoit pas la source – peut-être sont-elles par elles-mêmes lumineuses ? Mais leur éclat se morcelle par intermittence en reflets plus durs, comme si elles étaient parfois de chair et parfois de pierre, une pierre cristalline, écarlate. Leurs vêtements à toutes sont d'une grande simplicité : de longs pagnes drapés, moitié rose orangé moitié or, dont un large repli est rejeté sur une épaule, recouvrant les seins. Elles ne portent aucun bijou, mais en même temps, comme si deux images se recouvraient en transparence, il peut voir au cou de celles de gauche, avec une netteté extraordinaire, un pendentif attaché à une chaînette d'or ou de cuivre : dans une bordure d'or, encadré par de minuscules opales, se tord un serpent fait de citrine et de jade, aux écailles minutieusement gravées.

Une autre silhouette se dresse soudain devant lui. Se penche sur lui : il est étendu, il ne sait où, il ne voit rien sinon cette femme. Le visage en est d'abord indistinct, et il sent son regard invinciblement attiré par le pendentif à cinq côtés suspendu entre les seins nus. Un oiseau aux teintes de bleu et de violet, dessiné en cloisonné d'or, avec deux petits yeux de pierreries rouges.

La femme lui touche le front, comme une caresse, et il la voit. Elle a peut-être vingt ans. Ses cheveux sont rassemblés en un lourd diadème de nattes d'un noir de jais. Son visage est lisse et sans rides, sa bouche à la fois sensuelle et délicatement ourlée comme celle d'une très jeune enfant. Une expression pensive, légèrement triste, passe dans ses yeux au chatoiement doré. Elle se penche davantage, il sent son souffle sur ses lèvres avant de sentir sa bouche y déposer un baiser. Un trait de feu le traverse, s'éteint aussitôt.

Il est debout devant elle. Ils sont de la même taille. Il ne peut détacher son regard des yeux de la magicienne, car c'en est une assurément, des yeux au regard paisible mais dont les iris fusent d'étincelles. Elle lève les mains pour lui passer autour du cou une chaîne d'or à laquelle est accroché un pendentif dont il perçoit le poids et la chaleur sur sa poitrine, à la hauteur de son cœur. Il en sait le dessin : un soleil éclatant dans un champ d'écarlate. C'est le signe exaltant du sacrifice, et il l'accepte, humblement.

Il se réveille.

◆

La surprise d'Ouraïn se nuance peu à peu d'un amusement lointain. Elle n'est pour rien dans ce rêve de Nathan Archer. Mais si d'autres qu'elle s'attachent à lui, pourquoi pas ?

22

Il contourne vers l'est les racines de l'île autour de laquelle se divise l'estuaire, remonte un étroit chenal où s'accumulent les alluvions, une pluie de particules lentes et obstinées, puis il pénètre dans le port d'Anhkin. À l'extrémité d'une jetée de bois dressée sur de gros troncs d'arbres mal équarris, il rend à la mer la forme qu'elle lui a prêtée, ou elle la lui reprend – il n'a pas conscience de l'avoir voulu –, et il se retrouve nu dans l'eau sombre. Il sait de nouveau qui il est. Pierrino. Pierrino, le magicien qui n'en est pas un.

Il s'accroche avec prudence à un pilotis glissant d'algues, avec la surprise de constater qu'il a toujours autour de la taille son petit paquet de vêtement, et la dague. Il retient un rire nerveux. Il y a une logique à sa magie. Si c'est la sienne.

Il scrute les environs illuminés par des torches et des lanternes. Des voix s'entrecroisent, des odeurs de cuisine. Sampans et jonques amarrés dans la petite baie forment un village flottant, avec ses allées, ses commerces et ses habitants qui godillent avec entrain dans de minuscules coques de noix pour rentrer chez eux. Il va falloir nager alentour pour trouver un endroit dégagé où aborder, car il y a du monde sur la jetée aussi.

Il contourne le village flottant, à longues brasses coulées, mais quand bien même il ferait du bruit, on ne l'entendrait pas dans tout ce vacarme humain. Il trouve bientôt à l'écart un débarcadère en pente, suffisamment plongé dans la pénombre pour qu'il s'y hisse sans être remarqué. Avec des doigts un peu tremblants, il défait le nœud de son paquet de vêtements. Dommage qu'ils ne soient pas restés magiquement secs. Il tord la veste matelassée pour l'égoutter mais ne la remet pas sur sa tunique. Chemise et pantalon finiront bien par sécher. Il chausse les sandales de kapok, vérifie que son pendentif est bien dissimulé sous la tunique. Pour ce qui est de son visage, il n'y peut rien, mais il n'est pas trop ouvertement européen, et qui penserait en voir un ici ? L'équipage de *L'Aigle* est sûrement confiné à bord du bateau, et Haizelé peut-être encore à Téh'loc avec le reste de l'ambassade secrète. Les gens verront ce qu'ils sont accoutumés à voir, et ses cheveux noirs, tout comme l'obscurité, le déroberont peut-être assez à des curiosités importunes. D'ailleurs, les patrouilles sont peut-être rares dans ces parages, si loin du cœur de la ville et du port.

Il gravit la rampe, qui débouche sur le petit quai heureusement désert, cherche des repères. L'Auberge des Deux Grues se trouve à l'est du port, lui ont-ils dit. S'il en croit la ceinture un peu plus lumineuse de la baie à sa droite, il se trouve bien à l'est du port. Et maintenant ? L'inquiétude point. Ils auraient pu du moins lui dire le nom de l'auberge en dialecte kôdinh !

"Tu entendras si tu sais écouter." Écouter quoi ? Il tend l'oreille, mais tout ce qu'il perçoit, c'est la rumeur du village flottant, où l'on joue de la musique, flûtes et tambourins.

Écouter comme s'il était un talenté? Mais il n'en est plus un! Et quand bien même: il ne saurait comment. Cela s'apprend pendant des années dans une Maîtrise, ces choses-là!

Il s'éloigne vers les cahutes et les bâtisses qui bordent le quai. Avec un peu de chance, l'auberge est de ce côté, pas trop loin. Mais il avance, les édifices se font moins bancals, la ruelle qu'il a empruntée plus propre, plus large et plus populeuse – et toujours pas d'auberge. S'il continue ainsi, il va se perdre.

Il s'arrête et revient tant bien que mal sur ses pas, au débarcadère. S'assied sur un rouleau de cordage dans le silence relatif: la musique s'est tue dans le village flottant, si tous n'y dorment pas encore. Il est près de dix heures du soir, à présent. Il est fatigué. Ses habits à demi secs, par endroits rêches de sel, lui grattent désagréablement la peau. Il a faim et surtout très soif.

Peut-être devrait-il attendre le jour, il y verrait mieux. Faire un somme: « qui dort dîne », comme disait Madeline. Il cherche autour de lui, trouve des vieux sacs de jute dans un coin, les entasse sur les pavés qu'ils amortissent un peu, se fait un oreiller de sa veste encore humide et qui sent la mer, mais tant pis.

Le silence s'étend dans la nuit, rythmé par le petit bruit du ressac, et quelques voix encore, qui résonnent plus fort d'être isolées. Pierrino ensommeillé songe paresseusement à la façon dont les mages peuvent écouter, dans leur silence de mages. Ils passent par l'Entremonde, de toute façon. N'y a-t-il donc aucun bruit, dans l'Entremonde? Pour Gilles, c'était de la lumière, du feu. Ce qu'il en est pour les Natéhsin, Ouraïn ne l'a jamais écrit dans ses mémoires, mais elle parle parfois de musique – ou bien c'est parce qu'elle avait appris à utiliser le terme "danse" et que le reste de la métaphore lui venait tout naturellement.

Et pour lui? Il en garde un souvenir trop confus, mais il lui semble qu'il ne voyait ni n'entendait rien de particulier. Des chatoiements devinés, oui, peut-être, mais il percevait surtout des textures, un tourbillon, un délice de textures différentes, d'une intensité, d'une pureté extatique, au bord de la douleur... et, oui, de quelque façon, constate-t-il avec une légère surprise, il les entendait, ces chatoiements étaient plutôt comme des sons, mais qui ne seraient pas passés par des oreilles de chair... Un peu comme la voix de Hyundpènh. C'est peut-être ainsi que les mages se perçoivent les uns les autres dans l'Entremonde. Était-il donc dans l'Entremonde, tandis que Hyundpènh lui parlait? Ailleurs, en tout cas, et dans une autre durée: ce passage brusque du plein jour au crépuscule, lorsqu'ils sont arrivés sur le plateau... Hyundpènh et sa transparence, alors qu'il coulait dans le roc... On voyait au travers. Comme la bulle de paysage métamorphosé autour de la pauvre domma Antoinette. Comme, dans la forêt, les *Têp'tida*.

Il sent venir la langueur fourmillante qui précède toujours pour lui le sommeil, s'y abandonne avec gratitude, tandis que le mot rebondit avec de plus en plus de lenteur dans la noirceur mousseuse qui tapisse l'intérieur de sa tête, *Têp'tida... Têp'tida...*

Têp'tida?

Il ne sait quelle est cette voix incrédule, une ondulation qui vient à la rencontre de celles où il flotte en compagnie du mot, paisible, et il laisse le mot repartir, un autre sillage qui affirme avec un amusement lointain: *Oui, Têp'tida.*

Où es-tu?

La stupeur, l'excitation traversent les couches cotonneuses de la somnolence, et il va pour se réveiller, mais la voix dit *Non, dors, dors!* et il s'enfonce de nouveau dans ce qui doit être un rêve.

Où es-tu? répète la voix. Vaguement familière. Une texture usée, polie comme du bois flotté. Une vieille voix. Attendez. Il va se souvenir.

Tun'gâk?

C'est toi, Petit Dragon? Je ne te trouve nulle part! Où es-tu?

Sur le port. Et toi?

Quelque chose dit à Pierrino qu'il ne rêve pas, mais c'est le plus sûr moyen de se réveiller, et il ne le doit pas, il doit écouter le silence duveteux qui parle avec la voix de Tun'gâk.

À l'Auberge des Deux Grues. Viens!

Dans son rêve, Pierrino se lève, ramasse sa veste et se met en marche. Il a l'impression de se déplacer sur une immense carte en relief qui avance avec lui, où le chemin à suivre est semblable au courant qu'il goûtait dans la mer, tout à l'heure, en se dirigeant vers Anhkin : il ondoie d'une ruelle à l'autre entre les maisons, aussi tiède, avec des saveurs aussi nettes, impossible de se tromper, de se perdre. Il flotte ainsi vers une bâtisse un peu de guingois, dont le seul étage est orné d'une galerie à balustrade sous un toit retroussé. Il y a des lumières ici et là aux petites fenêtres à vitres carrées, trop troubles pour qu'on distingue l'intérieur. C'est de là qu'origine le courant. Pierrino pousse la porte du rêve, sur une atmosphère chaude et enfumée. Un grand homme massif vient à sa rencontre, l'air farouche, crâne rasé et muscles impressionnants, mais une petite silhouette s'interpose, une face toute plissée de stupeur et de plaisir sous son maigre nœud de cheveux blanc.

« Petit Dragon ! Je savais bien que tu n'étais pas mort ! »

Et Pierrino comprend qu'il ne dort plus.

D'autres hommes viennent se presser autour de lui, des visages familiers : le blond Martin Engel et

Donnat le mousse, illuminés de joie incrédule, et monsieur Riopès le magicien, yeux écarquillés, et Sékhar, et Gournay. On l'étreint, on lui donne des claques dans le dos, on l'entraîne vers la table du fond. Il remarque qu'outre Tun'gâk et le géant au crâne rasé – l'aubergiste ? –, il n'y a qu'une dizaine d'indigènes dans la salle, des gardes kôdinh, qui observent cette agitation d'un air méfiant. Tun'gâk fait un détour par leur table, se lance dans des explications volubiles, appuyées de force gestes. Les gardes hochent la tête et, après un dernier coup d'œil à Pierrino, se replongent dans leur jeu de cartes.

Pierrino se retrouve assis avec devant lui un grand bol de soupe aux vermicelles transparents et une cruche dont il vérifie le contenu – de la bière légère au parfum de gingembre. Il ne s'en verse même pas dans le gobelet de terre cuite : il prend la cruche à deux mains et en vide le contenu en plusieurs lampées avides. Il demande : « Haizelé ? »

On rit autour de lui, tout le monde parle à la fois.

« Nous sommes revenus de Téh'loc avant-hier.

— Elle est au palais du gouverneur avec dom Marti, Rahyan et Kobé.

— Une réception. Rien que du beau monde

— Kobé ?

— Il les impressionne, dit Gournay avec un clin d'œil.

— Et les négociations ?

Des grimaces résignées : « Pas concluant, dit Riopès, mais on reviendra. »

Et finalement la voix de Martin l'emporte sur les autres lorsqu'il se penche vers Pierrino pour lui dire : « En tout cas, vous savez revenir à temps, Monsieur Pierrino. Nous repartons après-demain. »

23

De la haute fenêtre de sa chambre, Ouraïn contemple l'horizon lointain. Elle en a pris l'habitude, depuis plus de deux ans qu'elle vit à Garang Nomh. C'est toujours étrange pourtant de se dire qu'elle est la première Natéhsin à voir la mer. La première Natéhsin à quitter la jungle et les collines. Mais elle n'est pas une véritable Natéhsin, n'est-ce pas ?

La pleine lune trône dans le ciel, presque accablante de luminosité. La première de décembre, qui en comptera deux cette année, du moins pour le calendrier géminite. La brise, vive et régulière, hérisse l'eau phosphorescente et vide de magie. Ouraïn a cherché les Dragons d'Eau, mais ils ont disparu, comme le Dragon de Feu qu'elle est la première Natéhsin à n'avoir jamais vu non plus, comme le Dragon de la Montagne, qui n'a jamais reparu à la lointaine cascade du domaine.

La première fois qu'elle a vu la mer, elle l'a contemplée pendant des heures avec un mélange de fascination et de vague effroi : elle n'avait jamais imaginé autant d'espace libre et désert, et si plat – même le

haut plateau de ses randonnées jusqu'à la cascade
était pentu, accidenté, couvert de maigre végétation.
Par beau temps, le battement et le souffle régulier
des vagues accompagnait ses igaôtchènzin : elle
descendait sur la petite plage au bas de la falaise et
elle y passait des heures, parfois même lorsqu'elle
était revenue de son absence, songeant à Marie-Jolin
qui aimait tant l'océan, ou à tous les lointains pays
que touchait l'eau, dissimulant leurs attaches profondes,
surface et profondeur, distance et contiguïté, une
sorte d'Entremonde dans le monde. Mais tout ce qui
est en haut répond à tout ce qui est en bas, c'est ce
que disent aussi les géminites, et lorsqu'elle touchait
le sable de la grève, elle était reliée au reste de l'univers. À la différence de l'igaôtchènzin, elle en avait
alors conscience.

Elle se détourne en laissant retomber le fin rideau.
Elle ne le fait plus, maintenant qu'elle rationne jalousement ses heures d'absence, la plupart du temps
la nuit. Et même quelquefois, elle s'en passe une
journée entière. Peut-être y bascule-t-elle dans son
sommeil ensuite, mais elle ne le saurait point, n'est-ce
pas ? Elle se réveille toujours lorsque les serviteurs
viennent tirer les rideaux, de toute manière, et toujours
à la même heure.

Mais cette nuit, elle ne parvient pas à trouver le
sommeil. Toute la journée, elle a été en proie à une
incompréhensible agitation, une impatience sans but,
un énervement sans cause, le grattement des habits
sur sa peau, des fourmillements sans cesse renais-
sants dans tout le corps. L'après-midi avec madame
Darlant et sa nièce aurait été un supplice si elle n'était
habituée depuis si longtemps à feindre d'être une
autre. L'épouse souffreteuse de l'amiral l'a malheureusement prise en affection – ou pense plutôt que leur
fréquentation servira de quelque façon à sa famille – et

elle s'obstine à lui tenir compagnie plus souvent, lorsque Sigismond se trouve au domaine. Après avoir déjà décliné l'offre par deux fois en prétextant la fatigue, il fallait bien les recevoir. Une de ces circonstances où elle regrette qu'Antoinette ne soit pas venue vivre avec eux au comptoir! Ce n'était pas une visite impromptue, cependant, et ses deux Ghât étaient là pour elle : ils ont appris étonnamment vite, non seulement les us et coutumes de la bonne société géminite – en cela ils ont été formés au domaine – mais ceux de Garang Nomh, et les courants secrets qui agitent le petit monde du comptoir. En voilà deux qui n'ont pas de réticence à user de leur talent lorsque cela les arrange. Elle les imiterait peut-être si tous ces gens et leurs petites affaires ordinaires ne lui semblaient aussi ennuyeux.

Elle arpente la pièce, goûtant l'alternance sous ses pieds nus du tapis de haute laine et du parquet plus frais. Passe près de son secrétaire, où le journal a malheureusement déjà été rempli pour la journée – non qu'il y eût tant à dire, simplement noter la rencontre avec les dames Darlant. La conversation n'était pas si intéressante qu'elle méritât une entrée. Derniers potins, bavardages anodins entrecoupés de tentatives d'explorations de "l'ouraïn" et de son clan, comme toujours écartées avec une politesse souriante, et surtout commentaires sur l'enfant à venir.

Ouraïn pose machinalement les mains sur son ventre. Il n'est plus besoin d'illusions ni de fausses couches mensongères, les trois ans sont presque écoulés, et dans deux mois l'enfant verra le jour. En juin certainement, peut-être au moment du Petit Festival, puisque 1738 n'est pas une année de Grand Festival. Au solstice, tiens, ne serait-ce pas un bon présage ? Elle naîtra, puisque, en définitive, c'est une fille. Elle naîtra, enfin. Non qu'elle eût été un fardeau :

à l'abri dans sa propre Maison, elle n'a jamais été un inconvénient, simplement un bon prétexte de malaises ou de lassitudes utiles pour écourter ou différer des présences en société. Et non qu'elle soit l'enfant de la prophétie : tout ne recommencera pas avec elle – mais tout peut continuer, sinon comme l'espère Sigismond, du moins… Elle ne sait ce qu'elle espère quant à elle, si elle ose même se le permettre. L'enfant est si étonnamment différente ! Une véritable petite Itun : peau de nacre, fins cheveux d'un roux éclatant et, derrière les paupières encore closes, des yeux du même bleu que ceux de Gilles.

Quand a-t-elle cessé de la haïr, cette enfant ? Sans doute lorsqu'elle a su que ce serait une fille et qu'elle l'a nommée – pour elle-même, en secret, lorsqu'on lui a demandé s'ils avaient déjà choisi un nom et qu'elle s'est surprise à penser : *Agnès*. Elle a souri en répondant que non, que son peuple ne nomme pas les enfants encore à naître, et la conversation a dérivé sur les avantages et inconvénients réciproques des différentes capacités et coutumes des deux peuples, avec comme toujours les courants contradictoires des sentiments chez ses interlocutrices, curiosité plus ou moins intéressée et surprise, un peu dédaigneuse, que les Mynmaï – avant la Mélancolie, cela allait de soi – n'eussent pas engendré à cause de leurs coutumes tant d'enfants que leur pays en eût été dévoré. Saisie d'une incompréhensible irritation, elle a alors dérogé à son habitude et rappelé que les divers clans des Mynmaï ne procréaient pas n'importe quand, comme les Européens, mais presque uniquement lors des festivals – même si ce n'est plus la vérité depuis longtemps. On a souri avec une indulgence à peine dissimulée : "Il est fort heureux que cette coutume se perde", a sagement commenté madame Darlant, "car votre peuple a bien besoin d'enfants désormais."

Mais elle n'écoutait déjà plus, revenant à la surprise qui avait accompagné ce prénom soudainement éclos en elle, *Agnès*, la surprise et le sentiment de profonde satisfaction qui l'avait aussitôt colorée, malgré le souvenir trop exact : la terrible transparence blanche des mourants, la petite indigène, si brune au contraire, si vive, si vivante, qui n'entendrait plus jamais sa mère l'appeler par son véritable prénom, si même elle s'en souvenait encore.

Agnès, rose et rousse, aux yeux de ciel, qui ne lui ressemble en rien, et tant pis si elle ressemblera à son père, ce sera, de quelque façon, une véritable enfant.

Un petit choc de surprise renouvelée la traverse en se prenant à penser ainsi. Ne l'était-elle donc pas, elle, qui ressemble tellement à Kurun ?

Puis l'amertume déchirante, la rage. Non, parce qu'elle ressemble, elle, tellement à Kurun.

Mais l'enfant sera différente. L'enfant ne risquera rien.

Elle se force à des pas plus lents, en changeant délibérément la pente de ses pensées : Je ne serai plus seule, et elle ne le sera pas non plus. Et j'ai un but, désormais. Si différente soit-elle, l'enfant est aussi une Natéhsin. Il pourra bien la faire éduquer comme il veut, jamais elle n'oubliera son héritage. « Je serai là, Agnès », murmure Ouraïn, en posant de nouveau les mains sur son ventre. « Je serai là, je ne t'abandonnerai jamais, moi, et nous passerons bien plus de temps ensemble qu'il ne pourra jamais en passer avec toi, lui ou ses esclaves. »

L'enfant se retourne dans sa maison liquide et ses lèvres de corail esquissent un sourire. L'a-t-elle perçue ? Sans doute pas, simplement elle bouge davantage désormais, sentant peut-être le jour venir où elle le pourra dans l'air et non seulement dans les eaux

maternelles ; mais c'est une pensée réconfortante.
En souriant aussi, Ouraïn se détourne de la fenêtre.
Allons, petite, il faut dormir.

Y aura-t-il donc une igaôtchènzin de plus cette
nuit ? Les deux korats sortent de leur cachette sous
l'armoire, la chatte birmane saute sur l'édredon.
Ouraïn la caresse d'une main distraite, avec un amusement teinté de mélancolie. Comment a-t-elle pu
croire qu'ils ne la suivraient pas ? Elle les a vus
explorer le jardin de la propriété le lendemain même
de son arrivée à Garang Nomh – tous sauf Tchènzin,
son favori. Faut-il y voir un présage ? Mais de quoi ?
C'est peut-être simplement un retour à la normale :
Kurun n'avait que quatre chats, avant l'Étranger de
l'Ouest.

Dinh ou Tchèn apparaît à la porte avec le plateau
où se trouve l'habituelle et inutile infusion calmante
et, tandis qu'assise dans la causeuse elle boit à
petites gorgées le liquide fragrant à peine teinté de
vert, on ferme les rideaux – en laissant la fenêtre
ouverte, comme elle le désirait –, on ouvre le lit et
l'on y dispose les dentelles de son vêtement de nuit.
L'angora blanc apparaît à son tour, poussant la porte
entrebâillée, pour venir sauter en acrobate sur le pied
du lit, où il reste en équilibre.

Elle observe le domestique en se livrant à son petit
jeu habituel : Dinh, ou Tchèn ? Les appeler par leur
nom ne sert de rien, ils répondent indifféremment à
l'un et à l'autre. Quant à leur trouver des signes
distinctifs, elle y a renoncé. Et elle ne va pas obliger
ces jumeaux à se vêtir de façon différente s'ils ne le
veulent pas. Au reste, c'est plutôt amusant de voir
ses invités sursauter, même après plus de deux ans,
surpris par l'apparition à leur coude d'un domestique
qu'ils croyaient ailleurs.

Dinh ou Tchèn semble pourtant moins impassible
que d'habitude, gestes plus saccadés, les sourcils

vaguement froncés. Mais ce sont des Ghât, et du clan Hétchoÿ, sans doute sont-ils influencés par la pleine lune.

Dinh se redresse après avoir étalé la robe de nuit. « La terre est inquiète », dit-il, comme s'il avait tout du long su qu'elle le regardait, et ses pensées. Ce qui est sans nul doute en grande partie le cas, mais elle ne s'en irrite plus. Ils préviennent ses moindres besoins, ce qui signifie qu'ils lui sont ouverts en permanence – ou qu'ils la surveillent en permanence, selon ce qu'elle veut croire en accord avec son humeur du moment, mais elle sait que Sigismond n'y est pour rien, alors, elle laisse aller. Ils mettent un point d'honneur à jouer les Ghât'sin, même s'ils sont de simples Ghât, et si c'est l'histoire qu'il leur plaît de se raconter, pourquoi le leur refuser ? Ils lui sont souvent d'un secours précieux, comme cet après-midi, alors qu'elle cherchait dans sa mémoire la personne dont madame Darlant-fille contait les frasques amoureuses avec tant d'allégresse narquoise. Pour les détails de ce qu'ils vivent avec elle – et ils la suivent partout comme une ombre dans la société du comptoir, l'un ou l'autre sinon les deux –, ils sont aussi efficaces que ses carnets, et elle peut les consulter à l'instant lorsque le besoin s'en fait sentir.

Sur une dernière courbette, le serviteur quitte la pièce en refermant la porte sans bruit. Ouraïn prend encore une gorgée de tisane, contemple un moment les parcelles de feuilles au fond de la tasse, mais elle ne se livre plus à la divination depuis longtemps. Avec un petit soupir, elle se dévêt – cela, ils ont appris à le lui laisser faire seule. Puis, ayant revêtu la robe de nuit, concession à l'obstination des serviteurs, surtout pendant la saison sèche, elle s'étend sur le lit ouvert sans en rabattre le léger drap de lin. Pendant un moment, en écoutant le ronronnement doux des chats, la peau encore fourmillante par moments d'un énervement qu'elle ne s'explique pas, elle regarde les ombres que dessine la lune en traversant les rideaux agités par la brise. Puis l'infusion commence à faire son effet. Elle pourrait s'endormir elle-même, bien sûr, mais elle tient à cette fiction, comme à cent autres infimes détails de son humanité.

Elle laisse ses paupières se refermer, en mesurant son souffle, mains légèrement entrelacées sur l'estomac juste au pied de la petite montagne de son ventre. "La terre est inquiète." L'enfant l'est aussi, ou du moins continue-t-elle de bouger, infimes mouvements, doigts qui s'ouvrent comme une corolle puis se replient, un tressaillement, la tête qui se tourne d'un côté puis de l'autre, au ralenti. Peut-être rêve-t-elle. De quoi rêvent les Natéhsin à naître ? Rêvait-elle, elle, dans le ventre de Kurun ? Cela échappe à son souvenir – de fait, elle ne se rappelle que le voyage chaotique de la naissance, et la grande paix ensuite contre la poitrine de Kurun, au rythme de son cœur, avec le contact soyeux des chats qui venaient la saluer. Peut-être ne rêvait-elle pas avant d'être née. Xhélin disait que les Natéhsin ne rêvent pas. Il voulait dire, les vraies Natéhsin. Ou plutôt, car c'était Xhélin, les Natéhsin d'avant le nouveau monde. Mais elle a rêvé, elle rêve, elle, la première des nouvelles Natéhsin, des fausses Natéhsin, et peut-être que son enfant rêve dans son ventre, loin, loin dans la Maison de la Déesse, d'où elle arrive sagement, sans courir, avec ses boucles rousses et son regard bleu, nue et rose et dodue et souriante, sa fille. La route est toute dorée, couverte de sable d'orcite, et les pieds de l'enfant y dessinent des petites marques précises qui ressemblent à des empreintes de chat. L'enfant elle-même est un chat, lisse et soyeux, à la tête de feu, une chatonne de Tchènzin qui s'en vient lui tenir compagnie.

Ouraïn l'appelle, mais l'enfant-chat s'est immobilisée au milieu de la route, sa longue queue noire fouaille l'air, sa tête rousse se tourne de tous côtés. Qu'a-t-elle entendu ? Elle se couche par terre, et Ouraïn en fait autant, étendue sur le ventre, bras en croix, la joue collée contre le sable aussi doux qu'une fourrure. *La terre est inquiète*, dit la voix familière de Kurun, Amah, qui vient de si loin. Et elle se sent couler à travers le sable, jusqu'aux os de la terre, les longs os de Hyundpènh sous sa carapace d'humus et de racines, et c'est vrai, les membres de Hyundpènh sont agités de tremblements. Les herbes et les arbres de sa fourrure tressaillent aussi, car Hyundpènh est désormais un vaste dragon-chat au rêve inquiet, qui frémit dans son sommeil, qui ouvre un œil doré grand comme une montagne, et un autre, et qui s'étire lentement, lentement, et à la surface, dans les arbres et les herbes, toutes les bêtes qui dorment s'éveillent aussi et toutes les bêtes qui ne dorment pas s'arrêtent dans leur chasse, leurs jeux ou leurs amours, tandis qu'autour d'elles, sous elles, le pays se soulève.

24

La Carte l'appelle encore, mais elle résiste, elle ne veut pas, elle ne veut plus. Tout est mensonge, rien n'a plus de sens, depuis le début ce qu'elle avait imaginé était faux, une histoire absurde. Tout le reste, elle pouvait presque l'accepter, mais pas cela, pas cela ! Elle a beau invoquer Senso, elle ne parvient pas à imaginer une autre histoire. Elle a beau invoquer Pierrino, elle ne parvient pas à trouver une logique à toutes ces visions.

Elle se recroqueville sous la couette, les poings sur les yeux, mais elle voit la Carte, elle l'entend, la Carte la possède à présent, la Carte veut continuer de lui conter ses affreuses histoires, impatiente, avide, et elle a beau résister de toutes ses forces, cela ne sert de rien, elle est une marionnette, elle n'a jamais été qu'une marionnette, un outil pour la volonté de la Carte.

La Carte se met soudain à croître. Elle s'élargit, elle devient une mince peau diaphane qui l'enveloppe, qui se colle à sa peau et elle, elle est captive, elle pense qu'elle va suffoquer, et elle pense *non, non...*

Quelqu'un d'autre respire pour elle. Quelqu'un de doux et de chaud, et qui l'aime, et qui essaie de la protéger des bêtes, les bêtes dont elle commence à entendre le sifflement dans le vent de neige, un corps invisible, chaud et tendre, qui se presse contre le sien, comme si l'on voulait la faire rentrer dans l'arbre et elle veut, oh, elle veut aussi rentrer dans l'arbre, à travers la glace, à travers l'écorce, fondre, disparaître dans l'arbre, mais elle ne peut jamais.

Les bêtes s'effacent, et la glace et le froid, ce sont les voix, maintenant, qui veulent l'étouffer. Car il y en a plus d'une. Elles sont deux à présent. Ou trois ? Non, ce sont des échos qui ricochent partout en elle, d'abord mous et chuchotants, mais ils se durcissent peu à peu, ils vont bientôt devenir des flèches acérées, et rien ne pourra les empêcher de la déchirer.

Il y a une autre voix, pourtant, qui se détache avec peine de l'horrible clameur, une voix qui la cherche, mais non pour la détruire. Ce ne peut être Ouraïn, puisque Ouraïn est Grand-mère, qui l'a trahie aussi. Elle appelle : *Senso ? Pierrino ?* Mais ce n'est pas leur voix non plus. Elle tend l'oreille, la voix apparaît et disparaît dans le paysage sonore, et elle la reconnaît soudain, avec stupéfaction, parce qu'elle ne l'a jamais entendue auparavant : c'est Agnès.

Comme si ce seul nom était un sortilège, elle la voit, tout entière, non pas la petite Agnès du tableau, mais celle qu'elle n'a jamais vue, Agnès la jeune fille, la jeune femme, vêtue d'étoiles. Les yeux d'ambre la fixent, remplis d'une tendresse et d'une compassion désespérées. Elle dit : "Trouve-moi. Sauve-moi." Puis ses yeux redeviennent bleus, elle coule et disparaît.

Et elle, de quelque façon, elle est la Carte où rampent et sautent et crient les bêtes, et elle est l'arbre, et en même temps elle est captive entre les deux.

Elle doit s'échapper ! Comment s'échapper ?

Elle ne veut pas, non, elle ne veut pas être dévorée par les bêtes. Mais si les bêtes c'est elle, elles ne peuvent pas la dévorer ? Elle peut les arrêter ? Ou les laisser dévorer la part d'elle qui est Agnès, et alors elles s'arrêteront ? Mais si elles ne s'arrêtent pas ? Si elles ont oublié ce qu'elles sont, qu'elles sont elle ? Ce morceau d'Agnès, c'est tout ce qui la protège des bêtes ! Se retourner vers l'arbre ? S'enfuir dans l'arbre. Se diffuser dans l'écorce, sous l'écorce, dans les veines de l'arbre, plonger sous la terre pour y trouver le Dragon, Hyundpènh, au secours ! Mais sous la terre, il y a des flammes, le sang de la terre qui nourrit l'arbre est en feu, ce n'est pas Hyundpènh, non, c'est mieux, Hyundxhaïgao, Dragon de Feu, viens à mon secours, je suis ton enfant, je porte ton médaillon, prends-moi dans tes flammes, libère-moi, laisse-moi renaître.

Tout n'est pas accompli, dit le Dragon de Feu.

Mais il tend tout de même une griffe pour la toucher et, entre ses mains, la Carte redevient la Carte. Elle la lâche avec un sursaut de terreur, la regarde s'enrouler par terre. Ce n'est pas fini. Quelque chose d'Agnès n'a pas les yeux bleus. Quelque chose d'Agnès attend d'être sauvé.

Dans un soudain élan de révolte, elle donne un coup de pied dans la Carte. Ce n'est pas ainsi que ce devait être, c'était la bonne Agnès qui devait la protéger, non l'inverse !

Ensuite, elle reprend la Carte et, dès qu'elle la touche, elle sait qu'elle va basculer en Ouraïn, la menteuse, la traîtresse.

25

Il cesse de lire et se frotte les yeux d'une main lasse. La lumière du jour a baissé, on allumera bientôt les lampes dans la petite bibliothèque de l'hospice. Avec un haussement d'épaules, il referme l'épais ouvrage. Ces récits, relations et essais historiques sur les principautés, duchés et royaumes fédérés d'Italie n'évoquent en lui aucun souvenir. Mais les textes espagnols ne l'avaient pas fait non plus, pas davantage que les italiens, les byzantins ou les français. Il s'est rendu compte avec étonnement qu'il parle et lit peu ou prou toutes ces langues, mais s'il est citoyen d'une de ces contrées, il ignore toujours laquelle. Il doit pourtant bien être un géminite, puisqu'il a été suspendu lorsque son navire a fait naufrage – loué soit le mage de bord qui en a pris le temps, et puisse-t-il avoir survécu !

Aucun souvenir, non, mais le même bizarre sentiment de connaître mieux l'histoire ancienne de l'Europe que la plus moderne. Était-il donc un lettré amoureux du passé ? Les recherches ont été infructueuses dans tous les comptoirs de Jaffna, on n'a pas même retrouvé les marins qui l'ont amené à l'hospice de Maria-Negra et pourtant, même si on l'a repêché au large de la côte est de Sirilanka, il devait bien être passé par l'un des comptoirs…

Mais quand ? Combien de temps est-il resté suspendu, ballotté par les vagues ? Les ecclésiastes ont une mimique impuissante et désolée lorsqu'il revient buter sur cette question. Même le fait que son rassemblement ait si affreusement mal tourné n'en est pas une indication, puisque l'ignorance d'un mage indigène en est sans doute davantage responsable que la durée de sa suspension.

Il regarde passer sœur Inès, qui va de table en table allumer les lampes. Elle lui sourit en s'arrêtant devant la sienne. « Rien de nouveau, mon ami ? » Elle ne l'appelle jamais autrement, sachant qu'il est agacé du nom qu'on lui a donné, et il en éprouve une gratitude mélancolique : « Non. Mais l'histoire des êtres humains est bien monotone, avec ses petits conflits et ses petits intérêts.

— Ah, dit la religieuse, lorsqu'on lit l'histoire des nations, il est aisé de penser ainsi. Il faut lire autre chose, mon ami. L'histoire des connaissances est plus encourageante, à mon avis. »

Il sourit plus franchement, cette fois – sœur Inès est membre de plusieurs sociétés savantes, et ce n'est pas pour rien qu'elle est chargée de l'entretien et du chargement des lampes à ambercite au monastère et à l'hospice.

« Monsieur Beltran se ferait un plaisir de vous prêter ses ouvrages sur les plantes et les insectes », poursuit sœur Inès en actionnant l'ingénieux mécanisme qui fait monter les trois billes d'ambercite dans le réceptacle de céramique translucide.

Il fait une petite moue : le magicien vert est plutôt mal à l'aise en sa compagnie, comme au demeurant plusieurs des ecclésiastes et des Maîtres qui travaillent aussi à l'hospice. On comprend bien qu'il n'est nullement responsable de sa condition, mais elle effraie, comme si elle était de quelque façon contagieuse. *Un excommunié. Un excommunié vivant!*

« Peut-être devrais-je lire tout à fait autre chose. Des romans, de la poésie, du théâtre.

— On y voit beaucoup aussi des folies humaines, dit sœur Inès, un peu sévère.

— Vous avez sans doute raison. »

Ils regardent ensemble l'incandescence des billes s'arrondir peu à peu sur leur support métallique. Une fois de plus, il tend un doigt pour toucher la paroi de céramique, encore froide et qui ne tiédira que bien lentement au cours des prochaines heures. Ces lampes exercent sur lui une fascination qui ne se dément pas. Il doit pourtant bien en avoir vu autrefois, elles existent depuis assez longtemps. Mais c'est comme la surprise éprouvée, lorsqu'il a été assez solide pour marcher jusqu'au port, en voyant les allées et venues des navires empanachés de fumée, avec leur cheminée si bizarrement plantée entre leurs voiles, ou même les petits caboteurs pilotes, qui n'ont plus de voile du tout. Une surprise qu'il a gardée pour lui, avec une espèce de crainte qu'il ne s'est pas expliquée sur le coup, mais qu'il a comprise ensuite. Il ne veut pas qu'on le sache surpris. Il ne veut pas penser que cette surprise pourrait être autre chose que celle d'une redécouverte.

« Je vais suivre votre conseil, Sœur Inès, décide-t-il brusquement. Foin de l'histoire des nations, je vais voir ce qu'il en est de celle des esprits. En commençant par la découverte de l'ambercite! ajoute-il en se levant.

— Je crains bien que vous ne retrouviez la folie des humains en chemin, dans ce cas, soupire sœur Inès.

— Comment cela ? »

Elle hausse un instant les sourcils, puis maîtrise son étonnement. « L'histoire de l'ambercite est celle de l'Émorie, et elle est peut-être en voie d'en arriver à une conclusion des plus funestes. »

Il pourrait demander encore "comment cela ?", car il n'a aucune idée de ce dont elle veut parler, mais il s'est figé. *L'Émorie*. Comme au moment de son premier véritable éveil, il y a trois mois, le mot se répercute en ondulations étrangement familières dans l'eau noire de ses souvenirs, y accrochant de minces éclats lumineux. *Émorie*.

Il laisse sœur Inès poursuivre sa tâche et se dirige vers le frère Andrès qui est de service ce soir à la bibliothèque, afin de lui demander des ouvrages sur l'Émorie. Inès a dit "Émoria", puisqu'ils parlent espagnol entre eux. Pourquoi le terme lui semble-t-il si étrange dans cette langue ? Un nom de pays. Pourquoi ne devrait-ce pas être un nom de pays ?

Le jeune homme ne paraît pas surpris de sa requête, et va chercher dans une étagère trois *in-quarto* qu'il dépose d'un bloc, avec un choc sourd, sur la table. « Ce n'est pas le plus récent, mais certainement le plus intéressant. L'édition originale. Par le découvreur même de l'Émorie, et avec des illustrations de sa main, des endroits où nul autre que lui n'est jamais allé. En français, mais vous parlez couramment cette langue, je crois. »

Il soulève la couverture un peu éraillée, cherche d'abord la date sur le frontispice – une habitude qu'il a prise depuis son éveil : 1598. Eh bien, pas des plus récents, en effet, plus d'un siècle et demi. Puis le titre : *Faits & Relations de Mes Voyages en Pays d'Émorie, par Gilles Garance*. Émorie. Le mot écrit ainsi en français lui semble encore plus étrange, comme si l'orthographe n'en était pas correcte et la graphie toute déséquilibrée. Il devrait y avoir… un y à la fin, et au début quelque chose pour contrebalancer ce É, lequel ne devrait d'ailleurs pas avoir d'accent.

Déconcerté, et tandis que le jeune moine retourne s'asseoir derrière son pupitre, il ouvre le livre au hasard, le feuillette à la recherche des illustrations promises.

Et tombe en arrêt devant une forêt de pierre dont les troncs élancés sont des tours et des tourelles hérissées de dentelures, une perspective cavalière permettant de distinguer clairement la courbe d'une douve, et les chaussées ornées de statues qui la traversent, tels les rayons d'une immense roue.

26

L'averse s'écrase mollement sur les vitres du grand salon, où il fait moite malgré tout, le déplaisant climat de la côte ouest pourtant tenu à l'écart par les ecclésiastes, une gracieuseté à l'égard de la qualité de leurs hôtes ; le reste du temps, ce sont Dinh et Tchèn qui y voient, ou les deux Ghât'sin de Sigismond ; ils y sont plus efficaces. Mais il faut prendre son mal en patience. La réception bat son plein à la propriété des Garance. Ouraïn est assise dans un fauteuil, prisonnière – c'est la tradition des relevailles, elle ne pourra s'éclipser avant un bon moment –, une main sur le berceau du bébé près d'elle, drapé de dentelles, avec un sentiment accablant de familiarité : clair et précis, dans sa mémoire, le baptême de Clément, et la pauvre Armande Pujols avec sa jolie poupée, son illusion d'enfant.

Pas d'illusion ici, mais il en faudra une, car bientôt la petite suivra ses traces : bientôt elle marchera et parlera, tombera ensuite en igaôtchènzin… et atteindra ses cinq ans à la prochaine saison des pluies. Heureusement, la fiction de l'ouraïn et des coutumes de son clan est là pour justifier bien de choses – dont l'usage "frivole" de la magie pour leur épargner le climat par trop différent de Garang Nomh en ce début de la mousson. Nul ne verra l'enfant que de loin jusqu'à ce qu'elle ait officiellement cinq ans – après quoi elle pourra commencer d'être éduquée dans la religion géminite. Un autre ecclésiaste à subjuguer pour Sigismond.

La petite s'agite un peu dans son berceau-balancelle, tandis qu'un autre couple d'invités se penchent sur elle pour l'admirer en chœur, puis se tournent vers Ouraïn pour lui offrir des compliments. Personne, bien sûr, ne fait de remarques sur l'aspect de l'enfant, personne n'en fera. La seule surprise pour Ouraïn, en l'occurrence, c'est que les yeux si bleus de la petite, grands ouverts à la naissance, ont viré à l'ambre après quelques heures. "Elle a tes yeux, maintenant", a murmuré Sigismond, la voix enrouée d'émotion. Elle l'aurait préféré désappointé.

Elle écoute d'une oreille distraite les conversations qui l'entourent. L'ambiance est à la fois curieusement grave et excitée, lorsque les gens oublient l'occasion de la réception. Ces temps-ci, la politique tient toute la place.

« … ils auraient dû comprendre dès leur défaite à la bataille des Chutes. Si leurs propres citoyens ontariens aidaient les insurgés… Mais on peut toujours compter sur les christiens pour faire durer interminablement des hostilités. »

C'est le nouvel ambassadeur, monsieur de Montluçon, un peu trop jeune, un peu trop joli, un peu trop fat – que l'on confie ce poste à un tel homme, en un tel temps, est des plus surprenants… Ou non, car enfin, ses fonctions sont désormais purement théoriques. Même Sigismond ne se rend plus à Daïronur. On correspond par courrier avec la royauté mynmaï et les réponses n'en sont jamais très empressées, surtout depuis la mort suspecte du régent et la sanglante prise du pouvoir par son neveu Humphong Ayvanam.

« Il fallait aux Anglais une défaite navale, remarque l'amiral Darlant. Les christiens ne comprennent que cela. Eux et leur empire des mers ! »

Tout le monde se met à rire avec servilité.

« Et ils n'avaient plus l'excuse de l'aide hutlandaise aux insurgés pour justifier cette défaite », renchérit l'épouse de l'ambassadeur. Elle est décidément moins stupide que son époux, quoique moins plaisante à regarder. « Du coup, ils ont aussi perdu Boston.

— Cavanaugh n'a pas l'intention de garder la ville », dit un capitaine d'infanterie plutôt saucissonné dans son bel habit noir et bleu. « C'est simplement un pion dans les négociations de l'indépendance.

— Mais ce petit roi Henry d'Angleterre est un obstiné. Il se retournerait contre la Nouvelle-France pour essayer de nous en grignoter des morceaux que cela ne m'étonnerait pas plus que cela.

— Bah, depuis 1734, il ne peut plus compter sur ses troupes coloniales ontariennes, la répression a été trop féroce.

— Et maintenant qu'il a signé le traité de paix avec le Hutland, il aura peut-être d'autres tentations », reprend Darlant.

L'ambiance s'assombrit – même si l'amiral a parlé d'un ton presque satisfait. Tout le monde sait ce qu'il veut dire : depuis la signature du traité de paix entre les deux frères ennemis de la christienté, un an plus tôt, les relations entre la France et le Hutland sont de plus en plus tendues. Il y a eu des attaques contre des bateaux marchands géminites dans l'océan Indien – des corsaires, rien d'officiel, mais on sait à quoi s'en tenir. Les remontrances n'ont servi de rien, pas plus que l'échec de ces attaques, au reste. La flotte hutlandaise d'Australie occidentale est pratiquement intacte, et avide d'en découdre, car les hostilités avec l'Angleterre dans cette partie du monde ont surtout eu lieu sur terre, et sans grande conviction.

« Pensez-vous réellement qu'ils s'allieront ici contre nous ? demande une dame inquiète.

— Il est trop tôt. Mais le gouverneur Enklaart est en négociations avec Formose pour aller y mouiller ses bateaux.

— Les Chinois ne laisseront pas faire !

— Les Chinois n'y verraient sans doute guère d'inconvénient, Madame, pas plus que l'archipel malais. Nous les avons autrefois obligés à modifier la Ligne pour y inclure l'Émorie, souvenez-vous-en. Eux s'en souviennent, et ils ont la rancune tenace. Rien de ce qui pourrait nous nuire ici ne leur déplairait, surtout avec la possibilité de tirer ensuite les marrons du feu.

— Qu'ils y viennent », fait le capitaine en bombant le torse au péril de sa redingote, « ils se casseront les dents, comme toujours.

— Oh, ils n'y viendront pas, ni les uns ni les autres, pontifie l'amiral Darlant. Formose prêtera peut-être quelques bateaux et des mercenaires, et peut-être même la Corée – si les Hutlandais sont capables de faire affaire avec des peuples de sorciers, ce dont je doute fort –, mais je crois plutôt qu'on laissera les Longs-Nez se débrouiller entre eux. Nous ne déclarerons pas la guerre les premiers, évidemment. Mais si on nous attaque, nous nous défendrons. La flotte d'Australie, même supérieure en nombre, ne fait pas le poids devant la nôtre.

— Quant à moi, déclare l'ambassadeur, s'ils s'installent en rade de Formose, cela équivaudra à une déclaration de guerre.

— Tout ceci est bien absurdement disharmonieux, soupire l'évêque, monsieur de Fesch.

— Votre Éminence sait fort bien que la diplomatie n'a jamais beaucoup servi avec le Hutland, on l'a vu depuis qu'ils ont commencé d'agiter les Kôdinh. Nous n'échapperons pas à un affrontement armé.

— Mais n'ont-ils donc rien appris, à la fin ? » s'indigne vertueusement la vieille madame Darlant qui vient se mêler à la conversation avec son petit-fils, le fringant Frédéric, un gamin de dix-neuf ans qui ne se remet pas de n'avoir pu entrer dans la marine comme son père et son frère aîné – on lui veut de plus hautes destinées à Garang Nomh, sur les traces de son grand-père défunt.

« Ils ont appris que nous n'utilisons plus les grandes magies guerrières », bougonne monsieur d'Alprets, le nouveau secrétaire de l'ambassade qui n'a pas, et de loin, la finesse rusée de son prédécesseur Darlant père. « Je persiste à penser que c'est une erreur.

— Et nous avons appris qu'en mer, elles sont fort coûteuses, et même périlleuses, le coupe l'amiral. Alors que nos bateaux sont plus solides, et que nous pouvons prévoir tous les mouvements de l'adversaire – voilà des magies utiles !

— Avez-vous jamais songé aux usages intéressants qu'on pourrait faire de l'ambercite au cours d'un affrontement ? » demande Frédéric Darlant dans le bref répit de la conversation. « Transporter à bord des vaisseaux ennemis, sous couvert de l'illusion d'objets inoffensifs, ce qui serait en réalité des billes en quantité suffisante pour mettre le feu aux poudres… »

L'amiral Darlant contemple son rejeton d'un air plutôt satisfait, qu'il masque dès que l'assistance réagit avec une horreur consternée. Sigismond s'est tenu coi jusque-là, mais il intervient, sévère : « L'accord passé entre ma famille et la France stipule expressément qu'on n'utilisera jamais l'ambercite à des fins guerrières.

— Ah, votre aïeul y avait donc pensé », dit le jeune Darlant avec un sourire légèrement narquois.

« Mon aïeul, Monsieur, était un bon géminite. »

On se hérisse de part et d'autre : c'est une litote de dire que Frédéric Darlant et Sigismond Garance ne s'entendent pas très bien. Ouraïn n'en a pas encore trouvé de raison – il ne peut y avoir de rivalité politique ou commerciale entre eux, moins encore amoureuse. Mais elle a son idée : ils se ressemblent trop. Non point Frédéric et Sigismond, mais Frédéric et Gilles.

« Quelle conversation, Messieurs, en ce beau jour où nous accueillons justement une nouvelle petite géminite dans le sein de notre Église ! » intervient diplomatiquement Éloïse de Bourbonne.

On s'écarte pour la laisser entrer dans le cercle. Ouraïn l'examine de loin – la cinquantaine mince et discrète, mais d'une famille illustre, et dotée d'un talent formidable, pour une géminite. Ancienne évêque, c'est une simple ecclésiaste désormais, qu'on appelle pourtant toujours avec déférence "Votre Éminence" : lorsque son époux et collègue est mort, deux ans plus tôt, elle a renoncé à une prestigieuse carrière qui l'aurait peut-être menée à la Hiérarchie. Elle a plutôt demandé et reçu la direction de la Mission magistériale, forte d'une soixantaine d'ecclésiastes et de Maîtres, qui a accompagné le bataillon du colonel de Chamblis au domaine. Sans illusion aucune sur l'importance réelle de ce poste : il fallait signifier à tous le sérieux qu'on attachait à la défense du domaine, sans trop réagir cependant à une attaque somme toute sans envergure et paraître ainsi trop craintif. Nommer deux évêques en titre aurait été excessif. Mais une talentée sans titre – et sans ambitions –, cela faisait l'affaire.

D'un commun accord, on se tourne vers d'autres sujets plus anodins, en se rapprochant d'Ouraïn et du berceau, malheureusement. Pour ne pas être entraînée tout de suite dans la conversation, elle fait mine de se pencher vers l'enfant pour arranger les dentelles bleues de la robe de baptême. Et bientôt elle oublie le bourdonnement des voix et le cliquetis des verres. Elle contemple sa fille. Agnès-Antoine Garance, c'est ainsi qu'elle a été baptisée, mais elle sera pour elle toujours et seulement "Agnès". Elle est belle, elle est parfaite, son Agnès, rose et rousse, absolument neuve, imbue de l'innocente magie propre à tous les nouveaux-nés, avec sa bouche en bouton de rose et ses petites mains potelées et ses doux petits pieds qui n'ont encore jamais touché le sol. Même sans l'assistance des ecclésiastes lors de l'accouchement, elle serait née sans douleur. Et s'il y avait eu de la douleur, Ouraïn l'aurait accueillie avec joie. Sigismond était en voyage, elle avait choisi le jour de la naissance de sorte qu'il fût absent. Seulement quatre petits dragons de fourrure pour rendre hommage à l'enfant après sa naissance, avec les deux Ghât et sa mère – c'était plus que suffisant. Ouraïn sait, elle. Peu importe l'énoncé de la prophétie des triades. Cette enfant aura un jour des enfants, et ces enfants inaugureront un véritable nouveau monde, car ils seront la main de la justice.

Elle y veillera.

27

Novembre à Toulouse n'est pas des plus plaisants en cette première année du siècle, songe Senso en regardant la pluie tomber à la fenêtre. La ville rose, plutôt rosâtre aujourd'hui, est leur quartier général pour tout l'hiver: ils ont considérablement allongé la durée de leur tournée, à cause du succès, et personne ne semble très pressé de revenir à Paris.

Il s'est assez dégourdi les jambes. Il revient à la table où les conversations vont bon train. Il devrait être heureux. Sa fameuse pièce est terminée, elle a même son titre: *La Magicienne de Méiore*. Il vient de la lire avec Alexis à la troupe assemblée, en jouant tous les rôles – Alexis, surtout, avec sa stupéfiante voix de trois octaves –, et à sa grande surprise soulagée, l'accueil a été très positif. Oh, il faudra des ajustements, mais Théodora, en particulier, est ravie. « Mon cher Senso, vous êtes le digne fils de votre père ! »

Mais cette séance de lecture et de discussion l'a épuisé. Il est souvent fatigué, du reste, et avec des symptômes somatiques divers, légers mais récurrents: maux de tête, manque d'appétit ou au contraire

fringales, insomnies ou réveils tardifs et difficiles…
Son psychosome est vraiment en disharmonie, la
méditation n'y fait pas grand-chose, pas plus que les
infusions et gouttes recommandées par la magicienne de Bordeaux.

Il croit en savoir la raison, cependant : Aurepas
approche.

Après les premières modifications négociées avec
les uns et les autres, et une amorce mouvementée de
distribution des rôles, les comédiens se lèvent, s'étirent,
quittent un à un la pièce avec de dernières félicitations à l'adresse de Senso. Il est midi passé, de
loin, ils vont manger. Cajoleuse, Théodora se tourne
vers Alexis : « Nous pourrions nous faire apporter
un panier de chez le traiteur, pour pique-niquer tous
les trois au théâtre. »

Alexis fait une moue : « J'ai envie de sortir, et de
compagnie différente. Je crois que je n'irai pas même
manger avec les autres. Tu viens, Senso ?

— Je n'ai pas très faim, et j'ai surtout envie de
calme, après toutes ces empoignades », s'entend
dire Senso, choqué par ce manque de tact.

Si Théodora a été blessée par la brusquerie désinvolte d'Alexis, elle ne le manifeste pas. « Je n'ai
pas très faim non plus après tout… » – le ton est un
peu plus abrupt – « … je tiendrai compagnie à Senso
si celui-ci le veut bien. Nous irons dîner de notre côté
lorsque nous serons davantage en appétit. »

Senso acquiesce. Alexis s'en va sur un dernier
signe de la main. Pourquoi ces tensions, ces ac-
crochages de plus en plus fréquents ? Alexis est
devenu plus fantasque, plus capricieux, soufflant le
chaud et le froid parfois à quelques minutes d'inter-
valle. Plus exigeant la nuit, une passion anxieuse –
avec lui du moins, car il ne sait ce qu'il en est avec
Théodora –, et le jour plus réticent, abrupt, blessant
même parfois ; il a fallu à plusieurs reprises calmer

les réactions à ses remarques désobligeantes pendant les discussions qui ont suivi la lecture de la pièce.

Un moment indécis, en regardant le dos de Théodora raidie à la fenêtre, Senso va chercher dans la garde-robe un des costumes qu'il sait déchiré. Autant s'occuper les mains, ce qui lui occupera l'esprit. La couture est une activité qu'il a toujours trouvée reposante, contrairement à Pierrino et à Jiliane – et même si elle les lui rappelle aussitôt. Mais tout les lui rappelle maintenant : c'est, encore, la proximité d'Aurepas.

« Agnès détestait coudre », dit soudain Théodora.

Il lève les yeux : elle est revenue à la table et le dévisage, mais sans acrimonie.

« Cela me surprend toujours de voir à quel point vous ne lui ressemblez pas. »

Aucune pointe dans cette remarque, c'est une simple confidence.

« Elle aimait le théâtre », dit Senso.

Théodora sourit, un peu tristement : « Oui. Elle aimait jouer. Se déguiser. Être n'importe qui sauf elle-même.

— Comment cela ? »

Le regard de Théodora se perd dans le lointain : « Elle était très jeune, vous comprenez, à peine dix-huit ans, dit-elle d'une voix rêveuse. Lorsque je l'ai engagée, et comme elle était vague sur ses origines, je lui ai malgré tout demandé si nous devions nous attendre à voir surgir des parents furieux. » Le sourire revient, plus sarcastique : « Cela arrive. Ses parents ne la retrouveraient pas, a-t-elle dit. Et plus tard, lorsque je me suis enquise de ses raisons de s'être enfuie de chez elle, elle a dit… qu'elle voulait vivre sa propre existence, et non être sacrifiée à celle que sa famille avait décidée pour elle. »

Le regard noir se fixe de nouveau sur Senso : « J'ignorais qui elle était, alors. Mais après votre visite, à Paris, l'an dernier… j'ai mieux compris.

— Sa famille, murmure Senso attristé. Mais c'était surtout son père, n'est-ce pas ? »

Il songe aux arguments de Pierrino, aux lettres de leur père. "Un tyran." Et pourtant, Grand-père n'avait-il pas des obligations envers son pays ? La fabrication de l'ambercite dépendait, dépend encore en grande partie, de lui. Il était assez normal pour lui de préférer que le secret en restât dans sa famille, tout comme la gestion de son commerce… Mais au point de forcer sa fille unique, si vraiment elle n'en voulait rien savoir, surtout à un moment où l'on n'envisageait pas même le retour à l'ambercite ?

« Elle semblait également éprouver à l'égard de sa mère des sentiments pour le moins mêlés, remarque Théodora.

— Ne voulait-elle point la faire venir à Paris avec elle ? »

Un léger haussement d'épaules : « L'éloignement, et peut-être sa propre maternité, lui avait rendu de son affection, je suppose. »

Senso reprend sa couture sans rien dire. Doit-il donc aussi réviser son image de Grand-mère ? Pierrino avait raison, alors. Avoir vécu près de vingt ans avec leurs grands-parents n'empêche pas qu'ils aient eu avant eux une existence où ils étaient peut-être des personnes très différentes. Qu'est-ce qu'une vingtaine d'années, sur quatre-vingts ? Car enfin, c'est l'âge de Grand-père, et de Grand-mère. Ils se sont connus et épousés bien loin de la France. Grand-père a *grandi* en Émorie ! Ce qui les a formés, ou déformés, il peut à peine l'imaginer. Des étrangers, sous leur présence familière tenue si longtemps pour évidente. Agnès aussi, et Henri, au demeurant. Mais en ce qui les concerne, c'est moins pénible : il les a si peu connus, et l'image qu'il s'en est forgée à partir des lettres est trop récente, de l'argile encore humide, non une statue qui vole en éclats blessants.

Comme si les pensées de Théodora avaient suivi une pente similaire, elle murmure : « Je n'ai jamais vraiment su qui était Agnès, en définitive. Mille facettes, toutes éclatantes, mais un miroir reflète, n'est-ce pas ? Dans une certaine mesure, elle reflétait ce qu'on désirait voir d'elle…

— Mais pas avec lui, pas avec notre père ! » proteste Senso en abandonnant sa couture.

Un petit sourire : « Avec lui, comme avec moi, elle avait choisi le rôle de l'amoureuse. »

Senso la contemple, ahuri, conscient de la confidence qui vient de lui être consentie – et de n'en être pas davantage étonné. « Voulez-vous dire qu'elle vous mentait à tous deux ? »

Théodora lui jette un rapide coup d'œil. Son expression se fait grave, presque compatissante, comme si elle se rappelait soudain à qui elle parle : « Oh non, elle ne mentait jamais. » Elle se mord un peu la lèvre, de nouveau pensive et mélancolique : « Si on lui posait les bonnes questions. » Le sourire devient légèrement sarcastique : « On les lui posait rarement. »

Senso reprend son aiguille, le cœur serré.

« Était-il au courant ? » demande-t-il après un moment, sans lever les yeux.

« Il n'a jamais posé la bonne question », dit Théodora avec calme.

Il la regarde de biais : elle a de nouveau les yeux au loin, une expression dépourvue d'animosité, et même avec une sorte de résignation amusée.

Henri n'a pas nécessairement *voulu* la poser, cette question, c'est cela ? Voilà qui ouvre sur la relation de ses parents et le caractère de son père des perspectives dont il ne sait s'il est étonné ou chagrin. L'harmonie est-elle à ce prix ? Lorsqu'il reverra Émilie, car il la reverra, c'est de plus en plus proche et certain, usera-t-il de cette échappatoire, en s'arrangeant pour qu'elle ne pose jamais les bonnes questions ? Elle-même aura-t-elle de ces tactiques prudentes ?

Et avec Pierrino, en sera-t-il de même ?

Cela l'horrifie davantage en ce qui concerne Pierrino que pour Émilie, il est forcé de l'admettre.

Au moins n'y avait-il assurément pas de parties à trois entre Théodora, Agnès et Henri, songe-t-il, tout en reprenant ses petits points bien réguliers, sans savoir s'il en est plus soulagé ou plus honteux en pensant à ses propres actes.

28

Décembre. Une lettre arrive d'Aurepas, sans surprise : une invitation de Grand-père à venir passer la Noël avec sa famille. La lettre est courte, sans effort pour attendrir, mais Senso décline l'invitation, avec de bonnes mauvaises raisons : ils ont des engagements, ils tournent autour de Toulouse, ils seront à Albi pour la fin de l'année, il retournera à Aurepas en même temps que la Compagnie : on y sera à partir de la troisième semaine de mars 1801, avec une représentation le 21 – juste avant le Bal des Loups. On y jouera sa pièce, en première : ce sera, a dit Alexis en veine de gentillesse ce jour-là, son cadeau d'anniversaire en retard. Senso n'inclut pas ce détail dans sa lettre. Ni dans sa lettre à Émilie : il ne lui a toujours pas parlé d'Alexis. Il se contente de souligner en conclusion qu'il n'aura pas trop de trois mois pour monter la pièce, aux décors complexes, et qui nécessitera aussi de la musique.

Janvier, février : Castres, Carcassonne, Foix, Montauban, retour à Toulouse. Le mois de mars est commencé, un superbe début de printemps aux couleurs, aux odeurs familières. Mais, sur le calendrier du régisseur, Senso regarde la date du 10 mars avec une affliction soudaine et profonde. Son anniversaire. Leur anniversaire à tous trois.

Il abdique : il écrit aux évêques une lettre exprès pour avoir de Pierrino les nouvelles qu'il s'est astreint à ne pas demander jusque-là. Et on lui répond, par mage interposé – qui vient lui rendre visite à l'auberge où ils logent, pour la plus grande inquiétude d'Alexis. Oui, Pierrino et *L'Aigle des Mers* sont sur le chemin du retour. Pierrino devrait revenir aussi à Aurepas, alors ! Jiliane sortira peut-être bientôt de sa cachette magique. Car c'est elle qui se cache, n'est-ce pas, avec son talent métissé accidentellement ouvert par Grand-père, en cette nuit funeste du printemps dernier – il le sait maintenant, il en est certain, Grand-père a dû essayer de la magnétiser. Il se laisse aller malgré lui à un espoir grandissant. Il se laisse aller à croire qu'elle viendra les retrouver à Aurepas lorsqu'ils y seront tous deux, Pierrino et lui. Il se laisse aller à imaginer leurs retrouvailles, au Bal des Loups, à minuit, quand tout le monde se démasquera…

Enfantillage. Mais en même temps, c'est un baume apaisant, cette histoire qu'il se raconte, n'a-t-il pas le droit de se bercer un peu ? Le sommeil est si lent à venir, la nuit… Comment seraient-ils déguisés, tiens, s'ils allaient au Bal des Loups ? Lui et Pierrino pourraient être les matelotes jumelles de sa pièce… et Jiliane… Cyrine, bien sûr, la sirène magique… sauf que, pour danser… ce serait tout un défi d'arranger le costume…

Il sourit encore lorsqu'il se sent couler dans le sommeil.

29

Gilles s'éveille en sursaut. A-t-il rêvé, encore un de ces rêves au bord du cauchemar dont sa psyché refuse de lui dévoiler le contenu lorsqu'elle revient se fondre dans son soma ? Ces rêves qui n'ont cessé de le harceler depuis une semaine, le renvoyant au domaine d'où il était rentré à peine quinze jours plus tôt ?

Et puis la voix stupéfaite et horrifiée d'Éloïse de Bourbonne flamboie à travers le réseau des mages.

Il va y avoir un tremblement de terre !

Presque au même instant le tocsin se met à résonner dans tous les villages en même temps.

Gilles reste un instant hébété à la faible lueur de la première aube, puis se lève d'un bond, talent grand ouvert. Rien ne bouge, mais oui, il peut sentir la puissance prisonnière qui arque son dos dans la montagne, sous la montagne, au nord-est. Il appelle les Ghât'sin et tous les autres talentés indigènes, en trouve plusieurs prosternés dans des prières dont il les tire avec brutalité. *Le barrage, renforcez le barrage !*

Il ne boutonne pas sa chemise, l'enfonce dans ses culottes. Au moment où il met ses souliers, la terre se met à marmonner, un grondement sourd et insistant, qui prend du volume, et soudain, tout se met à remuer en même temps, dans un va-et-vient rapide et délibéré, comme un chat secoue une souris pour la tuer en jouant. Un rapide sortilège de protection, et il se précipite en titubant comme un homme ivre entre les parois de l'escalier en colimaçon de la tourelle nord. *Dehors, dehors, tout le monde dehors!*

Le grondement s'est amplifié, il emplit l'orbe du ciel encore obscur. Il n'y a plus rien d'immobile, les arbres, le sol, les murs, tout saute et se balance en une danse horrible, avec des craquements et des chocs sourds, une éternité de mouvement impossible, un croisement monstrueux des règnes où la terre ondule comme de l'eau, où la rivière se tord et siffle comme un serpent. Il perd l'équilibre, se retrouve couché de tout son long, cherche en vain de quoi s'accrocher dans le gravier frétillant de la cour. En même temps, dans l'Entremonde, étiré en filet d'un village à l'autre par-dessus celui des mages et des magiciens, entre les mines, le barrage, la fabrique et le manoir, il crispe tous les muscles de son talent dans la synergie des Ghât'sin et des autres indigènes pour capter et dissiper les ondes furieuses qui viennent s'épanouir à la surface.

Une partie de son esprit, incompréhensiblement lucide et calme, continue de s'étonner: un tremblement de terre, et ils ne l'ont pas prévu plus tôt? Et aussi: mais il n'y a eu aucun des signes précurseurs! Et encore: mais il n'y en a jamais eu ici, ce n'est pas une région à séismes!

Abruptement, tout s'arrête, une sensation encore plus déroutante, qui lui donne le vertige alors qu'il est toujours étendu sur le sol maintenant immobile. Encore des craquements, des arbres ou des tuiles qui finissent de tomber. Il se relève et chancelle comme s'il abordait après des mois de bateau. Le tocsin résonne encore mais de façon désordonnée : les cloches, abandonnées à elles-mêmes, finissent de faire branler leur battant.

Il regarde autour de lui et prend brusquement conscience de la présence d'Ouraïn. Dans l'urgence du moment, il est allé chercher son talent sans même s'en rendre compte, s'en est emparé sans en demander la permission pour le jeter dans la synergie, et elle l'a laissé faire. Il pense distraitement "bon signe", tout en regardant autour de lui. Les domestiques de la maisonnée se relèvent. Chamblis devait déjà être réveillé – il est toujours plus que matinal –, car il est déjà en uniforme ; son ordonnance aussi, tout comme Patry, Desalles et les leurs ; les ecclésiastes de leur état-major sont en robe de nuit, comme les quelques soldats logés avec eux au manoir. Pas de blessés. Et le manoir lui-même semble avoir bien résisté. Mais il y a plus pressant. Conscient des autres mages, qui ne savent pas sa présence, il saute jusqu'au barrage, qu'il pénètre en hâte pour en examiner lui-même les fondations.

Intactes, Divine soit louée, aucune fissure profonde, quelques petites craques en surface qu'il sera aisé de réparer. La tour de guet a été moins chanceuse, une grande zébrure édentée en marque les pierres disjointes sur tout le premier tiers. La fabrique… presque toutes les fenêtres ont explosé, des machines se sont déplacées ou ont culbuté, des caisses surtout sont tombées dans les entrepôts, dégorgeant leurs billes et leurs boulets, il faut y envoyer immédiatement du personnel pour éviter un incendie. Une demi-douzaine de magiciens verts s'en occupent déjà et les ouvriers qu'ils appellent se dirigent en hâte vers les bâtiments. Divine merci, encore, la journée de travail n'avait pas commencé, ni à la fabrique ni dans les mines.

Tandis que Chamblis donne en rafale des ordres relayés par ses mages, et que soldats et officiers s'élancent vers les écuries, il constate, atterré, que, au nord-ouest, les parois de la nouvelle mine d'ambrose se sont effondrées, un chaos de rocs aux arêtes luisantes. Pas si grave, on les concassera sur place. Mais la troisième mine d'orcite, sur le plateau… tunnels fracassés, rails tordus, chariots écrasés. Il continue son survol en revenant au domaine. Ce qui était à moitié construit du fort, près du dépôt et du poste militaires, est désormais entièrement démoli. Le petit pont reliant le moulin au chemin cavalier du parc s'est cassé en deux, mais les bateaux à quai ou ancrés en aval et en amont dans la rivière ne semblent pas avoir trop souffert. Les soldats du bataillon dormaient dans leur village de tentes, aucun blessé grave de ce côté, les hommes commencent de s'organiser. C'est plutôt dans les villages que le séisme a frappé le plus durement : on se précipite de maison en maison à la recherche de trop nombreux disparus sous les décombres parfois en flammes, dans un chaos de cris et de courses où mages et Maîtres tardent à mettre de l'ordre. Une des tours du temple, dans le plus ancien village, s'est écroulée sur le presbytère. La Mission magistériale, de l'autre côté de la place, est presque entièrement effondrée. Les mages n'ont pas trop songé à la protéger, tout occupés du reste du domaine. Bon réflexe, mais quelques-uns n'ont pas été assez rapides à quitter les lieux : il y a au moins une demi-douzaine de blessés, et, au vieux presbytère, deux morts.

Gilles, inquiet, cherche madame de Bourbonne, elle est là, sur la place, en train de suspendre l'un des deux défunts, est-ce dom Casgrin, le pauvre ? Il a la tête à moitié écrasée. Du sang coule de la tempe de l'évêque – un éclat de pierre a dû la frapper –, mais elle semble en possession de tous ses moyens. Il la laisse à son ministère et revient au manoir. À quelques pas de lui, Antoinette en robe de nuit est agenouillée près d'un des domestiques étendu au pied de l'escalier d'honneur lézardé – Antoinette sous son illusion d'Angéline Cournoyer, note-t-il avec une brève surprise approbatrice. Il fait le décompte des silhouettes qui se relèvent ou s'entraident. Tout le monde est là, Chéhyé et Nèhyé aussi.

Immobiles. Incrédules. Terrifiés.

Car un immense bourdonnement s'élève de la jungle pour venir tournoyer au-dessus des villages, de la fabrique, du fort, partout, un lourd nuage noir qui s'abat en crépitant, des millions d'insectes, des guêpes, des moustiques, mouches, criquets, coléoptères, papillons de toutes tailles, certains chatoyants de couleurs splendides dans les premières lueurs de l'aube. C'est un déluge : piqûres, morsures, ou simplement la pluie de corps qui s'écrasent avec des bruits mous ou secs sur les visages, les dos courbés, les bras levés en un vain effort de protection.

Il ne réfléchit pas, il étend une protection au-dessus des serviteurs et du blessé, presque en même temps que les mages du colonel de Chamblis. Se rend compte en une fraction de seconde que leur magie n'a pas de prise sur l'invasion. Des accrocs à réparer plus tard, mais pour l'instant, il faut parer au plus urgent.

Et puis il regarde sans comprendre la terre qui s'est remise à bouger, mais non sous ses pieds : un autre mouvement glissant, comme une eau qui monte, devant lui, là-bas, aux limites de la cour, une marée grouillante où soudain, à la lueur des torches que les mages ont enfin enflammées sur le pourtour de la cour d'honneur, il distingue des fourmis rouges et noires impossiblement mêlées, des lézards, des grenouilles et des serpents, des centaines, des milliers de serpents. Ils sont partout, et dans les villages, un tapis mouvant entre les maisons, sur les places, le long des routes. Comme dans les nuées d'insectes, des trous y apparaissent, ou des flammes, là où les talentés mynmaï ont réagi et, prenant vivement exemple sur lui en se faufilant dans le réseau des mages, ont commencé de les repousser.

Des barrissements éclatent, dans un grand fracas d'arbres renversés, le long de la rivière, au sud-est du manoir. D'autres leur font écho, résonnants coups de trompette qui rebondissent entre les collines, à l'ouest. Et le long du lac, au nord-est, se dirigeant vers le village indigène. Des éléphants sauvages en furie, au moins une cinquantaine, qui convergent sur la fabrique.

Et ils ne sont pas seuls : devant eux, entre eux, alliance impossible, des tigres et des phacochères, des panthères et des cerfs et des ours bruns, et les singes, une armée de singes de toutes sortes, qui bondissent en grappes à travers les branches, dans une épouvantable cacophonie.

Au poignet de Gilles, le bracelet d'avers brûle. Et pourtant, ces animaux ne sont pas des illusions. Mais il a beau chercher la source de la magie qui les pousse hors de leurs tanières, il ne la trouve pas, ou alors elle est partout, dans la terre, les arbres, les animaux même.

C'est impossible. Il rêve.

Tu ne rêves pas, dit la voix calme d'Ouraïn. *Le pays se soulève*.

Y a-t-il dans cette voix une satisfaction maligne ? Il n'a pas le temps de s'y attarder. Ouraïn est toujours ouverte, il déverse de nouveau leurs talents mêlés dans sa synergie avec les Ghât'sin et des indigènes. Ceux-ci ont vacillé un instant sous la multiplicité des invasions, ils sont encore à se débarrasser des insectes volants, des fourmis et des serpents lorsque les éléphants barrissants et leurs cohortes de bêtes sauvages arrivent à la limite des jardins communaux et commencent de les piétiner, tandis que tigres et panthères sautent souplement vers les maisons écroulées et les silhouettes qui s'éparpillent de tous côtés.

Dans les villages, abandonnant pour un moment leurs efforts de sauvetage, les soldats et les ouvriers de la milice sautent sur leurs armes et leurs torches, un barrage de flammes et de tirs désorganisés mais assez nourris. La première vague des animaux roule pourtant sur eux. Mais la synergie des Mynmaï s'est réorganisée et, en poussant des rugissements de douleur ou, les singes, des hurlements stridents, les bêtes reculent, changent de direction ou se dispersent.

Tandis que les soldats continuent de tirer, les autres sauveteurs, aiguillonnés par les ecclésiastes, se remettent à écarter les débris, à tirer les blessés à l'écart, à éteindre les flammes.

« Aurez-vous besoin d'hommes ici, Monsieur Garance ? » lance Chamblis en retenant par la bride son cheval effarouché.

Avec un effort, Gilles revient à lui : « Non, merci, Colonel, nous sommes assez nombreux pour l'instant, il y a plus urgent pour vos hommes. Laissez-moi seulement dom Paludes. »

Chamblis, ses officiers et ses mages s'éloignent à bride abattue en direction du pont de la fabrique. Gilles a conscience du cercle épouvanté des domestiques, qui attendent des ordres tout comme Chéhyé et Nèhyé, de dom Paludes, qui examine le manoir pour déterminer s'il est prudent d'y retourner tout en essayant frénétiquement de ne penser à rien d'autre, car sinon il serait submergé de nouveau par une incrédulité panique. La même incrédulité étreint Gilles, mais il refuse la terreur, sinon l'accablement. Un tremblement de terre de cette amplitude, et ils ne l'ont pas senti venir plus tôt ? Des animaux qui y réagissent en masse *après coup* et non avant ? Venus de tous les coins du domaine ?

Et cela à l'aube du jour où la flotte hutlandaise approche de Kéraï, où l'attend la flotte des coalisés ?

Il a vécu trop longtemps dans ce pays pour croire aux coïncidences.

Dans la jungle, à l'est, scintille la voix d'Ouraïn, toujours aussi calme. Elle a devancé son intention.

Il la suit au-dessus du parc, au-dessus de la jungle, au-delà de la première ligne rapprochée des protections magiques, et de la seconde, le grand périmètre. Et plus loin encore, dix lieues, à la limite du domaine. Et il les voit, juste en deçà de la troisième ligne magique, secrète, qui est la sienne. Sur les pistes tortueuses et minces de la jungle, en files pressées, telles d'autres fourmis, armés de sagaies, de machettes – et de carabines du dernier modèle hutlandais. Plusieurs centaines d'indigènes, des Kôdinh, mais aussi des Bôdinh, et même quelques Dinhga.

Plus loin, dit Ouraïn.

Et Chéhyé, qui les a suivis : *O'zoïoï !*

Au pied du haut plateau, au sud-est, campés dans la savane, invisibles à un œil de chair parce que leurs tentes ont la couleur de l'herbe sèche. Mais la flamme de leur substance s'étend comme un feu de prairie dans l'Entremonde, à mesure que Gilles étire son talent. Ils sont des milliers.

Tous éveillés. Et apparemment très agités. Des tentes sont écrasées sous des éboulis, au nord du campement. Ils ont subi le tremblement de terre, eux aussi. Ils semblent plongés dans de furieuses palabres – ceux du moins qui ne sont pas en train de dégager les morts et les blessés.

Il n'y a pas un seul talenté parmi eux.

Pas le temps de s'interroger sur ce mystère. Gilles s'empare du talent de dom Paludes, le dirige vers les assaillants – il s'en arrangera plus tard aussi, le brave homme croira avoir eu une prémonition. Il entend l'exclamation étouffée de l'ecclésiaste, se tourne vers lui juste à temps pour le voir vaciller, tend une main secourable.

« Qu'y a-t-il ?

— On nous attaque, balbutie le mage, des centaines de… » – il continue en esprit vers le haut plateau, et ses yeux s'écarquillent encore davantage. « Oh, Divine ! »

Il resterait hébété si Gilles ne le poussait vers l'évêque. Elle voit à son tour – et reste paralysée. Dans un élan rageur, Gilles se saisit d'elle et prend sa voix. Il verra plus tard aux retombées, là encore. *On nous attaque à l'est et au nord ! Plusieurs milliers ! À la rivière, tout le monde. On évacue ! Laissez tout, ne prenez que des vivres, tout ce que vous pouvez emporter de vivres. Aux bateaux ! Prenez aussi les barques, les pirogues, on les remorquera.*

Il cherche et trouve Chamblis dans le réseau, lui assène directement les images des assaillants en marche dans la jungle, celles du camp où le désordre n'a pas cessé – ceux-là ne semblent pas devoir se mettre en marche avant un moment. *Établissez des lignes de défense, nous avons au moins deux heures avant que les premiers n'arrivent au contact. Vous allez devoir nous gagner du temps.*

L'évêque est un peu déconcertée, mais elle croit déjà avoir donné elle-même les ordres, et enchaîne en projetant une partie de sa synergie vers Lonh Têp, à la jonction du canal et de la Nomhuéthiun, y éveillant en sursaut les mages du presbytère : *Êtes-vous attaqués ?* Après un petit délai incrédule et affolé, la réponse arrive : *Non.*

Nous le sommes. Environ cinq mille assaillants.
Nous évacuons les ouvriers par bateaux. Prévenez
Garang Nomh.

Gilles pulvérise les restants du pont du moulin : ils entraveraient la circulation des bateaux encore vides qu'on va faire descendre de la zone des entrepôts. On attribuera cela à un mage ou à un autre, il y verra aussi. Ensuite, prêt à intervenir si nécessaire, il se retourne vers Chamblis qui distribue déjà ses ordres, relayés par les ecclésiastes. Le colonel n'est pas un soldat d'opérette. Bientôt la compagnie rassemblée du capitaine Desalles, sautant de péniche à chaland à travers la rivière, est en route pour se déployer en tirailleurs dans le parc devant la fabrique ; les fusiliers marins de Patry remontent au pas de charge afin d'en interdire le pont intact, suivis de chevaux attelés en hâte pour traîner un canon. Ils se replieront en dernier avec *La Bernadette*, la canonnière qu'on est en train de déplacer vers la fourche de la rivière d'où elle pourra couvrir à la fois l'arrivée des assaillants du sud-est et le bras principal le long duquel aura lieu l'embarquement. Une autre section, sur un pont de fortune fait de troncs abattus par le tremblement de terre et hâtivement liés entre eux, traverse la rivière pour se déployer plus bas en face du fort écroulé. Chamblis pense même à envoyer une compagnie vers les entrepôts, pour en rapporter toute l'ambercite transportable individuellement, qu'on charge dans un des bateaux vides tandis qu'on s'active partout à mettre les chaudières sous pression.

Après une vingtaine de minutes, un semblant d'ordre commence de s'installer. Les derniers animaux sauvages se sont enfuis ou ont été abattus. Les soldats qui doivent être en place le sont, la canonnière aussi. Les autres jettent les canons inutilisables dans la rivière et s'occupent à faire sauter les armes et munitions qu'on ne peut emporter, des explosions sourdes, comme des secousses secondaires du séisme, qui font trembler le sol en suscitant des cris d'effroi chez les villageois ; on mettra à distance le feu aux bateaux inutilisés, chargés ou non de minerais, quand le gros de l'ennemi arrivera. Une partie des villageois indemnes se presse au coude de la rivière sur les quais du moulin – la voix de l'évêque, qu'ils ont tous entendue, a été assez impérieuse pour qu'ils n'emportent vraiment rien d'autre que des sacs ou des paniers hâtivement emplis de vivres ; beaucoup sont encore en vêtements de nuit. Les autres, essentiellement la milice, s'emploient fiévreusement, avec les magiciens verts, à dégager ceux qui sont encore pris sous les ruines des villages, tandis qu'une dizaine de mages et Maîtres en synergie suspendent morts et blessés qu'on emporte sur des civières de fortune ou à force de bras.

À la fabrique, une partie des indigènes a rejoint les soldats et leurs mages géminites – des *yuntchin* et des Ghât, qui pourront les aider à leur insu si nécessaire ; les autres descendent à la course vers le barrage, où, avec une vingtaine de soldats, ils empêcheront aussi les assaillants de passer. La quinzaine de mages et de Maîtres qui n'aident pas les blessés s'emploient à retarder l'ennemi dans la jungle, avec un succès surprenant : des illusions d'animaux meurtriers passent en vague dans les rangs, des arbres tombent, d'autres s'enflamment, certains des hommes s'immobilisent quand un mage parvient à s'emparer de leur psychosome. Toujours pas de contre-attaque magique. Quiconque a envoyé insectes et animaux n'aide pas les assaillants ? Pas le temps de s'en étonner davantage, plus tard, plus tard ! Pour le moment, il faut continuer d'organiser l'embarquement. Les soldats canalisent le flux des réfugiés vers les autres bateaux plus en aval, aux embarcadères des entrepôts comme du moulin, pour les faire monter à bord sans prendre de retard. Au pied des passerelles, on distribue armes et munitions à tous ceux qui sont capables d'en porter, et de s'en servir.

Momentanément rassuré, Gilles revient au manoir, en prenant soudain conscience des brûlures et démangeaisons d'insectes sur sa peau, qu'il calme aussitôt. Les domestiques sont toujours là – tous des fidèles du Dragon Blanc, qui attendent ses ordres dans un calme dû davantage à l'hébétude ou à la résignation qu'au courage. Et Antoinette a disparu.

Il la trouve, haletante, presque arrivée à l'ancienne petite cabane de Carusses, à la limite est du parc, qu'elle entretient avec tant de soin.

Antoinette, es-tu folle ? Reviens !

Ma place est ici.

Un bref instant, exaspéré, il pense la contraindre. Entend soudain la voix d'Ouraïn.

Laisse-la.

Mais …

Laisse-la. C'est son choix.

Et c'est aussi la deuxième fois qu'elle choisit ainsi. Inutile de discuter avec elle. Ou avec Ouraïn. Pas le temps.

« Chéhyé, Nèhyé, quand vous ferez retraite, ramenez-la avec vous. »

Il n'attend même pas leur assentiment, il a bondi dans l'escalier aux marches de guingois, suivi des autres domestiques. On ne peut emporter grand-chose, mais il ne va pas laisser là les registres et les papiers apportés du comptoir par Sigismond. Pour le reste, tout ce qui lui tenait vraiment à cœur a été transféré peu à peu à Garang Nomh au cours des deux dernières années. Il refuse l'élan de tristesse furieuse qui le saisit pourtant en voyant les murs lézardés, les fenêtres éclatées, la vaisselle brisée par terre sous une couche craquante d'insectes morts. Dans son bureau, qui était devenu celui de Chamblis, il ramasse les papiers, plans et notes. L'ordonnance du colonel en a apparemment déjà emporté la plus grande partie avec ceux de l'officier. Son pied écrase presque un petit tableau en médaillon, tombé par terre du mur où il était accroché, le portrait de l'épouse du colonel et de leurs deux enfants ; il le ramasse et le fourre dans sa poche.

Il remonte ensuite dans sa chambre pour finir de s'y habiller et y prendre la boîte de ses pistolets, les munitions, et son épée ; puis il redescend en hâte, sans trop prêter attention aux vacillements des murs et des marches. Chéhyé est déjà parti vers le pont de la fabrique, Nèhyé vers le fort ; on a attelé deux grandes carrioles où tout le monde s'est entassé avec vivres et couvertures, y compris le blessé, et Tranh finit de distribuer carabines et mousquets. Il a même la surprise de voir que Meïong a pris le temps de seller Fulmen, son cheval bai, dont il lui tend les rênes.

Sigismond, hâtez-vous! dit l'évêque dans sa tête – en situation d'urgence, on ne prend pas de gants. Il n'oublie pas de répondre à haute voix, avec le petit délai de la surprise, comme le ferait un non-talenté : « Nous arrivons. » Ils vont prendre la route de la fabrique, puisque c'est le seul pont qui reste passable, et se rendre de là jusqu'à l'embarcadère.

Il saute en selle et, d'un claquement de langue, fait partir son cheval au trot en écrasant les carcasses de serpents et de bestioles qui jonchent les gravillons de la cour, et en suivant les questions des mages qui s'élancent maintenant vers l'est et le sud, au-delà des assaillants, pour savoir si d'autres communautés ont été attaquées. Non ? *Vous allez sans doute l'être, préparez-vous.*

30

Pierrino se réveille en sursaut. Il est très tôt, à peine quatre heures, c'est encore la fausse aurore. Martin Engel le secoue; il en a partagé la chambre et le lit, trop épuisé pour quoi que ce soit d'autre que le plaisir de sentir cette chaleur sans menace et sans mystère auprès de lui. L'expression affolée du jeune homme éteint le sourire qui lui montait aux lèvres.

Le roi Humphong vient d'être assassiné, le prince Gorut a pris le pouvoir. On venait arrêter Haizelé et les autres, ils se sont enfuis. Ils ont réussi à quitter le palais, ils les rejoindront sur le port. *L'Aigle des Mers* a été averti, on fait mettre les machines sous pression.

Les marins se retrouvent dans la salle commune de l'auberge, ahuris, anxieux mais résolus. Les gardes sont inanimés, ligotés et bâillonnés; Tun'gâk et l'aubergiste y ont veillé dès que Riopès a été averti par dom Marti. Babenco distribue les armes des gardes. Pierrino prend un sabre. Il se sent tout énervé, la peau fourmillante, mais très lucide et sans panique, plutôt alerte, prêt aux nécessités de l'action.

« Pas de surveillance magique sur nous? demande-t-il.

— Pas pour le moment », répondent en chœur Tun'gâk et Riopès. Le magicien vert et plusieurs marins adressent au petit vieillard un regard surpris, mais nul n'a le temps de s'y attarder.

Ils se glissent dans la ruelle. Ombres et silence, la ville dort encore. Si on y a été prévenu du coup d'État, cela n'est pas rendu dans les faubourgs où se trouve l'auberge, mais des gardes seront certainement envoyés en renfort pour arrêter les *Itun*, si même ils ne sont pas déjà en route.

Ils partent à la course en direction du port, réveillant des chiens et dérangeant des poules et des chats. Pierrino voudrait bien avoir le plan de la ville dans la tête, comme la veille, mais il ne dort plus, ou du moins il est éveillé à la façon ordinaire. Il se contente de suivre le robuste Gournay qui a sans cérémonie accroché Tun'gâk dans son dos et en suit les directions. Les honnêtes citoyens d'Anhkin ne sont pas dehors à cette heure, ce qui rend la course plus facile. Puis Tun'gâk lance: "Patrouille, à gauche", et ils obliquent tous vers la droite.

De ruelles en escaliers en arrière-cours, ils arrivent au port, qu'ils longent sur plusieurs centaines de mètres sans encombre. La pénombre est moins dense, on sent que le soleil va bientôt se lever à travers les nuages épars, plus sombres dans le ciel qui s'éclaircit.

Gournay ralentit. Pierrino cherche le bateau, mais ne le voit pas.

« Où est *L'Aigle* ?

— Mouillé devant l'île de Hon Lôc, répond Martin qui trotte à ses côtés. Ils n'ont pas voulu nous laisser entrer dans le port. On a ramé un bon mille. »

C'est ce canot que Gournay cherche entre les pontons flottants. Tun'gâk tend un doigt: « Par là », et puis une exclamation en mynmaï qui est certainement un juron, suivie de: « Gardes, fusils, couchez-vous ! »

Pierrino plonge en même temps que Martin et le vieillard à l'abri d'une pile de sacs, entend quelques balles frapper avec un bruit mat.

« Combien sont-ils ?

— Une vingtaine. Le guet. Cinq avec des fusils. Et un *yuntchin*.

— Un *yuntchin* ? dit Pierrino, atterré.

— Sans importance. Tout le monde lance les dés, quand le jour en est venu », jette le petit homme avec impatience.

« Où est rendue la capitaine ? demande Martin.

— Quartier des Poissons, répond Tun'gâk. Encore un bon quart d'heure, s'ils ne rencontrent pas d'obstacles. »

Les hommes munis de pistolets ont commencé de répliquer aux soldats depuis les positions qu'ils se sont trouvées, mais sans grande efficacité dans la pénombre.

« Conservez vos munitions », crie Gournay, à gauche de Pierrino, apparemment grimpé dans un tas de madriers.

« Tu ne peux pas nous débarrasser d'eux, Tun'gâk ?

— Plus tard. Il vaut mieux aider la capitaine. Dom Marti a toujours le plus grand mal à agir en courant. »

Pierrino s'attend à chaque instant à voir paraître une autre troupe de gardes qui les prendra à revers. Des claquements de pas derrière eux, il se retourne. Mais c'est Haizelé, avec trois autres silhouettes lancées à pleine course, accueillies par des coups de feu, et qui viennent se jeter près d'eux derrière les sacs.

« Tun'gâk, halète Haizelé, ils ont réveillé les soldats des baraquements, près du temple de Yuntun. On ne peut attendre davantage, le jour va se lever et nous aurons le soleil dans la face. »

Sans un mot, Tun'gâk sort de la protection des sacs. Les balles sifflent derechef. Aucune ne le touche.

Cela suffit pour démoraliser la plupart des gardes : certains partent en courant, on en entend d'autres plonger depuis le quai. Quelqu'un crie une phrase rageuse en mynmaï, Tun'gâk répond par trois mots méprisants, en s'immobilisant en pleine vue.

Il faut supposer une silencieuse bataille magique, mais il n'y en a aucune manifestation visible. Le *yuntchin* n'est pas de taille, en tout cas, car les soldats restants sortent de leurs cachettes, bras levés tenant leurs armes, pour venir les déposer aux pieds de Tun'gâk. Puis ils se prosternent devant lui, les mains sur la tête, et ne bougent plus. Les marins quittent leurs positions pour s'emparer des armes, jetant lances et sabres à la mer mais conservant fusils et munitions. Après avoir bondi dans le canot, ils commencent d'en installer les rames.

Haizelé se relève à son tour, en même temps que Pierrino, à qui elle adresse un sourire sarcastique mais soulagé : « Eh bien, avez-vous apprécié votre baptême du feu ?

— Je m'en serais passé. »

Dans la lumière qui monte, elle le dévisage en plissant les yeux d'un air surpris. « Étiez-vous si grand, et si barbu ? »

Il porte la main à ses joues, puis, avec une grimace ironique : « Les voyages forment la jeunesse.

— Eh bien, celui-ci est loin d'être terminé. » Elle se retourne vers Rahyan toujours accroupi : « Viens, Raï, il va falloir aller ramer comme tout le monde. »

Il ne bouge pas.

Haizelé se jette à genoux près de lui, lui prend l'épaule : « Raï ? Rahyan ? »

Il tombe, moitié assis moitié étendu, les paupières mi-closes. Sa chemise est couverte de sang autour de la déchiqueture de sa tunique à la place du cœur.

Haizelé hurle : « Tun'gâk ! »

Le vieux Ghât'sin se retourne vers elle. « Il est mort, Capitaine », dit sa voix qui porte étonnamment loin. « Il faut rejoindre *L'Aigle*. »

La jeune femme reste pétrifiée, toujours agenouillée. Pierrino, atterré, se penche : « Il faut partir, Haizelé. »

Avec un temps de retard, elle prend un des bras inertes, le passe autour de son épaule. Pierrino en fait autant de l'autre bras. Rahyan est très lourd. Gournay, qui les a vus en se retournant au cri de Haizelé, se précipite pour les aider et à eux trois ils portent le corps jusqu'au canot. Pierrino tend tous ses muscles pour le déposer en douceur dans la forêt de bras qui se lèvent pour le recueillir.

Et puis, un cri derrière lui, *Sintchènzin* !, des mains à sa ceinture, une flamme acérée qui lui transperce le dos.

Un invisible tourbillon l'aspire tandis qu'une douleur énorme, inconcevable, ricoche en lui comme un déluge d'éclairs. Il a le temps de sentir qu'un autre tourbillon se précipite sur lui, l'enveloppe et le tiraille en sens contraire, et puis il ne sent plus rien.

31

Avec une jubilation féroce, Ouraïn regarde le soleil monter dans le ciel. Pas de tocsin à Garang Nomh, même si tous les mages, Maîtres et magiciens verts de la ville sont éveillés, réunis à l'évêché en personne ou en esprit pour le conseil de guerre : à près de cent cinquante lieues du domaine, il faudra plus de deux jours avant de voir arriver les assaillants, si même on leur laisse remonter la Nomhuéthiun – le général de Courcelles n'a pas encore décidé : peut-être le domaine était-il leur unique but, car aucune attaque n'a encore eu lieu sur d'autres communautés géminites.

Au domaine, l'arrière-garde laissée par Chamblis tient toujours le pont de la fabrique, comme les indigènes au barrage et les tirailleurs du parc appuyés par la canonnière. Les vagues d'attaquants se succèdent, cependant. Leur désorganisation n'a pas été de très longue durée, même s'ils semblent un peu moins nombreux, maintenant – plusieurs centaines ont fait demi-tour et s'éloignent du domaine à travers le haut plateau.

Et Gilles, sur le deuxième bateau du convoi qui s'est enfin ébranlé, Gilles ne comprend pas – sinon que les rebelles devaient attaquer plus tard dans la journée mais que le tremblement de terre les a amenés à avancer leur assaut, afin de profiter du désarroi au domaine; ils ne peuvent cependant avoir su l'invasion des animaux, puisqu'il n'y avait aucun talenté parmi eux. Le manque de coordination flagrant entre l'attaque magique et l'attaque ordinaire est fort étrange, certes, mais qui pourrait les aider ainsi, même à leur insu, sinon Garang Xhévât? En ce qui concerne les animaux, sinon le tremblement de terre, car un séisme ordinaire de cette durée et de cette amplitude…

… aurait dû avoir été pressenti par les mages du domaine.

Heureusement, si l'on peut dire, ils n'y songent pas: ils sont trop occupés avec les blessés et les morts, comme à sonder à l'avant des bateaux les environs de la rivière à sa jonction avec le canal. Divine merci, aucun signe de rebelles de ce côté pour l'instant: le relief au sud est beaucoup plus accidenté, ils auront préféré masser leur attaque sur le cœur du domaine plus aisément accessible, barrage, fabrique et manoir. Entièrement dévoré par des flammes à présent, le manoir, et qui s'est écroulé, la tourelle nord avec son télescope, la tourelle sud où se sont éteints depuis si longtemps les souvenirs de Kurun, et le beau salon bleu et le beau salon vert, et côté sud la serre aux orchidées de Gilles, tout, tout brûle, un incendie qui s'est propagé aux pelouses et aux arbres secs et gêne un peu de ce côté l'avance des assaillants; ils n'y ont pas pensé, dans leur enthousiasme à détruire le repaire du Dragon Blanc.

Mais ce n'est pas cela qui occupe Gilles en cet instant, ni madame de Bourbonne ni, à Garang Nomh, le conseil des évêques et des ecclésiastes, et le général inclus pour l'occasion dans le réseau des mages avec plusieurs noms importants du comptoir. À cause de l'attaque sur le domaine et du sort encore incertain des réfugiés – car on ne sait si les assaillants les poursuivront ou se contenteront de leur conquête –, l'humeur n'est plus la même, et un fort courant d'appréhension point sous l'excitation qu'on éprouvait auparavant.

Loin au sud, à la pointe de Kéraï, les deux flottes s'apprêtent à engager le combat.

Depuis près de quinze jours, on a suivi l'avancée de la flotte hutlandaise qui cinglait vers l'ouest depuis son mouillage de Formose et qui, malgré ses vingt gros vaisseaux et ses vingt-cinq frégates à vapeur, ne peut aller plus vite que ses bateaux les plus lents, la quarantaine de jonques de guerre à voile constituant l'escadre des alliés kôdinh. Darlant a choisi depuis longtemps le lieu de la rencontre, à une dizaine de milles nautiques du cap. Les escadres de la coalition géminite sont en place : après avoir effectué une grande boucle afin de prendre l'alizé qui souffle avec régularité du sud-est, elle est alignée bien en ordre, de flanc, voiles en configuration de combat, prête à glisser dans le vent pour engager l'ennemi.

L'escadre venue de France, d'abord, le magnifique *Ville d'Orléans* en tête, avec à son bord la princesse héritière et son consort, ainsi que les deux hiérarques français, monsieur de La Fayette et madame Dunois, et le grand-amiral Senneville et toute la cohorte d'évêques et de nobles venus assister plus que participer à une bataille glorieuse, flanqués des deux vaisseaux pleins des mages qui aideront directement, eux, à en faire une mémorable victoire, le *Rose de Lyon* et le *Toulouse*, à bord duquel se trouve d'ailleurs le comte de Foix, cousin de l'ambassadrice. Ensuite, autour du vaisseau amiral de Darlant, l'escadre émorienne du comptoir, qui prendra la position de pointe pendant l'engagement. Les Byzantins ont exigé, et obtenu, le troisième rang dans la flotte, avec leurs sept vaisseaux de ligne et leurs trois grosses frégates à trois ponts. Viennent ensuite les Portugais et les Espagnols avec dix bateaux, et les Italiens ferment la marche, avec neuf. Disséminés sur plusieurs milles hors du champ de bataille, avec des mages à bord pour assurer la cohésion du réseau jusqu'à Garang Nomh, une demi-douzaine de sloops et de brigantines légères sont également en position.

La surprise est venue de la tactique choisie par l'amiral hutlandais : Van Horne a organisé ses navires en deux lignes parallèles, deux grosses escadres à l'avant et deux plus petites dans leur sillage, avec la masse plus désorganisée des jonques kôdinh vaguement arrangées en deux croissants perpendiculaires à la côte. Ils sont tous face au vent, cependant, ce qui n'est pas la meilleure des positions. Et de toute façon, leurs coques ni leurs voiles ne sont protégées comme celles des vaisseaux géminites. Avec l'avantage du vent, que les mages sauront intensifier, et des petits sortilèges de feu et de désorientation jetés au bon moment à des endroits choisis, l'issue de la bataille ne saurait guère faire de doute, malgré la supériorité numérique des Hutlandais et la qualité de leurs nouveaux canons. Il est extrêmement regrettable qu'on en soit arrivé là, mais cette fois-ci, les Hutlandais ont coulé au large de Nomghur deux navires de réfugiés qu'on évacuait des communautés côtières. Ils ont dépassé les bornes, et en paieront le prix.

Pendant qu'on suit de loin, comme par les yeux d'albatros suspendus dans les airs, la grâce pesante des pièces qui se mettent en place sur l'échiquier marin, les six chalands du domaine, eux, sont depuis une heure bien engagés sur la rivière. Pas une miette de magie aux alentours. Et toujours pas d'indigènes hostiles, mais les paillotes des petits villages sont désertes. Les effets du tremblement de terre se sont fait sentir jusque-là, certes, mais on a complètement abandonné les lieux – sait-on donc l'avancée des Kôdinh à l'est ? Les pirogues et les barques sont là : on s'est enfui à pied dans la jungle. Tant mieux : une flottille de petites embarcations trop lentes entraverait la progression des bateaux sur la rivière. Et Lonh Têp ne pourrait accueillir tout ce monde. On n'y restera pas, non plus : une fois sur la Nomhuéthiun, on poussera jusqu'à Garang Nomh. En espérant que les rebelles s'arrêteront au domaine. Si ce n'est pas le cas, une deuxième ligne d'arrière-garde a été positionnée par Chamblis à une lieue et demie en aval du fort, à travers laquelle la première ligne va bientôt se replier, car elle a gagné aux réfugiés le délai demandé. Derrière les soldats, les bateaux inutilisés commencent de brûler.

Les indigènes du barrage, eux, refusent l'ordre de Chéhyé de rejoindre la petite flotte des réfugiés. Ils veulent partir vers le nord-ouest, et Garang Xhévât. S'imaginent-ils qu'on les y protégera, qu'on leur permettra même d'en approcher ?

Laisse-les, Chéhyé. Rejoins plutôt Nèhyé et ramenez Antoinette.

Elle ne veut pas.

Forcez-la.

Non, intervient Ouraïn avec force.

On ne va pas la laisser se suicider ! proteste Gilles.

Ouraïn éclate d'un rire léger : *Elle n'a point du tout l'intention de mourir, ne le vois-tu pas ?*

Elle le pousse en un éclair du côté de la petite cabane où Antoinette s'est entourée d'un voile d'invisibilité et prie, à genoux devant le vieux tau rosé cloué à l'un des murs.

Il n'y a qu'à la leur rendre encore plus invisible, un sortilège qui durera. Ils n'ont pas de mages. Et c'est son choix.

Gilles n'a pas envie de se quereller avec Ouraïn à cause d'Antoinette, ce n'est ni le lieu ni le moment: depuis Garang Nomh, une vague renouvelée d'excitation est passée dans le réseau des mages. Il laisse Ouraïn veiller au sortilège avec Chéhyé, puis concentre de nouveau son attention sur le lointain océan où, dans la lumière du matin, les escadres se rapprochent inexorablement.

Il fait un temps splendide: on a choisi le jour comme l'endroit, on s'est assuré de la bonne volonté des vents et des courants, on l'aide un peu ici et là – oh, à peine. Ce serait sans doute plus majestueux sans le battement sourd des moteurs et la fumée blanche – des vaisseaux aux ailes gonflées se précipitant avec lenteur les uns sur les autres, comme dans les tableaux d'autrefois –, mais les voiles sont presque toutes ferlées à présent et les hélices tracent avec obstination leur sillage à l'arrière des vaisseaux.

Plus tard, il y aura les tornades apparues de nulle part, les tourbillons, les navires engloutis, le tonnerre des canons malgré tout, la mer couverte de fumée noire, de débris, de feu et de sang, il y aura la débâcle, la litanie des vaisseaux coulés – *Ville d'Orléans*, *Rose de Lyon*, *Toulouse*, *Theophilos*, *Olympia*, *Poblador*, *Neptuno…* –, il y aura, à Garang Nomh, l'hébétude panique de l'évacuation. Mais pour l'instant, derrière sa garde relevée, Ouraïn contemple l'éclat de la mer et, la première, avant Gilles même, ses profondeurs de nouveau vivantes d'où montent les Dragons d'Eau.

DEUXIÈME PARTIE

32

Il est midi, les odeurs alléchantes lui rappellent qu'il n'a pas encore dîné. Heureusement, on sert en tout temps à manger autant qu'à boire, dans cette taverne. Nathan s'immobilise un bref instant sur le seuil pour repérer les lieux, surpris encore de constater qu'il n'est pas le seul Européen, et de loin. Les lois de la Ligne ont décidément bien changé. La taverne se trouve sur le port, bien sûr, où les étrangers doivent demeurer, mais ils ne sont plus confinés dans leurs vaisseaux. La situation y est sans doute pour beaucoup : il faut permettre le transbordement des réfugiés. Si les Malais ont accepté de les transporter de Garang Nomh jusqu'à Singapour, ils sont ensuite pris en charge par des navires occidentaux. Essentiellement des Français, mais il y avait des géminites de plusieurs nationalités en Émorie.

Malgré la foule, l'atmosphère de la taverne n'est pas des plus réjouies ni des plus bruyantes – justement parce qu'il y a là beaucoup de réfugiés. Ils mangent en silence, machinalement, avec des gestes lents. C'en sont pourtant qui mangent, qui ont été capables de s'arracher à leur hébétude pour s'éloigner de leur bateau où les Caristes veillent à la distribution des vivres et au soin des malades ou des blessés. Mais ils sont encore anéantis, et leur détresse fait tache d'huile. On les regarde à la dérobée, on parle plus bas aux tables voisines, en esquissant des signes superstitieux.

Avec un soupir, Nathan se dirige vers l'endroit où trône un petit homme gras et luisant, sûrement le propriétaire des lieux. Il s'en va dans l'autre sens, lui, mais au lieu de continuer vers Garang Nomh, le capitaine de son vaisseau a décidé de vendre ici à bas prix le reste de sa cargaison et de prendre plutôt des passagers pour Sardopolis – "aussi payant et moins dangereux". Le danger n'est pourtant pas si grand : la flotte hutlandaise a été bien endommagée malgré tout, et peu de ses navires sont en état de partir en chasse dans la mer de Chine ; c'est la menace de l'armée rebelle maintenant forte de près de dix mille hommes et en route vers Garang Nomh par la Nomhuéthiun qui a déclenché l'évacuation. Les pirates, bien sûr, vont tenter leur chance, mais les Malais ont accepté de prêter de leurs navires non seulement pour évacuer les réfugiés de la côte sud mais aussi pour les escorter. De *louer* leurs navires, à prix fort. L'argent coule à flots dans le port, ces temps-ci.

Il n'en a pas assez – il a mis dans ce voyage tout le petit pécule amassé en travaillant à la pharmacie de l'hospice, et cela ne payait que l'aller. Le capitaine lui a remboursé une partie de la somme, et les places ne manquent pas dans les bateaux qui partent pratiquement vides pour Garang Nomh – mais elles seront toutes prises pour en revenir, et sans nul doute à des prix qui les mettront hors de sa portée. Il va falloir procéder autrement.

Il ne sait quand il reviendra, à dire vrai. Il ne savait pas même très bien ce qu'il allait chercher en Émorie, puisque la cité qui hante ses rêves n'a jamais été accessible à personne depuis Gilles Garance. Aller trouver les Garance, du moins, les descendants de Gilles. Ne dit-on pas qu'ils avaient fait alliance avec les indigènes de la ville sacrée ? Que l'arrière-petit-fils de Gilles, Sigismond, en a épousé une ? Un clan puissant et mystérieux d'indigènes aux yeux mordorés : comment ne se serait-il pas lancé vers l'Émorie sans savoir ce qu'il y ferait ? Et tant pis si tout ce qu'il pouvait se payer, c'était une dure couchette avec les marins d'un petit caboteur à voile qui prendrait deux mois pour se rendre parce qu'il faisait commerce tout autour du golfe du Bengale.

Pour apprendre à l'escale de Calcutta que la guerre avait été finalement déclarée entre la France et le Hutland, à l'escale de Rangoon que la flotte hutlandaise avait quitté Formose, et à l'escale de Pulau la débâcle de Kéraï.

« On m'a dit que je trouverais ici le capitaine Malouf », dit-il au tavernier après l'avoir salué dans sa langue. L'autre, après l'avoir jaugé d'un œil calculateur, le dirige d'un signe de menton vers une table située près d'une des petites fenêtres crasseuses.

« *Salam aleikhum* », lance-t-il à la cantonade – difficile de savoir qui est le capitaine parmi cette demi-douzaine d'hommes aux allures également patibulaires. Peut-être celui qui a le turban vert, au haut bout de la table. Il ne se fait guère d'illusion – si sa condition le rend inaccessible à la magie, elle ne le protège malheureusement pas des violences ordinaires. Il aura de la chance s'il ne se fait pas égorger dans son sommeil et jeter par-dessus bord, même pour ses bien maigres possessions. Mais il doit essayer.

Un murmure de salutations polies lui répond, avec des regards où la curiosité le dispute à la méfiance. Les Européens sur le port n'ont en grande majorité pas besoin d'avoir recours à des marins comme Malouf et, parmi les voiliers encore disponibles, il en est des dizaines plus sûrs et plus rapides que *L'Oiseau Roc* – un nom quelque peu ambitieux pour la vieille brigantine que Nathan est allé examiner au port.

« Je dois me rendre à Garang Nomh », dit-il sans fioriture. Il faut qu'ils le croient désespéré. Et d'ailleurs, d'une certaine façon, c'est le cas. « On m'a dit que vous y alliez aussi. »

Et que *L'Oiseau Roc* est à court d'équipage, comme nombre de bateaux qu'on affrète pour se rendre au comptoir, malgré les salaires alléchants. Les marins sont superstitieux, et les rumeurs qui circulent sur Kéraï et la situation en Émorie ne sont pas faites pour les rassurer.

Un geste de l'homme au turban vert et l'on se tasse sur un des bancs pour lui faire place. De plus près, Nathan remarque la petite étoile tatouée, juste sous le turban. Mais des capitaines talentés, on en trouve parfois ailleurs que chez les géminites.

« Cela peut s'arranger, en effet », dit l'homme en se croisant les mains sur l'estomac. Son expression de curiosité polie n'a pas changé : il n'a pas encore tenté de le sonder. « Mais c'est un voyage dangereux, par les temps qui courent. »

Les rumeurs les plus fantaisistes circulent sur la défaite de Kéraï, mais l'essentiel en est que les Hutlandais ont été aidés à un moment crucial par de la magie, ce dont ils manifestent une horreur indignée. Ils ne le nient pas, cependant – le désarroi total des géminites fait trop leur affaire –, même si cela équivaut à admettre qu'ils ont été bernés par les Kôdinh. Du coup, le torchon brûle entre la royauté mynmaï et ses alliés hutlandais. Entre cela et le nombre restreint des navires en état de pourchasser les convois de réfugiés dans la mer de Chine, les dangers réels du voyage sont assez limités.

« Par les temps qui courent, un voyage payant, réplique Nathan sans se troubler.

— Si nous arrivons à Garang Nomh en état d'en repartir.

— On m'a dit le plus grand bien de vos capacités. »

On ne lui a rien dit de tel, mais c'est plutôt bon signe qu'un capitaine talenté ait l'intention de se rendre en Émorie : il doit s'en croire capable ; son magicien de bord doit donc être lui aussi raisonnablement compétent.

Après cette première volée, le silence s'installe, que Nathan remplit en faisant signe au serveur : « Arak pour tout le monde.

— Vous êtes généreux, remarque l'homme au turban vert.

— Je dois me rendre à Garang Nomh. »

Une petite moue : « Il y a des bateaux beaucoup plus rapides que le nôtre.

— Ils ont de quoi payer à leurs marins des primes de risque. »

L'homme fait tourner son verre d'arak. Il sait maintenant qu'il a affaire à un matelot potentiel et non à un simple passager. Et il n'a toujours pas tenté de le sonder.

« Cent. Tu as la moitié maintenant, le reste au retour.

— Deux cents. »

L'homme se penche et d'un geste vif prend la main de Nathan pour la retourner sur la table. Nathan ne résiste pas. L'autre a un sourire ironique : « Combien de temps que tu n'as pas été marin ? »

Il songe brièvement, avec une ironie bien plus mordante que celle du capitaine, à ce qu'il pourrait répondre à cette question. Puis il hausse les épaules : « Je suis versé dans la médecine et pourrai décharger votre magicien de bord d'une partie de ses tâches.

« — Il a déjà un auxiliaire », remarque le capitaine en lui lâchant la main avec dédain.

« Pas aussi bon que moi, je gage. Et je fais aussi très bien la cuisine. »

Avec un petit rire, l'autre vide son verre : « Cent vingt.

— Cent quatre-vingts. » Il irait pour un hamac, le boire et le manger, mais le capitaine n'a pas à le savoir.

« Cent cinquante et c'est mon dernier mot. »

Nathan fait mine de céder à son corps défendant – l'autre n'est pas dupe, mais cela fait partie du rituel. « Entendu. *Inch Allah*.

— *Inch Allah* », dit l'autre en tendant la main pour toper l'accord.

Brusquement, sa main étreint celle de Nathan, qui résiste cette fois, croyant à une épreuve de force, mais un coup d'œil au visage du capitaine le détrompe. Les yeux écarquillés regardent ailleurs, et une poussée de sueur a déposé une fine pellicule brillante sur la peau olivâtre. Il a ouvert son talent, il essaie de le sonder.

La poigne est trop solide, il n'essaie pas de se libérer, accablé. Un excommunié vivant, même à bord d'un navire à moitié pirate… L'autre va lui refuser le passage, au mieux. Au pire, son voyage et sa vie vont s'arrêter là.

« L'eau et le feu… l'eau et le feu… » balbutie l'autre d'une voix sourde. « Seuls… les petits-enfants du Dragon pourront… t'ouvrir la porte… les petits-enfants… Le serpent et… le phénix… les petits-enfants… du Dragon Blanc… »

La poigne se relâche d'un seul coup, et le capitaine s'affaisse sur le banc, en tomberait si le marin le plus proche ne le retenait. Les autres se sont écartés de Nathan en touchant des amulettes à leur cou. Nathan, lui, contemple l'islamite, incrédule, le cœur battant à tout rompre. Il est excommunié, hors d'atteinte de toute magie, même celle des plus puissants ecclésiastes géminites. Et cet homme… ce talenté… vient d'avoir une vision prophétique en le touchant ?

Ah, mais cela est arrivé à Malouf, non à lui.

L'autre rouvre les yeux, en jetant autour de lui des coups d'œil égarés. Puis son regard se fixe sur Nathan, d'abord vague puis stupéfait. Après un long silence que Nathan n'ose interrompre, ni les autres marins, il pousse un grand soupir et son visage prend une expression résignée. « *Inch Allah.* »

Il doit bien savoir de quoi il retourne, maintenant, à qui il a affaire. Il n'en dira rien, c'est cela ?

« Qu'avez-vous vu ?

— Seulement que je te ramènerai de Garang Nomh. »

Les marins se détendent autour d'eux. C'est plutôt un bon présage.

« Vous avez dit…

— Qu'est-ce que j'ai dit ? Je ne me le rappelle jamais. »

Nathan hésite, mais les autres marins ont entendu comme lui. « L'eau et le feu. Seuls les petits-enfants du Dragon Blanc pourront t'ouvrir la porte. Le serpent et le phénix. »

Malouf le dévisage d'un air perplexe : « Et cela signifie quelque chose pour toi ? »

Apparemment, il n'est pas très au courant de l'histoire émorienne. Tant mieux, sans doute.

« Je le saurai peut-être à Garang Nomh », murmure Nathan, en vidant d'un trait son verre d'arak.

33

Il règne un silence irréel. Oh, il y a le halètement des moteurs, le clapotis de l'eau, la cacophonie de la jungle qui s'éteint et reprend par vagues autour de leur passage. Mais, à bord de ces bateaux bondés où les réfugiés assis ou étendus couvrent entièrement le pont, sans parler de ceux qui se trouvent dans la cale, aucune voix humaine. Parfois des gémissements de blessés, c'est tout. Un sortilège de silence semble s'être abattu sur la petite escadre.

« Vous ne devriez pas rester ainsi au soleil, Votre Éminence. »

La vieille femme ne réagit pas tout de suite – vieille à présent, oui, bien plus que ses cinquante ans, peau de cendre, profonds cernes violacés sous des yeux hagards qui ont peine à se fixer sur Gilles. Elle accepte le bras tendu, se lève avec effort et se laisse soutenir jusqu'à une autre ecclésiaste à peine plus valide qui l'entraîne à l'abri sans un mot, presque sans la regarder. Mages et Maîtres semblent transformés en automates, des automates en bien mauvais état. Dans les derniers moments, avant que Gilles ne prenne sur lui de rompre le contact avec Garang Nomh, plusieurs, et même des magiciens verts, se sont élancés éperdument vers Kéraï à travers le réseau, bien au-delà de leurs limites et de leurs forces. Ils sont étendus inconscients sur le pont ou dans les cales. Ceux qui le peuvent encore continuent de soigner les blessés du domaine, avec lenteur, affaiblis qu'ils sont par tous leurs efforts, et par le choc des premières terribles nouvelles.

Le cœur lourd, Gilles retourne auprès de Chamblis et de ses officiers. Certains se sont simplement laissés tomber sur la dunette, assis, mains ballant entre les genoux ; d'autres se tiennent à la rambarde, jointures blanchies. Chamblis, sous l'ombre de son chapeau, est d'une inquiétante immobilité, encore tétanisé.

Mais Gilles, lui… Son accablement n'a pas duré longtemps. Il commence déjà d'échafauder des plans.

Ouraïn, envoie dire au capitaine du Sigismond *de venir mouiller en face de la propriété et de ne répondre à aucun ordre de réquisition tant que je ne serai pas revenu. Qu'on commence à faire les malles et à les transborder. Je serai là dans deux jours au plus. Je vous veux sur le bateau, Agnès et toi, lorsque j'arriverai. Nous partirons le plus vite possible.*

Elle se doute de la réponse, mais elle demande : *Où ?*

Sardopolis, par Singapour.

N'emmènerons-nous donc personne ?

Bien sûr que oui, mais dans l'espace qui restera une fois nos affaires à bord. Et nous ne devrons pas être trop chargés malgré tout. Ne prends que le nécessaire.

Il songe au long trajet qui les attend le long de la presqu'île de Malacca, aux navires hutlandais qui seront sûrement en chasse dans l'archipel malais, sans compter les pirates, malgré les efforts des quelques bateaux rescapés de Kéraï peut-être en état, et ceux des navires encore en rade à Garang Nomh qu'on enverra sans doute accompagner le convoi des réfugiés. On pourra peut-être aussi compter sur le soutien des Malais, en conformité avec les lois de la Ligne, puisqu'il ne s'agira pas de vaisseaux marchands ni de navires militaires. On pourrait même risquer des chargements de minerais bruts… Les puissances de l'archipel ne seront pas mécontentes de voir les géminites quitter l'Émorie, et elles doivent prendre position rapidement face au Hutland, avec qui elles auront certainement à en découdre dans l'avenir. Leur soutien serait inhabituel, mais non impossible. Si Garang Nomh joue bien ses cartes, une fois le choc passé, on pourra peut-être même louer des navires dans l'archipel pour recueillir les réfugiés un peu partout sur la côte sud.

Maintenant, il a le temps de s'étonner : de toute évidence, le plan des rebelles était d'attaquer au moment où serait arrivée la nouvelle de la débâcle, alors qu'ils auraient tous été anéantis, et en particulier les mages, puisque l'attaque a commencé dans tout le pays à ce moment-là – il y a bel et bien des talentés parmi les Kôdinh, avec la bénédiction des Hutlandais ou à leur insu. Il comprend, mais sans tout comprendre : le tremblement de terre et ce qui l'a suivi leur ont en réalité permis de *s'échapper* du domaine, en les réveillant. Cela n'entrait pas dans le plan des assaillants, l'a même passablement contrarié. Mais pourquoi Garang Xhévât aurait-il voulu l'aider, lui ? Il a beau envoyer son talent de ce côté, la ville sacrée est toujours enveloppée de sa mensongère et impénétrable tranquillité.

Avec un effort, il revient aux nécessités du moment, et Ouraïn s'écarte en relevant sa garde avant de lui laisser percevoir à travers leur lien ce qu'elle ressent. Pour un peu elle l'admirerait au lieu d'être horrifiée :

la défaite de Kéraï n'est pas encore consommée, l'évacuation de Garang Nomh encore à venir – seuls les talentés géminites sont au courant, et même s'ils étaient en état d'en faire part à autrui, on le leur a défendu de la manière la plus expresse. Mais pour lui, encore en pleine jungle sur le canal de la Nomhuéthiun, lui qui ne retrouvera pas la relative sécurité du comptoir avant deux jours, l'Émorie est déjà perdue, et il a déjà sauté d'un bond dans un avenir qu'il est bien décidé à continuer de modeler.

Mais il est vivant, c'est l'essentiel. Et il le restera, s'il n'en tient qu'à elle, aussi longtemps qu'il le faudra.

Elle n'a nul besoin d'appeler Dinh et Tchèn. Elle leur donne leurs instructions et les regarde s'éloigner après leur courbette habituelle. Puis elle se tourne vers le petit lit où Agnès la contemple, éveillée malgré l'heure bien trop matinale encore, l'air un peu boudeur. L'enfant n'est jamais incluse dans ces conversations avec Sigismond, mais elle connaît leur existence et devine souvent lorsqu'elles ont lieu.

« Qu'est-ce qu'il a dit, Papa ? »

Ouraïn prend la brosse en poil de sanglier et vient s'asseoir sur le rebord du lit. Elle commence à démêler avec douceur les boucles fauves qui se sont libérées comme d'habitude de leurs nattes. « Nous allons faire un grand voyage. »

La petite s'illumine : « Au domaine, pour voir Papa ? »

— Non, nous irons très loin du côté où le soleil se couche, à l'ouest. »

L'enfant fronce les sourcils, aussitôt inquiète : « Avec Papa ?

Ouraïn sent son cœur se serrer, mais répond toujours de la même voix égale : « Oui », tout en effaçant délibérément cet éclair de chagrin, de remords, de rage. Elle n'y peut rien. Agnès adore Sigismond et il adore sa petite *Itun* aux yeux de Natéhsin. Elle ne doit rien y faire, ou il aurait des soupçons. Plus tard, peut-être, elle dira à Agnès. Beaucoup, beaucoup plus tard.

Une petite voix en elle murmure, insidieuse, familière : *comme il souffrirait, si quelque chose devait arriver à la petite !* Elle la fait taire avec horreur, lisse les boucles crépitantes avec une douceur encore plus fervente. Rien ne doit arriver à Agnès. Agnès est la promesse d'un autre avenir, libéré du Dragon Blanc.

« Irons-nous en France ? » demande l'enfant, dans un souffle émerveillé. Le pays natal de son père est pour elle celui des contes de fées, elle peut l'écouter pendant des heures lui en décrire les paysages, les coutumes, les histoires.

Ouraïn se rend compte avec une certaine surprise qu'elle n'y a pas songé elle-même. « Sans doute pas tout de suite, dit-elle après un moment. Nous irons d'abord à Sardopolis.

— Le comptoir byzantin », fait la petite, fière de son savoir.

« Eh bien, nous irons dans la partie française du comptoir, l'île Sainte-Pierre.

— Et Papa restera toujours avec nous, alors ? »

Elle dépose un baiser sur la tête rutilante de son enfant-chat. « Il devra encore travailler. Mais oui, il sera sans doute là plus souvent. »

Il entretient au comptoir une petite propriété où il n'a jamais mis les pieds, achetée trente ans plus tôt par Antoine, à la même époque où il a commencé d'entreposer secrètement son ambercite dans les caches de l'océan Indien. Elle est pour le moment louée à son gérant, qui devra vider les lieux. Oh, il a tout prévu. Il refera sa vie, leur vie, à Sardopolis.

Ouraïn se permet un léger sourire. Sardopolis où, à l'hospice de Maria-Negra, dans le petit comptoir portugais, Nathan Archer finira bien par revenir.

34

Froid froid liquide froid panique inerte pesant on est dehors dedans retourné comme un gant dans tous les points de l'espace frénétique immobile on suffoque point goutte atome écrasé trop trop de puissance trop de présence trop fort trop lourd trop prisonnier de l'espace sans dimensions.

Un jaillissement quelque part, lumière, chaleur, qui se déplie, se déploie, corolle, devient hauteur, largeur, souffle, un anneau sombre et velouté frémissant comme un cercle d'ailes, qui se dédouble et encore, encore, pour former un mur doucement incurvé, bientôt une sphère qui palpite, où l'on flotte bercé, comme lissé, par des mains invisibles, chaque caresse une curiosité sans parole. Et une curiosité naît en écho, en reflet, un souvenir de mots – *où?* – une intention qui se condense peu à peu alors au cœur de la sphère – *qui?* – et de proche en proche des harmonies qui sont des directions qui sont des formes qui sont des couleurs qui sont des réponses mais fuyantes, muables, des friselis de sens qui scintillent en traînées de gouttelettes lumineuses. *Pierrino. Je suis Pierrino.*

Il flotte dans la maison d'Aurepas, l'antichambre liquide et sombre qui sent la cire et la lavande, le corridor, les candélabres aux bougies à la lumière ondulante. Au premier palier, assis sur les marches de l'escalier, un jeune garçon aux cheveux roux indociles regarde passer une bassine pleine de rouge, le visage noyé de larmes, on peut donc pleurer sous l'eau ?

Un coup de nageoire, et maintenant c'est Lamirande, paysages sous-marins de pelouses vertes et de cerisiers en fleurs. Madeline est là et Senso et Jiliane et Grand-mère et, près d'eux, paresseusement, Félicien et Nadine. Et, oui, on peut pleurer sous l'eau : courant dans l'herbe de la nuit avec un vieillard en robe bleu mage, un jeune homme sanglote, un jeune homme aux cheveux roux indociles.

C'est le garçon du portrait, c'est le fils de la vieille dame aux herbiers, c'est… oui, son nom est Gilles. Pauvre, pauvre Gilles.

Le garçon forcit, vieillit. Barbe et moustaches, rousses. Seulement de la barbe. Seulement des moustaches. Qui blanchissent. Épouvanté sans en savoir la raison, Pierrino s'enfuit vers le château rosi par la lumière du soleil levant.

Les paysages glissent, fluent, Lamirande coule dans La Miranda, avec Antoinette de Margens qui boit du thé, sagement assise dans son grand fauteuil, ses robes bleues bien rangées autour d'elle. À travers sa peau, il peut voir ses os, d'innombrables petites billes rose orangé. Assis en tailleur de l'autre côté de la table basse, Chéhyé et Nèhyé discutent doctement.

« Le temps, c'est l'espace, dit Chéhyé.

— L'espace, c'est le temps, dit Nèhyé.

— Il suffit de pousser la porte pour entrer dans les Maisons de la Déesse.

— Mais on ne sait pas qui en sortira. »

Ils ouvrent chacun un battant minuscule d'une porte gigantesque. Entrent l'Eau et la Flamme et la Terre. L'Eau est la Flamme est la Terre. Elles ont des dents pointues.

◆

Un vieux visage tout ridé, barbiche blanche, longues moustaches tombantes. Une voix croassante dit : « Nèhyé ? »

Pierrino comprend que c'est sa voix lorsqu'on lui répond : « Chéhyé. » On sourit un peu et l'on ajoute : « Tun'gâk. »

Il essaie de se redresser. Une main sèche et dure se pose sur sa poitrine nue et toute volonté l'abandonne.

« Écoute bien. Tu ne resteras pas là longtemps. Tu as été blessé. Grièvement. Le yuntchin a pris ta dague magique pour t'en frapper. Ta substance divine s'écoule par la blessure. Elle se perdra dans les Maisons les plus lointaines, sans espoir de retour, plus rien ne pourra te toucher, tu ne pourras plus rien toucher. Tu deviendras vraiment le Fantôme Blanc…

— … excommunié ? » souffle Pierrino, horrifié.

« Si tu veux. Je maintiens ton soma ici, mais toi seul peux accomplir le voyage de retour depuis l'Entre-monde. »

Il veut demander "Comment ?" mais il reperd conscience.

Les Natéhsin semblent très surprises de le voir : « Il n'est pas encore temps pour toi de revenir », disent à l'unisson la Nandèh'djo de Hyundpènh et la Feï'djo de Nomghu, en posant du même geste leur main sur leur ventre plat.

Ils se trouvent tous trois dans le parc à demi sauvage, au pied de la tour Phénix rosie par le soleil couchant.

Elles tiennent des arrosoirs, il tient une rose, à pleine main, il en sent les épines qui lui rentrent dans la chair, mais sans douleur. Il sait qu'il ne saignera pas.

Nèhyé apparaît comme une bulle éclate, les sourcils froncés : « Tu emprisonnes l'Entremonde dans tes illusions, comme tous les Itun. Tu dois les laisser aller, sinon tu ne pourras pas rejoindre la Déesse avant très longtemps. »

Mais il ne veut pas rejoindre la Déesse, pas encore, il veut revoir Senso et Jiliane, il veut savoir tout ce qu'il lui reste à savoir ! Il s'enfuit en courant vers la tour qui découpe à présent des dents noires sur une lune livide.

Il se trouve dans la clairière du *tihyund*, et le *tihyund* est là, inerte et sanglant. Et les trois *Têp'tida* autour de lui, blanches, sévères. Et Hyundpènh, nonchalamment lové autour de la clairière, qui les enferme tous de ses écailles où rougeoient par instants des flammes liquides.

« Le *tihyund* réclame la substance de son meurtrier, ce n'est que justice », disent en chœur les *Têp'tida*.

Pierrino n'essaie pas de se défendre. Il se laisse tomber à genoux dans la flaque de sang.

Des mains sur ses épaules. Il sait sans se retourner, au parfum de rose, que ce sont des Natéhsin. Les Natéhsin de Phénix. Mais il n'y a pas de Phénix, n'est-ce pas ? Il n'y en a plus.

« Si l'Eau, la Flamme et la Terre ne tiennent pas rigueur au Petit Dragon d'avoir aidé à la capture et au meurtre d'un de leurs enfants, puisqu'elles l'ont secouru dans la mer et dans la montagne, les *Têp'tida* le peuvent-elles ? »

Ravagé de désespoir, de remords, Pierrino lève les mains vers les *Têp'tida*. Le meurtre du *tihyund* est le symbole fatal de toutes les disharmonies causées par

Gilles. Il offre volontiers sa substance en échange, oui, ce n'est que justice.

« Mais ce n'est pas la fin », dit le Dragon, immenses voix attristées. « Il vous faudra tous trois donner encore avant d'entrer dans la Maison d'Équité. Ton offre de sacrifice est appréciée. Va, retourne au monde des humains. Nous nous reverrons lorsque s'ouvrira la Maison d'Équité. »

Le Phénix ouvre ses ailes ardentes. Pierrino s'y réfugie comme dans des bras. Et, ranimé dans ces flammes, lorsque le Phénix s'envole, il s'envole avec lui.

35

Pierrino reste longtemps alité, extrêmement faible, dans un état indécis. Il dort beaucoup, lorsqu'il est réveillé il n'est pas certain de ne pas dormir encore. Il a l'impression que le temps s'étire, son horloge intérieure bat trop lentement, même le rythme de ses périodes de sommeil et d'éveil, lorsqu'il en prend conscience, ne l'aide pas à déterminer les jours – si même il s'en inquiétait, mais ce n'est qu'un vague friselis de curiosité, très lointain, par intermittence, et qui se perd vite dans la brume.

Puis il remarque que Haizelé apparaît de temps à autre, et Tun'gâk qui est Chéhyé, qu'elle appelle Chéhyé. Elle lui parle parfois, un peu, des mots qu'il entend sans trop les comprendre. Le Ghât'sin ne lui dit jamais rien. Il le lave, le nourrit quand il a faim, l'aide à faire ses besoins – sans jamais lui demander quand : il sait toujours. Il accompagne souvent César Riopès : le magicien vert est celui qui soigne officiellement Pierrino. Ou il se présente parfois avec l'une ou l'autre des ecclésiastes, qui viennent prendre des nouvelles, une ou deux phrases, et s'en vont.

Un jour, il prend conscience d'un battement sourd à travers le lit et la paroi de bois de la couchette. Un autre jour, il se rappelle que ce sont les pistons du moteur actionné par la machine à vapeur secrète. D'autres jours, il ne les entend pas : il se rappelle qu'on navigue avec les voiles pour les escales. Les mots énoncés par Haizelé au cours de ses visites commencent à avoir du sens ; ce sont des noms, des noms de lieux : les îles Andaman, Sittwe, Puri, Madras…

Un autre jour, Haizelé dit : "Nous allons arriver à Sardopolis." Il ne réagit pas d'abord, surpris par les ondulations désordonnées que ce nom a déclenchées dans sa mémoire ; il essaie de les lisser, de les circonscrire pour y choisir l'élément approprié, sans grand succès. Après un moment, comme il ne dit rien, elle se lève avec un petit soupir. Mais il a enfin trouvé ce qu'il cherchait et il demande : « Quel jour sommes-nous ? »

Haizelé se retourne d'un mouvement vif, le visage illuminé. Elle vient se rasseoir précipitamment sur le tabouret tiré près du lit. Elle lui prend la main, une sensation agréable, chaude et ferme : « Le 22 novembre. »

Pierrino observe les nouvelles ondulations qui s'entrecroisent, se renforcent ou se contrarient dans sa tête. Puis il demande : « Combien de temps ? »

Elle ne réfléchit pas longtemps : « Nous sommes partis le 7 octobre d'Anhkin. Cela fait près de deux mois. »

Il enregistre, détaché. Peut-être surprise par son absence de réaction, elle le dévisage avec inquiétude : « Savez-vous ce qui vous est arrivé ? »

— Dague magique. Failli être excommunié. »

Elle a une expression horrifiée, mais Pierrino ajoute : « Elles m'ont secouru.

— Qui ?
— Kurun. Ouraïn. Jiliane. »

Et comme Haizelé semble aussi perplexe qu'inquiète, il murmure en refermant les yeux avec un sourire : « Le Phénix. »

36

Il commence de pouvoir se lever, manger et se laver seul, avec lenteur, mais il y tient.

Un jour, à une patère, il voit la dague accrochée à sa ceinture de cuir, dans son fourreau incrusté de gemmes.

Le vieux Chéhyé a suivi son regard : « Elle a goûté ton sang et ta magie. Elle t'est doublement liée, à toi et aux tiens. »

Le Ghât'sin semble très pensif.

Pierrino examine la dague avec crainte et répulsion : « Je n'en veux pas. Garde-la, toi. »

Le Ghât'sin prend la dague en murmurant : « Je la garderai pour toi. »

Un autre jour, il se voit dans le miroir de Haizelé, qu'il reconnaît avec une lointaine surprise : le même miroir que celui offert autrefois à Jiliane. "Il y en avait deux", lui dit Haizelé en levant la tête de son bureau où elle écrit dans le journal de bord. Mais ce n'est pas tellement ce qui le surprend : c'est le visage dans la glace. Barbu, moustachu, et plus vieux désormais que le portrait du jeune Henri d'Olducey. Il

ne se rase pas – ses mains sont encore peu sûres ; il
pourrait demander à Chéhyé mais, pour une raison
qu'il ne veut pas démêler, il préfère garder cette
marque du temps écoulé.

On est alors à l'île de Kalpéni, où l'on s'arrête
pendant quinze jours afin de charger l'ambercite
qu'on répartira dans les caches de la côte occidentale des Indes. Mais il est encore trop faible, il ne
sort pas de sa cabine, qui est de nouveau celle de
Haizelé – elle y dort, il le constate, sur un matelas
posé à même le sol : elle l'a veillé pendant tout ce
temps. Il reste assis dans la lumière de la fenêtre,
écoutant le va-et-vient des matelots lourdement
chargés sur le pont. Point d'étonnement, ni de réflexions. Il est tout sensations, filet diaphane à travers
les mailles duquel presque tout passe sans s'arrêter.
Il est content de simplement laisser le temps y couler
aussi.

Le jour où il sort de la cabine pour se rendre sur le
pont, il marche comme un petit vieillard, appuyé au
bras de Chéhyé. Les marins le saluent, réjouis. Une
silhouette blonde vient à sa rencontre, yeux bleus,
dents blanches dans la courte barbe frisée : « Monsieur
Pierrino ! »

Il sourit faiblement en tendant la main, tout en
cherchant le nom du jeune homme qui réprime un élan
vers lui, se contente de prendre entre les siennes la
main offerte, cherche visiblement quoi dire, ne trouve
rien, et finit par se détourner pour revenir à son seau
et à sa serpillière, en sifflant un air joyeux.

Le nom fait soudain surface : Martin, Martin
Engel. Mais la lumière et le vent donnent bientôt le
vertige à Pierrino, qui retourne dans la cabine.

Ce soir-là, au cours d'une des brèves visites des
ecclésiastes – tantôt l'une tantôt l'autre, ils échangent
maintenant quelques phrases, le temps qu'il fait, sa

santé, l'escale en vue ou celle qu'on vient de quitter
–, domma Jouxe lui demande s'il se sent en état
d'assister à l'Office du dimanche. « … vous resterez
assis tout du long, bien sûr. »

Il dit oui, parce qu'il sait que c'est la réponse
attendue. Et parce que cela ferait plaisir à Senso.
Cette pensée le surprend, et il répond distraitement
ensuite aux paroles des ecclésiastes, qui repartent
bientôt. Lui, il se répète intérieurement "Senso".
C'est comme se réveiller tout entortillé dans les draps
et les couvertures et ne pas arriver à s'en dépêtrer,
mais avec plus d'amusement que de détresse, ce
sont des draps de satin, des couvertures de laine
moelleuses, confortables, et qui ne résistent pas trop.
Senso est le bon bout pour les dérouler, et quand on
tire dessus, le reste vient, des milliers de textures et
de goûts qui sont Senso, les cheveux, les yeux, la peau
de Senso, et d'autres sensations aussi, sur lesquelles
il peut mettre des noms, Jiliane, Grand-mère, mais
c'est trop tôt, pas encore, il n'est pas prêt, il se contente de s'enrouler dans cette couverture moelleuse
qu'est Senso, et il s'endort le sourire aux lèvres.

37

Les ecclésiastes viennent le voir dans les derniers jours de décembre. On a juste quitté Aden. Monsieur Riopès a dû leur dire qu'il était désormais en état de soutenir une conversation. Il voit à leur air sérieux que ce n'est pas une simple visite de charitable politesse, même si les premières phrases échangées ont trait aux banalités d'usage.

« Croyez-vous, Pierrino », dit enfin domma Jouxe avec bonté mais en le dévisageant d'un œil attentif, « que vous pourriez nous parler un peu de ce qui vous est arrivé ? »

Il acquiesce d'un hochement de tête. Il savait que ni Haizelé ni le vieux Ghât'sin ne seraient les premiers à le questionner. Il a envisagé ce moment, mais avec moins d'anxiété qu'il ne l'aurait cru. Il verra bien à leurs questions ce qu'ils savent et ce qu'ils ignorent, il répondra en conséquence.

« Et d'abord, dit dom Marti, nous pourrions vous conter, nous, ce qui est arrivé après le retournement du canot. La panique a été brève, nous avons repêché tous les marins sains et saufs. Mais nous ne vous avons pas trouvé. Nous avons cherché, vous le pensez bien, mais vous aviez totalement disparu.

— Vous n'étiez pas dans l'Entremonde non plus », précise domma Jouxe.

Il se contente de les regarder tour à tour, sans feindre un étonnement qu'il n'éprouve pas, attendant qu'ils élaborent davantage.

Après un petit silence, dom Marti reprend avec hésitation : « Êtes-vous au courant de ce qui s'est dit… après la bataille de Kéraï ? »

Il hoche de nouveau la tête : « De la magie indigène avait aidé les Hutlandais. Une magie indécelable par la nôtre. »

L'ecclésiaste semble soulagé quoique en même temps mal à l'aise à ce rappel : « Et, entre autres, des créatures marines…

— Avez-vous été emporté par l'une de ces créatures ? » demande domma Jouxe, qui ne semble pas vouloir prendre trop de précautions.

« Je l'ignore, dit Pierrino, sincère. Je ne me souviens de rien.

— Mais vous avez été amené à Anhkin, après tout ce temps dans la mer. »

Il hésite brièvement. Accepter cette interprétation serait pratique pour clore le sujet. Et cela leur épargnerait sans doute bien des troubles de conscience… Mais il n'est pas Gilles Garance.

« Non. Je me suis retrouvé le même jour dans la rade de Nomghur. »

Après la stupeur initiale, le visage de dom Marti s'éclaire d'un timide espoir : « Des courants… essaie-t-il de dire.

— Le jour même », précise Pierrino.

L'ecclésiaste s'affaisse un peu sur lui-même. Après un silence, domma Jouxe reprend : « Et ensuite ? »

— J'ai été emmené par les Kôdinh à Daïronur.

— Ils ne nous en ont rien dit à Téh'loc, murmure dom Marti. Nous vous avons cru perdu à jamais.

— Et ensuite ? insiste domma Jouxe.

— J'ai suivi la procession royale du prince Gorut. » Son cœur se serre fugitivement, malgré le calme où il se sent baigner. « Il m'a abandonné dans la forêt sous prétexte de me faire visiter le domaine Garance. »

Il prend soudain conscience, un peu honteux, qu'il a dit cela pour retarder le "et ensuite ?" de domma Jouxe, comme le sujet de Garang Xhévât, qu'il préférerait malgré tout éviter pour l'instant.

L'ecclésiaste se redresse, un éclair dans les yeux : « N'êtes-vous pas allé au domaine, alors ? »

Il peut répondre la vérité : « Si.

— Et dans quel état l'avez-vous trouvé ?

— Tout y a disparu, sauf les mines et le barrage.

— Disparu ?

— La jungle a tout repris.

— En soixante ans, murmure dom Marti, il fallait s'y attendre. »

Domma Jouxe hoche la tête. « Et ensuite ?

— J'ai été conduit jusqu'aux environs d'Anhkin par des indigènes.

— La résistance ? » demande Dom Marti.

Ils sont donc au courant de son existence. Pierrino réfléchit : ses compagnons de voyage l'avaient envoyé à l'Auberge des Deux Grues, où se trouvaient les marins de *L'Aigle*. Et le mot de passe était le même qu'à Nomghur.

« Sans doute.

— Avez-vous rencontré des talentés au cours de votre périple ? » demande domma Jouxe, avec toujours cette tension qui vibre juste sous sa surface calme.

Quelle qu'eût été l'ambassade de Haizelé et le rôle qu'elle jouait dans ce voyage, la mission des ecclésiastes était sans doute aussi d'un autre ordre et concernait la magie mynmaï.

« Oui, les indigènes qui m'ont emmené à Anhkin.

— Ont-ils usé de leur magie en votre présence ?

— Je l'ignore », dit-il, encore la vérité. « Peut-être : nous n'avons jamais été inquiétés en route. Mais nous prenions des chemins détournés. »

Un petit brin de curiosité lui fait ajouter : « En avez-vous rencontré, vous, à Téh'loc ? »

Dom Marti secoue la tête : « S'il y en avait, ils n'étaient en rien différents des autres indigènes. Nous étions tolérés aux négociations, mais n'avions pas droit de parole. On portait des bracelets d'avers en notre présence. »

Pierrino se contente d'incliner la tête.

« Lorsque Haizelé a abordé le problème de la magie, poursuit dom Marti, on lui a déclaré que le commerce et l'industrie indigènes n'avaient rien à voir avec cela. Elle a insisté en évoquant les protections magiques du pays – nous vous en croyions la victime, rappelez-vous –, mais on en a été fort irrité. On a affirmé qu'elles étaient levées et ne constitueraient donc pas un problème à débattre au cours de ces négociations.

— C'était au tout début, intervient domma Jouxe. La résistance avait pris contact avec nous à Anhkin. Nous avons supposé que si magie il y avait, elle était le fait d'autres mages que ceux des Kôdinh. Nous avons compris qu'insister davantage mettrait en danger la suite des négociations. »

Dom Marti esquisse un sourire contraint : « Cela nous a donné quelque espoir en ce qui vous concernait, bien que nous ne comprissions point pourquoi la résistance se serait ainsi emparée de vous.

— Si c'est le cas, nous ne le comprenons toujours pas », ajoute domma Jouxe en scrutant Pierrino.

L'hypothèse est intéressante, mais il ne peut que hausser les épaules, toujours sincère : « Quels que soient la raison et l'agent de ma disparition, je ne les comprends pas non plus. »

Il s'attendait à une plus longue conversation – des questions sur Humphong et Gorut, par exemple –, mais les ecclésiastes se lèvent. « Et quels qu'ils soient, nous remercions la Divinité de vous avoir rendu à nous », déclare domma Jouxe en se levant. Dom Marti l'imite. « Nous ne vous fatiguerons pas davantage, mon enfant, reposez-vous encore. »

38

Le cocher va ouvrir la grille de fer forgé, puis remonte dans le cabriolet qui s'ébranle sur un petit claquement des rênes. La capote est relevée – malgré l'heure matinale le soleil tape déjà, et c'est le milieu de la saison chaude dans la péninsule de Jaffna. Mais Nathan n'a nul besoin de mieux distinguer Sigismond Garance et son serviteur indigène. Il les a vus assez souvent, ici devant la propriété des Garance, ou près du débarcadère des bateaux de minerai, où l'on construit une petite fabrique d'ambercite – entourée d'un impressionnant cordon de soldats et de mages. Le portrait tout craché de Gilles au même âge, son arrière-petit-fils, en plus pâle car il ne passe guère de temps au soleil. Il ne passe guère de temps nulle part qu'à son travail, à vrai dire. L'aborder en public est hors de question. Il doit bien se rendre à quelques invitations en ville, mais un petit aide-apothicaire de la basse ville de Sainte-Pierre n'y est pas invité, lui. Il pourrait essayer de s'y introduire en secret, à vrai dire: il ne risque pas de se faire repérer par les ecclésiastes qui veillent à la sécurité des

Garance. Mais les policiers n'ont pas cette limitation, eux, et leur surveillance a beau être des plus discrètes – le jeune Sigismond exige apparemment de mener une existence normale –, elle n'en est pas moins réelle.

Un garçon décidé et entreprenant comme l'était Gilles : malgré son jeune âge, il a mis en place avec l'aide des divers gouvernements géminites une véritable navette de bateaux pour évacuer de Garang Nomh – toujours encerclée par voie de terre, mais bizarrement libre par voie maritime – les minerais bruts entreposés depuis trois ans au comptoir ; il avait apparemment déjà commencé d'en faire transporter à Sainte-Pierre, également depuis trois ans. Ce sont des convois hétéroclites, vaisseaux marchands géminites de toutes nationalités, bateaux indigènes loués ou plus souvent même achetés un peu partout dans l'archipel malais, à Sirilanka et sur le pourtour du golfe du Bengale, sous bonne garde de navires de guerre.

Les Garance ont tout de même beaucoup perdu : leur immense domaine, avec ses mines, et leur propriété de Garang Nomh. Et ils ont loué des vaisseaux malais pour évacuer des géminites d'Émorie. Presque tout le reste de leur fortune a dû y passer. Mais si le jeune Garance peut continuer de fournir ses clients géminites en ambercite pendant encore quelques années, il s'en refera aisément une autre. Certains à Sardopolis admirent sa charité, et le plaignent – pauvre Sigismond, trahi de si abominable façon par ses soi-disant alliés indigènes ! D'autres, bien entendu, rendent sa famille responsable de tout : c'est à des fins intéressées, par avidité et par orgueil, que les Garance se sont ainsi laissé séduire, ils récoltent ce qu'ils ont mérité.

Jusqu'à quel point ils ont été séduits et bernés, que savaient-ils en réalité de la magie indigène, les avis diffèrent. Mais il ne s'est passé que trois mois depuis la défaite navale, les géminites sont encore partout sous le choc, et peu enclins à pointer le doigt. L'évidence de la magie était trop massive à Kéraï, si elle a été brève. Et l'origine en est toujours incertaine. On a vite abandonné l'hypothèse de mages étrangers, chinois ou autres, recrutés par les Kôdinh : on aurait repéré cette magie familière et on l'aurait vaincue. Les autres hypothèses sont toutes aussi bouleversantes les unes que les autres : des talentés mynmaï, qui auraient toujours été pourvus de cette magie – et dans ce cas, pourquoi ne s'en sont-ils pas servis plus tôt ? Ou bien la magie indigène est-elle revenue peu à peu, et les nouveaux talentés en ont gardé le secret ? L'une et l'autre possibilité suscitent le même effroi incrédule. On n'a pas *perçu* la protection magique des voiles et des coques hutlandaises, ni la source des tornades et des tourbillons qui ont coulé les principaux navires de la flotte géminite, on les a seulement constatées lorsque les boulets n'ont pas infligé les dégâts espérés, lorsque les mages n'ont pas réussi leurs sortilèges d'incendie – et lorsque les bateaux géminites ont sombré. Impuissance inouïe, que certains veulent attribuer à une forme encore incompréhensible d'Harmonisation : on s'accroche à des fétus. Peut-il y avoir une magie si différente de la géminite que celle-ci ne la percevrait pas et ne pourrait rien contre ? D'où viendrait-elle ? Il ne peut y avoir deux sources différentes de magie, il ne peut y avoir deux Divinités ! Le vertige spirituel frappe à nouveau, comme trois siècles plus tôt dans les Atlandies, avec son cortège d'hérésies mais bien plus gravement, parce qu'en plein milieu d'une guerre qu'on a perdue à peine commencée, même si, libre du côté de la mer, Garang Nomh pourrait tenir pendant des années.

Nathan a d'autres hypothèses, qu'il garde évidemment par-devers lui. Si la magie mynmaï est tellement différente, cela veut peut-être dire qu'elle est bel et bien, comme le prétendent les légendes mynmaï, la première magie, la magie originelle, d'où les autres sont nées en se transformant par la suite – en s'affaiblissant. Ou encore, tout comme les Gémeaux et les apôtres étaient détenteurs d'une magie nouvelle plus forte que l'ancienne et qui a aidé à imposer la foi géminite, les Mynmaï le sont peut-être aussi – d'une magie encore plus différente cependant, et dans ce cas, seraient-ils le nouveau peuple élu ? Une hypothèse qui finira bien par faire son chemin parmi les géminites, mais qui ne contribuera guère à les tirer de leur accablement.

Il se secoue avec un petit sourire ironique, parfaitement conscient que toutes ces réflexions ne visent qu'à retarder le moment où il sortira de sous ce porche, traversera la place et ira tirer sur la sonnette placée près de la grille de la propriété.

Il sort donc de sous le porche, ajuste son chapeau à large bord et traverse la place d'un pas ferme pour aller rencontrer sa destinée.

39

Après le départ des ecclésiastes, Haizelé entre dans la cabine avec un grand plateau ; elle n'y dort plus, malgré les protestations de Pierrino qui voulait la lui rendre, mais elle a pris l'habitude de partager ses repas avec lui.

« Ils sont restés bien longtemps », dit-elle avec un petit sourire, en posant le plateau sur le tabouret pliant devant le fauteuil de Pierrino et en se tirant une chaise. « Et ils avaient l'air bien songeur. »

Elle s'assied, ôtant le couvercle de l'un des plats d'où s'échappe une appétissante odeur de safran : « Notre brave Cantin nous a mitonné une bouillabaisse exotique. »

Après une rapide offrande silencieuse, elle sert Pierrino, se sert, commence de manger. Après quelques bouchées, d'un ton égal, elle demande : « Que ne leur avez-vous pas dit ? »

Il sourirait si un éclair inattendu d'angoisse ne l'avait soudain traversé. Les ecclésiastes, passe encore. Haizelé, c'est différent. Que lui dire ? Comment le dire ? Que sait-elle ? Et comment réagira-t-elle ?

« On m'a emmené à Garang Xhévât. »

La cuillère de Haizelé s'immobilise un instant.

« Oh. »

Puis Haizelé porte la cuillère à sa bouche et continue de manger.

Pierrino mange en silence aussi. La bouillabaisse est délicieuse, Senso l'adorerait. Mais il songe surtout à sa conversation avec les ecclésiastes.

« La résistance ne vous a-t-elle pas appris que j'étais là-bas ?

— Quand y étiez-vous ? »

Il réfléchit – il a un certain mal à se retrouver dans les dates. « À la fin d'août. Quand êtes-vous arrivés à Anhkin ?

— Le 21. Ou enfin, nous sommes arrivés à la pointe de Hon Lôc le 21 et nous sommes allés ensuite vers Anhkin. Mais on nous a attribué un mouillage dans l'estuaire en nous disant d'attendre. Nous avons finalement abordé à Anhkin… le 29. On a contacté Tun'gâk le lendemain soir, très brièvement, à l'auberge. Mais on ne nous a rien dit de vous. »

Pierrino n'est pas vraiment surpris. Le 30 août. Le lendemain de la cérémonie. Après le retour du Dragon de Feu.

« Que vous a-t-on dit ?

— Que la Maison d'Équité s'ouvrirait bientôt. »

La Maison d'Équité. La Maison de Balance. N'est-ce pas d'elle que parlait Hyundpènh, lorsqu'il l'a rencontré dans l'Entremonde ?

« Est-ce tout ?

— Ce contact était celui d'un magicien kôdinh. Cela a suffi à Tun'gâk pour dire que la résistance aux Kôdinh s'organisait. On ne nous a pas contactés par la suite. Votre arrivée a été une totale surprise. Quoique peut-être pas pour Tun'gâk. Après votre disparition, il m'avait dit : "Il est avec Kempo." On ne sait jamais avec lui. C'est un magicien puissant, certes, mais il est parfois un peu bizarre. »

Pierrino ne relève pas.

« J'ai rencontré de ces gens à Nomghur, avant d'être amené au palais du gouverneur. On m'a dit qu'il s'agissait d'une secte d'illuminés attendant le retour du Dragon.

— Du Dragon de Feu?

— Sans doute. »

Pierrino continue de manger, finit son assiette, sauce avec du pain. Puis il n'y tient plus.

« Il est revenu. Le Dragon de Feu. Je l'ai vu, à Garang Xhévât. »

Il relève les yeux, craignant ce qu'il lira sur le visage de Haizelé. Mais elle se contente de le dévisager, les yeux plissés.

« Ainsi, dit-elle enfin avec un petit soupir, les magiciens de Garang Xhévât ont finalement décidé d'agir. Ils ont aidé les Kôdinh, et ensuite, pendant toutes ces années, ils ont laissé massacrer leurs compatriotes. Et maintenant… »

Il sait ce qu'elle veut dire, est surpris de l'intensité de sa propre réaction de refus : « Non. Les Ghât'sin servent les Natéhsin, et les Natéhsin n'ont pas de tels plans. Le Dragon de Feu est revenu parce qu'il en a décidé ainsi, voilà tout. »

Cette fois, elle semble incrédule : « Vous croyez à ces contes ?

— Je sais ce que croyait Gilles Garance, et bien certainement ses descendants. Gilles y était sans doute prédestiné par son caractère et ses circonstances, ses descendants aussi. Ils ont assez manigancé eux-mêmes pour croire plus aisément en des supercheries ! Mais j'ai quant à moi assez lu des carnets d'Ouraïn pour savoir que ni sa mère ni ses compagnons ne considéraient tout cela comme des contes. »

Haizelé l'observe en silence, sans protestation.

Il murmure : « J'ai vu et fait trop de choses impossibles moi-même. J'ai vu trop de créatures qui ne peuvent exister. » Il s'anime : « L'une d'elles m'a emporté sur son dos du domaine aux plateaux dominant la plaine d'Anhkin ! Elle m'a parlé ! »

Il se force au calme : « Je ne sais ce que je crois, en vérité », conclut-il avec une légère angoisse. « Mais j'attendrai d'en savoir davantage avant de choisir dans un sens ou dans l'autre. »

Haizelé ne dit rien. Elle soulève le couvert de l'autre plat, un mélange de nouilles de riz et de légumes à l'arôme épicé.

« Ne regrettez-vous pas un peu d'avoir jeté ces carnets, maintenant ? » dit-elle à mi-voix, sans ironie, plutôt avec tristesse.

Il réfléchit un moment, puis admet : « Oui et non. Je préfère une mémoire vivante à une mémoire morte.

— Comment cela ? » dit Haizelé en le servant, sans le regarder.

« Grand-mère a reçu ces carnets en héritage, certainement de la famille d'Ouraïn elle-même. Elle les a lus. Elle me dira ce qu'ils contiennent, et ce qu'elle en sait. »

La main de Haizelé s'est immobilisée au-dessus de l'assiette de Pierrino. Il relève les yeux, voit ses traits soudain contractés.

« Quoi donc ? »

Elle achève son mouvement, se sert elle-même. « Avez-vous demandé ce qu'il est advenu d'Ouraïn, dit-elle enfin, lorsque vous étiez à Garang Xhévât ? »

À la fois surpris et légèrement penaud, il constate que non. De fait, il n'en a guère eu l'occasion. « Mais j'ai demandé pour la mère d'Ouraïn, Kurun, et pour ses deux compagnons.

— Pourquoi pas pour Ouraïn ? »

Il hausse légèrement les épaules. « Ce n'était pas vraiment une Natéhsin, malgré tout. J'ai pensé qu'après quinze ans elle avait recommencé de vieillir à la manière ordinaire et qu'une fois atteint l'âge normal des siens, elle avait rejoint leur Déesse. Kurun était morte.

— Et ses deux compagnons ?

— On m'a dit qu'ils étaient retournés au domaine, sans pouvoir m'en préciser la date. » Il soupire. « Mais je ne les y ai point trouvés. Sans doute sont-ils morts aussi, puisque Kurun est morte. » Une autre terrible conséquence des disharmonies de Gilles, hélas.

Il voit le visage de Haizelé prendre une expression calculatrice et intervient : « Ce ne sont pas Chéhyé et Nèhyé. Je veux dire Tun'gâk et son cousin. Je l'ai cru un instant, mais ces deux-là ne sont que des Ghât'sin, les premiers fidèles de Gilles. »

Elle semble très surprise. Il se rappelle pourtant l'avoir entendue appeler le Ghât'sin par son vrai nom, dans la cabine, pendant sa convalescence. Il fronce les sourcils : « Vous n'ignorez pas qui est Tun'gâk. »

Elle hésite un instant, se décide : « Non, il accompagnait Sigismond à Puttalam lorsqu'il nous y a secourus… »

Elle hésite encore, son visage s'est figé. Elle songe sûrement à Rahyan. Pierrino attristé contemple son assiette.

Elle reprend, d'une voix posée : « Mais vous dites que c'était l'un des tout premiers fidèles de Gilles ?

— Il lui a juré allégeance, avec son cousin Nèhyé, après la naissance d'Ouraïn. Ce devait être en 1581 ou 1582. C'étaient les deux Ghât'sin restant de ceux qui servaient la triade de Kurun. Ils ont participé dès le début et tout du long à la fabrication de l'ambercite. » Il essaie un sourire : « Comme vous le disiez, ce magicien est réellement très vieux. »

Elle ne répond pas à son sourire hésitant, commence de manger à lentes bouchées délibérées.

Après un long silence pendant lequel il l'imite, déconcerté, elle dit soudain, sans le regarder : « Et si Ouraïn n'était pas morte ? »

Il demeure saisi : « Morte plus tard, voulez-vous dire ?

— Pas morte du tout. Comme Chéhyé et Nèhyé. »

Après un premier mouvement de dénégation, Pierrino se force à considérer l'hypothèse : « Ne l'aurais-je pas rencontrée… n'aurait-elle pas voulu me rencontrer elle-même, à Garang Xhévât ?

— Pas à Garang Xhévât. » Haizelé ne mange plus, mais elle n'a pas relevé la tête.

« Où se trouverait-elle ? dit enfin Pierrino. Elle animerait la résistance ? »

Haizelé relève la tête alors pour lui lancer un petit regard surpris. Puis elle se force visiblement à ne pas baisser de nouveau les yeux et dit avec lenteur : « J'ai toujours connu votre grand-mère sous le nom d'Aurore… »

D'abord, Pierrino ne comprend pas, puis il éclate de rire – conscient de la nuance d'effroi qui colore son scandale. Ils restent un moment immobiles, les yeux dans les yeux, puis il murmure : « Vous êtes sérieuse. »

Elle a une expression soudain angoissée : « Lorsqu'ils m'ont amenée à Sainte-Pierre, Aurore semblait avoir une vingtaine d'années. J'ai constaté par la suite qu'elle vieillissait très lentement et s'enveloppait d'une illusion pour autrui, comme Agnès. Elles ne me l'ont jamais caché. J'ai toujours su qu'elles étaient des talentées mynmaï. »

Pierrino entend à peine la fin de la phrase. Il répète, d'une voix blanche : « Comme Agnès ? »

40

De l'autre côté de la pelouse, Ouraïn et Agnès sont assises non loin de la gloriette. Le peintre qu'il a engagé pour faire leur portrait en est encore aux esquisses préliminaires. Quel dommage de ne plus avoir de temps à consacrer à cet amour de la peinture qui ne l'a pourtant jamais quitté… Il doit se contenter d'imaginer au cours de ses voyages les tableaux qu'il pourrait peindre, et de croquer scènes ou paysages, hâtivement, dans ses carnets. Il sait exactement ici ce qu'il désire : Ouraïn et Agnès dans la nature, comme autrefois Kurun – une nature apprivoisée cependant, comme le petit pavillon sur le lac, car on verra un peu le port en contrebas, et la gloriette avec ses plantes grimpantes. Ouraïn assise, en train de lire, avec le curieux mélange qu'elle affectionne désormais de sa coiffure exotique et de vêtements européens, sa robe de taffetas rose et or par exemple, et Agnès au premier plan, chevelure en liberté – explosion joyeuse de boucles rutilantes – avec dans les bras un animal quelconque. Pas un chat – l'angora blanc est des plus rétifs, il a pu en juger ; un chiot fera l'affaire, ou un petit lapin, blanc en tout cas, pour contraster avec la robe bleue de la petite.

Il les contemple un instant avec le mélange désormais familier de plaisir et de mélancolie : une scène si paisiblement domestique… Cette petite maison et son jardin, son unique oasis – et il doit les quitter trop souvent pour ces absurdes voyages. Mais il faut entretenir cette fable de son nouveau commerce, quand bien même on se doute dans tous les comptoirs géminites de Sardopolis que c'en est une. Hélas, elle l'est de moins en moins et ne le sera bientôt plus. Même outre-mer, les contrôles se resserrent sur l'usage de l'ambercite. L'Embargo français finira par se faire sentir ici aussi et les derniers récalcitrants devront s'y plier, arrivés au bout de leurs réserves. Du moins n'a-t-on pas encore essayé de forcer les habitants de Sainte-Pierre à se soumettre à l'Édit de Silence, même si plusieurs, placés devant le sortilège d'oubli ou l'interdiction de revenir en France, ont choisi de s'y plier de leur plein gré, les pauvres fous ! Comment peut-on vouloir y revenir, avec toutes ces terribles disharmonies, et cet Édit, surtout, qui tient presque de la nécromancie !

Il se fait toujours un devoir de laisser les soucis du jour à la porte de la propriété, mais c'est plus difficile aujourd'hui, sans doute à cause de ce qu'il ramène de Puttalam. Il vérifie rapidement que Chéhyé a bien fait installer les deux malheureux dans les chambres d'invités. Dinh a commencé de s'occuper de la jeune fille. C'est la plus atteinte, elle respire à peine, tout son soma n'est qu'une plaie. L'homme a mieux supporté les tortures – ou en a moins subi : la fille a toujours soutenu être la véritable initiatrice de leur tentative de fuite. Un éclair de fureur le traverse à l'évocation du visage satisfait de Majarajan, alors que le petit prince tamil lui décrivait le châtiment des deux esclaves rebelles. Comment la Divinité peut-Elle laisser exister de telles cruautés ?

Mais ils ont été mis sur sa route, saufs à présent, sinon en bonne santé. Après avoir pris un profond respir pour se calmer, il s'avance dans le petit chemin dallé qui conduit à la gloriette. Agnès le voit en premier, abandonne la pose en laissant tomber sa poupée et se précipite vers lui en courant. Il la saisit en plein élan pour la soulever vers le ciel et elle se met à rire en secouant sa crinière rousse. Puis elle s'accroche à son cou pour lui planter de gros baisers au hasard sur les joues, le nez, et même la moustache. Il se dirige vers le peintre qui, résigné, commence de ranger ses fusains. « La Divine avec vous, Monsieur Duberger. Eh bien, Agnès a-t-elle été sage ?

— Ce n'est point l'habitude des petits enfants, Monsieur Garance », soupire l'autre en lui rendant son sourire. « Mais je crois que nous avons fait des progrès. » Il tend son grand carnet à Gilles, qui examine rapidement l'esquisse, puis hoche la tête : cela correspond mieux que la précédente à ce qu'il a en tête.

« En effet. Nous vous reverrons après-demain, alors ?

— Après-demain, oui. Monsieur Garance, Madame, la Divine avec vous.

— La Divine avec vous, Monsieur le Berger », dit Agnès encore accrochée au cou de Gilles, en faisant mine d'être très sérieuse.

« Et avec vous, Mademoiselle l'Agnelle », fait le peintre. C'est devenu leur rituel : Duberger a le tour avec les enfants, ce qui compense sa relative jeunesse dans le métier ; il était hors de question de faire appel au peintre officiel de Sainte-Pierre, les Garance n'en ont plus officiellement les moyens. Et Duberger est certainement davantage ouvert aux demandes et suggestions de ses clients, ce qui n'est pas un mal non plus.

Gilles repose Agnès au sol : « Accompagne donc monsieur Duberger, Agnès. »

Elle comprend à l'intonation que ce n'est pas une requête et, avec une petite moue boudeuse, va prendre la main que lui tend le peintre.

Ouraïn, qui s'est levée en refermant son livre, attend qu'ils se soient éloignés hors de portée de voix.

« Pourquoi les avoir amenés ici ? » demande-t-elle sans préambule, mais sans acrimonie, avec une curiosité presque distraite.

Il réprime l'agacement familier – elle a pris l'habitude de ces affectations depuis qu'ils vivent à Sainte-Pierre, le vouvoyer, l'appeler "Sigismond"; mais elle pourrait bien s'en passer désormais! Ils ne sortent plus ensemble en société, et elle n'est jamais présente les rares fois où il reçoit encore.

« Je n'allais pas les abandonner dans un quelconque hospice. J'en suis responsable désormais. Dinh et Tchèn pourront les soigner mieux que n'importe qui, surtout avec toi. » Il s'assombrit. « Ils en auront besoin, les malheureux. »

Il va pour lui prendre le bras, se ravise à temps et se dirige avec elle vers la maison.

« Le portrait avance bien.

— Je préférerais que ce soit seulement celui d'Agnès. »

Il lui jette un regard surpris. Quelle est cette nouvelle lubie ?

« Pourquoi donc ?

— C'est ennuyeux de poser. »

Elle qui peut rester des heures en *igaôtchènzin* ? Ah, mais elle n'est pas vraiment là, c'est vrai, lorsqu'elle s'y abandonne. Dommage qu'on ne puisse prendre ce risque avec Duberger, cela réglerait son problème avec l'agitation d'Agnès! Mais les transes de la petite sont trop capricieuses. Comme tout ce qui est Agnès, la façon dont elle grandit, sa manière de se comporter. Cette enfant-ci est bien trop humaine d'un côté, et bien trop étrange de l'autre…

Inconsciente de la pente de ses pensées, Ouraïn ajoute : « Et puis ce n'est pas très politique. Vos invités n'aimeraient pas se faire rappeler ainsi ce qu'est votre épouse. »

Blessé, il a envie de dire "Mais c'en est justement la raison", se retient. Ne comprend-elle donc pas qu'il le veut pour elle autant que pour lui, une revanche sur tous ces géminites hypocrites et lâches, si prompts à vilipender ce qu'ils ont si longtemps encensé ?

Il jette un coup d'œil au profil d'Ouraïn, en constate l'expression butée. Il soupire. Bien mince revanche, il est vrai, et qui ne vaut pas de la contrarier si elle ne désire pas se trouver dans ce tableau. Il ne pourrait l'y obliger, quand bien même il le voudrait, quand bien même Nèhyé serait encore là pour l'y aider, le pauvre. Il n'a pas insisté pour établir le lien avec Agnès, qui aurait été pourtant bien plus nécessaire. Ouraïn a dit sèchement : "Je sais toujours où se trouve ma fille, c'est assez." Que répondre à cela ? Que c'est aussi sa fille à lui ? Il s'efforce de ne pas le souligner, surtout lorsque Ouraïn est de cette humeur. Ce qu'il y a sous cette apparente impassibilité qui est devenue son habitude, sous sa garde qu'elle n'abaisse plus jamais, il l'ignore. Elle lui prête son talent lorsqu'il en a besoin, pourtant. Mais tout ce qui touche à Agnès…

Évidemment.

Une soudaine impulsion lui fait demander, avec une douceur chagrine : « Mais si je faisais ton portrait moi-même, rien que pour nous, l'accepterais-tu ?

Elle hausse les sourcils. « Vous n'en avez pas le temps.

— Je le trouverai. La saison des pluies s'en vient, du reste. Et puisque cela t'ennuie de poser, je le ferai pendant tes *igaôtchènzin*. Qu'en dis-tu ? »

Elle change à peine d'expression. « Je n'ai point besoin d'images pour me souvenir de moi », dit-elle enfin d'une voix égale, mais il sait que c'est une fin de non-recevoir.

Va-t-il répliquer ? Non, il continue de marcher près d'elle en s'efforçant de ne rien manifester, mais elle l'a blessé, elle le sait. Petite victoire mesquine, elle le sait aussi, mais quand bien même elle l'aurait voulu, elle n'allait pas lui laisser savoir qu'elle a réduit le nombre et la durée de ses igaôtchènzin. Il deviendrait trop curieux, voire même soupçonneux. C'est dans sa nature.

Elle l'abandonne et se porte plutôt en esprit dans la chambre jaune où Dinh s'occupe de la blessée – jaune, un bon choix, apaisant : Ugépan, le Pardon. Car oui, la jeune fille en aura besoin : il y a tant de rage et de haine dans cette psyché qui se tord, difforme et déchiquetée, loin de ce soma en douleur qu'elle ne peut abandonner ! Et pourtant, de manière étonnante, elle y est presque parvenue, n'y tient plus que par le plus ténu des filaments. La psyché de l'homme, dans la chambre bleue, est déformée depuis plus longtemps – il a été castré très jeune, en sachant que ce serait son destin. Il a même encore conscience de son nom, Rahyan, alors que la jeune fille refuse de se rappeler le sien. Elle l'a pourtant jalousement gardé dans son cœur pendant toutes ces années d'esclavage, le nom de sa petite enfance, son véritable nom, celui que lui avait donné sa mère, son unique et minuscule espace de liberté. Un si joli nom : *Joie de la Divinité*, dans un des dialectes turcomans. Rare à Byzance, mais sa mère l'avait nommée ainsi en souvenir de ses grands-parents venus des steppes orientales.

« Resterez-vous pour vous en occuper avec nous ? » demande-t-elle plutôt, abandonnant le fil du passé de la jeune femme pour revenir à son propre présent.

« Je dois aller surveiller le déchargement au port. Vous souperez sans moi.

— Agnès sera déçue.

— Je serai rentré à temps pour lui souhaiter le bonsoir. »

Et il préfère la voir ainsi plutôt qu'à la table commune, où l'enfant ne peut manquer de remarquer combien sont rares les paroles échangées par ses parents.

Il la laisse à la porte de la chambre jaune. « Merci de t'occuper si charitablement de ces malheureux, Ouraïn. »

Elle incline la tête sans répondre et, après une légère hésitation, il tourne les talons et s'en va. Aurait-il voulu qu'elle le félicite de sa charité ? Elle l'aurait pu, même si sa décision était sans doute attribuable autant à sa miséricorde qu'à l'idée exagérée qu'il se fait de lui-même. Elle aurait pu aussi critiquer sa décision d'offrir à l'affreux Majarajan une somme aussi élevée pour des êtres aussi endommagés, qui seront désormais entièrement à leur charge et ne les repaieront jamais.

Mais il est des niveaux de mesquinerie auxquels elle ne s'abaissera tout de même pas, ou pas sans raison majeure. Blesser Sigismond n'en est pas une. Et, comme il le dirait sans doute, la Charité n'est jamais perdue. Il a accepté ces deux malheureux placés sur son chemin par la Divinité. Elle en fera autant. On verra bien de quel côté volera le Dragon Fou.

Elle pousse la porte, voit sans surprise Agnès au chevet de la jeune fille. Sigismond n'aimerait pas la trouver là – mais pourquoi lui épargner le spectacle de ce que les humains sont capables de s'infliger entre eux ?

Sous le crâne brutalement rasé, le visage gonflé et tuméfié est à peine humain d'ailleurs, si enflé qu'il semble plutôt un de ces monstres nés de cauchemars des marais, lèvres éclatées, nez cassé, paupières bouffies dans un violent arc-en-ciel de noir, d'écarlate et de mauve. La malheureuse a été sauvagement battue, puis fouettée, elle a au moins deux côtes brisées, son dos et sa poitrine sont lacérés comme par les griffes d'un tigre en furie, ses poignets et ses chevilles déchirés là où elle s'est débattue dans ses fers. Pendant la demi-journée de leur retour à Sainte-Pierre, les ecclésiastes du *Sigismond* ont fait leur possible – et sans doute Chéhyé aussi, discrètement : les côtes au moins ont été soudées afin de ne point percer les poumons, et les plaies refermées et pansées ; mais ce psychosome ravagé ne pouvait collaborer davantage à sa guérison.

« Va-t-elle s'en aller, Maman ? » murmure Agnès.

Elle est aussi apitoyée qu'horrifiée – mais sans effroi : c'est bien.

« Non, ma chérie. Nous pouvons l'aider mieux et plus vite que les mages du *Sigismond*, heureusement.

— Pourquoi ?

— Parce que nous ne subissons pas le contrecoup comme eux et pouvons lui éviter en grande partie le sien. Regarde-moi. »

Elle l'a dit en mynmaï, le signal pour Agnès de recourir aux perceptions de son talent. Devrait-elle lui dire aussi de ne pas intervenir ? Mais elle est curieuse de savoir ce que fera l'enfant. Imprévisible Agnès, qui appartient davantage à Hyundigao qu'au Phénix… mais il n'y a pas de médaillon pour le Dragon Fou.

Elle s'ouvre à son tour et prend entre les siennes la pauvre main aux doigts écrasés, avec délicatesse, même si les mages ont rendu la jeune femme insensible à sa douleur. Il va falloir la lui rendre, hélas, ne serait-ce que quelques secondes, le temps d'aller chercher cette psyché affolée à la lointaine extrémité de son fil distendu, pour la ramener à sa chair martyrisée.

Le psychosome de la jeune fille se convulse brièvement. Mais Ouraïn est là pour l'enlacer, et déjà Dinh et Tchèn s'en sont emparés pour en laisser la substance se diffuser en eux à travers la sienne, et autour d'eux ensuite, une mélodie d'abord discordante mais que lissent peu à peu les vagues ardentes et pourtant douces du monde. La rage et la haine sont devenues lointaines, comme rêveuses, le psychosome de la jeune fille se détend et se laisse caresser. Dinh et Tchèn dansent aussi à l'intérieur des chairs meurtries, avec Ouraïn – et la petite étincelle d'Agnès, qui les a rejoints et les imite.

Cela fait un peu mal de se laisser traverser ainsi, mais ce n'est rien si cela peut aider la pauvre demoiselle. Et Agnès regarde, tout en dansant avec Maman et Dinh et Tchèn : sous la peau, comme dans une éponge mais rouge, les tissus dentelés se reconstituent, les réseaux vibrants des nerfs et des tendons se renouent ; à la surface, les lèvres des plaies se rapprochent plus fermement tandis que se retricote peu à peu le psychosome effiloché.

Pas entièrement, pourtant. La mélodie rêveuse se fait de nouveau discordante, elle se cabre, elle résiste, elle refuse. Agnès voudrait continuer, mais Maman la retient. *Pas tout de suite.*

Pourquoi ?

La psyché se souvient plus longtemps que le soma. Et nous ne pouvons pas l'obliger à oublier. Elle devra le faire par elle-même. Nous pourrons l'y aider aussi, mais autrement.

Agnès éteint son talent et se rend compte, surprise, que Maman l'avait prise dans ses bras. Et qu'elle est très contente, car elle l'embrasse en souriant. « Tu as très bien fait, ma chérie. »

Elle lui rend son baiser, toute fière. « Et le monsieur ?

— Dinh et Tchèn peuvent s'en occuper sans nous. Viens, c'est l'heure de ton bain. »

Mais, une fois reposée à terre, Agnès ne se laisse pas tout de suite tirer vers la porte. Elle contemple le visage de la demoiselle, qui présente maintenant des couleurs et des volumes moins affreux, même si les cicatrices des blessures sont encore visibles. Cela fait bizarre tout de même, avec ce crâne tout rasé.

« Comme s'appelle-t-elle, Maman ?

— Elle ne veut pas s'appeler pour l'instant », dit Maman avec tristesse.

Agnès considère la réponse, perplexe : « Mais nous, il faudra bien. »

Maman penche un peu la tête de côté. « Et si le nom que nous lui choisissons lui déplaît ? C'est très important, un nom, Agnès. »

Agnès penche la tête, en miroir : « Comment tu as choisi mon nom, Maman ? »

Maman semble amusée : « Le monde me l'a donné, parce que je l'écoutais.

— Nous n'avons qu'à écouter le monde, alors, et il nous donnera un nom pour elle », dit Agnès, illuminée.

Elle va à la fenêtre ouverte sur la fin plus tiède de l'après-midi, s'accoude au balcon de fer forgé, dressée sur la pointe des pieds. Devant elle, la pelouse du jardin, les buissons de roses et d'hibiscus. *Rose*. Non, c'est trop joli, trop doux, même si les roses ont des épines. Et la demoiselle n'a pas la peau rose. Plutôt cuivrée. *Hibiscus*, ce n'est définitivement pas un nom de demoiselle. *Gloriette* – elle se retient de pouffer de rire ; c'est sérieux, un nom, et puis, il faut écouter le monde, pas le forcer.

Un petit oiseau aux reflets de bronze iridescents vient se poser dans le buisson de lauriers-roses, juste devant elle. Elle retient son souffle. Il la regarde de son œil rond et noir, d'un côté, puis de l'autre, ouvre soudain le bec sur une trille à la fois aiguë et liquide : *li-li-li*. Il la regarde encore, en répétant : *li-li-li*, puis, après une phrase plus longue et plus compliquée qu'elle ne comprend pas, il s'envole dans un brusque froufroutement d'ailes.

Agnès se retourne, toute joyeuse : « Li-li, Maman, l'oiseau a dit. Est-ce que ça peut être un nom de fille ? »

Maman ne répond pas tout de suite : « Sais-tu ce qu'est cet oiseau, Agnès ? » dit-elle enfin.

Agnès réfléchit : « La voix du monde ? »

Un bref sourire adoucit le visage d'Ouraïn : « C'est aussi un oiseau de Mynmari, une *huétlin*. Elles viennent rarement si loin à l'ouest. Mais tu as raison. Le monde a parlé. »

Agnès retourne près du lit et prend la main de la demoiselle. Elle se penche vers elle et murmure avec la gravité requise : « Tu es Li-Li, maintenant. »

Les paupières de Li-Li frémissent. Et puis, comme si elle avait entendu, ses yeux s'ouvrent à demi sur un regard encore vague, qui se concentre peu à peu. Le soleil baisse à la fenêtre et, dans ces iris très noirs, Agnès peut presque se voir, à contre-jour : son visage indistinct et, tout autour, l'auréole flamboyante de la lumière dans ses cheveux.

41

D'une voix étranglée, en se forçant à arracher les mots l'un après l'autre à son incrédulité horrifiée, Pierrino souffle : « Il a épousé sa… ? » Sa voix s'éteint. Existe-t-il un terme pour désigner la parenté d'un petit-fils avec la première enfant de son aïeul, issue d'un autre lit ?

Haizelé lui met vivement une main sur le bras, avec une compassion désolée : « Non, non. Et Agnès n'était pas sa fille. Il y avait… un autre homme. Je ne l'ai pas rencontré à Sainte-Pierre, mais plus tard, à Venise. »

Elle prend la fourchette de Pierrino de ses doigts sans force, la pose près de son assiette.

Il se sent flotter dans le même engourdissement qu'après la lecture des premiers carnets. Il ferme presque les yeux en se laissant aller contre le dossier de son fauteuil, soudain saisi d'une immense fatigue. Mais, en serrant convulsivement les accoudoirs, il se force à rouvrir les paupières, il prend de grands et lents respirs pour s'obliger à rester là, dans cette cabine à bord de *L'Aigle des Mers*, en face de Haizelé qui le dévisage avec anxiété. Puis, lorsqu'il pense pouvoir parler, il dit : « Grand-père n'est pas Grand-père. »

La phrase résonne en lui de façon étrangement satisfaisante. Quand bien même Grand-mère serait… il n'arrive pas à formuler complètement la phrase, se concentre plutôt sur le reste de sa pensée : il n'est pas un vrai Garance. Divine merci, la lignée est interrompue entre Gilles et lui.

Il desserre son étreinte sur les accoudoirs, force tous ses muscles à se détendre. Grand-père n'est pas son grand-père, comme le vieux monsieur d'Olducey ne l'était pas. C'est très bien ainsi. Jacquelin d'un côté, et de l'autre cet homme inconnu. Tout vaut mieux, même un inconnu.

« Qui était-ce ?

— Il portait à Venise le nom de Robert-Marie Nathany. »

Le visage de Haizelé s'est assombri de nouveau. Elle joue distraitement avec ce qui reste de nourriture dans son assiette.

« Pierrino, à quelle date s'arrêtaient les carnets que vous avez lus ?

La question est imprévue : « À la fin de l'année 1636.

— Avant la naissance d'Antoine », murmure Haizelé, les sourcils légèrement froncés. « Y parle-t-elle de Clément ?

— Quel rapport avec le véritable père d'Agnès ?

— Répondez-moi, je vous en prie, dit-elle.

— Il projetait de se marier, mais… »

Il hésite, incertain, alerté par l'intensité presque hagarde des yeux noirs rivés aux siens.

« Clément était Gilles, Haizelé », murmure-t-il enfin.

Elle semble se pétrifier sur place. Il n'y a plus que ces yeux qui flamboient dans ce visage livide. Pierrino balbutie : « Sûrement, vous vous en doutiez ? Les effets de l'ambercite… »

Après un moment où Pierrino décontenancé ne sait que dire, que penser, elle se lève brusquement et va ouvrir la porte de la cabine pour crier dans la coursive : « Amenez-moi Tun'gâk ! »

Elle referme la porte, avec une douceur inquiétante, se met à marcher de long en large dans la cabine.

À la fin, Pierrino, abasourdi, répète : « Quel rapport avec le véritable père d'Agnès ? »

Mais elle lève une main sans répondre, comme pour lui intimer de faire silence. Un peu ulcéré, après une hésitation, il finit son assiette de riz et commence d'éplucher une orange.

La porte s'ouvre sur Chéhyé, toujours égal à lui-même, impassible.

Haizelé se retourne vers lui d'un mouvement brusque : « Chéhyé, tu te trouvais avec Sigismond lors de l'attaque du domaine, n'est-ce pas ? »

Le vieillard la dévisage sous ses paupières mi-closes. Puis il jette un coup d'œil à Pierrino.

« J'ai rencontré ton cousin à Garang Xhévât », dit Pierrino.

Le visage du vieil homme change à peine.

« Réponds à ma question, dit Haizelé d'une voix tranchante.

— Oui, dit Chéhyé.

— Sigismond était Antoine.

— Oui », répète le vieillard.

Pierrino demeure paralysé et, en même temps, il a l'impression qu'une nouvelle chaîne de rouages s'enclenche dans sa tête. Il les voit presque, il en entend presque le cliquetis inéluctable.

« Et Antoine était Clément », reprend Haizelé, toujours sans inflexion interrogative.

« Oui.

— Et où se trouvait Ouraïn ? »

C'est Pierrino que Chéhyé regarde à présent. La réponse vient plus lentement.

« À Garang Nomh », dit le Ghât'sin à mi-voix. Après une petite pause, il conclut : « … avec l'enfant de Gilles. »

42

Ouraïn regarde Dinh placer le plateau du thé sur la table bouillotte, avec ses deux tasses, et l'assiette de biscuits croquants aux amandes. Les pas se rapprochent dans le couloir : Tchèn et le visiteur. La porte s'ouvre, il entre, Dinh sort, la porte se referme.

Il reste un instant figé, sans pouvoir maîtriser sa stupeur – elle est vêtue à l'européenne, mais elle s'est installée dans la lumière de la fenêtre de façon à être parfaitement visible depuis l'entrée. Puis, avec une surprenante rapidité, il se reprend et s'avance vers elle, chapeau à la main, d'un pas tout de même un peu hésitant, sans la quitter des yeux.

« Je me demandais quand vous viendriez nous rendre visite, Monsieur Archer », dit-elle avant qu'il ait pu ouvrir la bouche.

Il ne réagit pas tout de suite et, lorsqu'il le fait, ce n'est pas comme elle l'aurait cru : il esquisse un léger sourire. « Nous nous sommes croisés au large de Singapour, je crois bien. Et il m'a fallu plus de temps que je ne le pensais pour revenir, ayant rencontré quelques obstacles en route. »

Deux pirates et une frégate hutlandaise. Il en porte la marque au flanc droit. Mais il ne précise pas davantage. A-t-il déjà tout deviné ?

Après un petit silence, il reprend, sans inflexion interrogative, sans inflexion du tout, même, une simple constatation : « C'est vous qui m'avez rassemblé. »

Elle incline la tête : « On vous a amené chez nous au domaine Garance. Une ecclésiaste qui vivait avec nous a effectué la procédure. Je n'use pas de mon talent, mais je le prête en synergie. Ce… surcroît de magie l'a poussée à tenter une expérience malheureuse, pour suspendre votre talent avant que vous ne soyez rassemblé. Quelque chose a mal tourné. Ces opérations sont délicates, vous le savez. Et vous étiez suspendu depuis si longtemps… »

C'est presque la vérité, après tout.

Il ne dit rien, il la dévisage avec intensité. Elle est contente de lui – elle est contente d'elle : il est en excellente santé. Il l'ignore encore, mais d'une certaine façon, l'avoir excommunié lui a sauvé la vie : il serait mort rapidement, vidé de sa substance comme tous les trop vieux lazares ; mais tel qu'il est là, il vivra longtemps : le temps passe lentement, très lentement, dans la Maison où son psychosome a été exilé. Il finira bien par s'en rendre compte. Ou même elle le lui dira. Mais pas pour le moment.

« J'allais prendre le thé. Me tiendrez-vous compagnie ? »

Il s'assied avec des mouvements économes dans le fauteuil qu'elle lui désigne. Il remarque certainement les deux tasses, mais sans offrir de commentaires. Elle verse le thé joliment ambré. Nathan songe-t-il – comme Gilles l'a dit si souvent – que c'est un peu la couleur de ses yeux ? Mais non, il doit plutôt être plongé dans les images de son rêve soudain en partie matérialisé. La première surprise pour elle, ce rêve.

La seconde, c'était la vision du capitaine islamite. Une preuve de plus que la Déesse lui sourit, et qu'elle a lancé les dés du bon côté.

Il prend une gorgée de thé, repose dans la soucoupe la tasse qui tremble malgré tout légèrement entre ses doigts.

« Votre époux sait-il que vous êtes une talentée ? » dit-il.

Oui, décidément, c'est plus plaisant d'être surprise ainsi.

« Il le sait. »

Il ne s'exclame pas : "Et il n'en a jamais rien dit ?" mais, après une petite pause réfléchie, il demande : « Cela faisait partie du pacte des Garance avec votre clan ? »

Cet homme pense vite et loin. Sans rien lui dire qu'il ne sollicite, elle a décidé d'être la plus véridique possible avec lui. Elle fait tourner sa petite cuillère de vermeil dans sa tasse.

« Je n'en connais pas les détails. » Elle relève les yeux : « On n'explique pas à un pion pourquoi on le déplace. »

Une phrase à double tranchant, s'en doute-t-il ? Mais ce n'est pas comme si elle déplaçait Nathan Archer : depuis qu'il a franchi leur seuil, elle ne l'observe plus, elle ne l'observera plus. Elle se l'est promis. Cet homme est désormais imprévisible et impénétrable pour elle – un véritable présent du Dragon Fou.

Il réfléchit de nouveau en silence. Et oui, elle est curieuse, un sentiment nouveau, intéressant. Va-t-il demander à présent si la magie indigène existe depuis toujours dans ce fameux clan, et pourquoi la famille Garance l'a dissimulé ?

« Nul autre n'est au courant, parmi les géminites », dit-il plutôt, et c'est encore une constatation.

Elle arrête la tasse au bord de ses lèvres, le temps de dire : « Non », et prend une autre gorgée.

Un autre temps de réflexion, dont elle n'a que la conclusion : « Et qui me croirait, n'est-ce pas ? » dit Archer avec un petit sourire ironique.

Elle le dévisage, surprise une fois de plus, mais d'elle-même et non de lui : « Je n'y avais pas songé ainsi, mais oui, en effet. » Elle prend un biscuit, y mord délicatement. « Vous pourriez cependant nous créer bien des ennuis.

— Les Garance jouissent encore de bien trop de prestige pour être atteints par les ragots d'un homme tel que moi, Madame, surtout excommunié par accident. »

En deux coups de dents, elle termine le biscuit. « Les piédestaux les plus élevés sont les plus fragiles, si les circonstances s'y prêtent. »

Il sourit, presque indulgent : « Rassurez-vous, Madame, ce n'est pas dans ma nature. »

Ah, elle aurait dû y penser : autrefois talenté d'origine christienne, il est accoutumé à la dissimulation et il peut en comprendre la nécessité comme les avantages. Il n'est pas allé trouver des ecclésiastes à Maria-Negra, ni avec son rêve récurrent pourtant bien étrange, ni avec ses souvenirs revenus : il a plutôt accompli un périlleux voyage de milliers de milles pour venir rencontrer les Garance.

Ayant pris un biscuit à son tour, il le grignote d'un air songeur.

« Pourquoi ne pas m'avoir gardé au domaine ? » dit-il soudain.

Elle était prête à cette question-là. « Que savez-vous de l'histoire des géminites en Émorie, Monsieur Archer ? Et plus spécialement celle des premiers temps ? »

Il réfléchit encore et, curieuse de nouveau, elle en attend le résultat. Va-t-il évoquer le tout premier mensonge de Gilles, cette fois ? Il a bien dû remarquer qu'il n'est nulle part fait mention de la suspension de ce dernier lors du naufrage – et donc de son nécessaire rassemblement par un mage indigène ; mais comme la magie mynmaï est censée avoir disparu à peu près de ce moment-là à cause de la Prophétie, il en a peut-être seulement tiré la conclusion que Gilles, pour une raison ou une autre, a voulu dissimuler ce détail, peut-être pour détourner l'attention de sa relation passée avec lui, un talenté non géminite – ce qu'il comprendrait assez aisément, compte tenu de ce qu'il sait du passé difficile de Gilles avec le Magistère.

Il hoche lentement la tête, sans la quitter des yeux. « La Prophétie. Le Fantôme Blanc qui ne pourrait toucher ni être touché… »

Elle retient un sourire. Elle comprend maintenant pourquoi Gilles aimait tant Nathan Archer : ils pensent un peu de la même façon, loin et large. Ou bien Gilles l'a-t-il appris de Nathan ? Curieux comme ce qui la révolte tant chez l'un lui semble admirable chez l'autre.

« Il était plus sûr pour tout le monde que vous ne restiez pas en territoire émorien, compte tenu des circonstances.

— Je comprends. »

Elle ne se retient pas, car c'est une question légitime : « Vous ne lui en gardez donc pas rancune ? »

Il sourit encore : « Ce n'est point dans ma nature non plus, Madame. Il était jeune. J'aurais sans doute agi de même à sa place. On m'a fort bien traité à l'hospice de Maria-Negra. Je n'y ai jamais manqué de rien, et lorsque j'en ai été capable, on m'y a offert du travail que l'on m'a bien payé. Sur sa recommandation, sans aucun doute. »

Tant pis. Compte tenu de ce qu'elle sait désormais de cet homme, un immédiat désir de vengeance aurait été de toute façon improbable.

« Ne désirez-vous pas le rencontrer ?

— Plus maintenant, dit-il après une petite pause. Ce serait une rencontre inutilement embarrassante pour lui, après tout. »

Il boit quelques gorgées de thé, repose sa tasse sur la soucoupe avec un petit cliquetis de porcelaine.

« Vous ne pouvez rien pour ma condition. » Ce n'est pas non plus une question.

« Hélas, non. »

Elle le regrette, tout d'un coup. Cet homme est décidément plaisant. Malgré sa petite taille et sa minceur, et surtout malgré son état, il est imbu d'une force étonnante, presque sereine. Il se permet même d'être généreux, et délicat ! Elle se demande, un peu honteuse, comment elle a pu croire un instant qu'il essaierait d'exercer un chantage sur elle, sur eux.

Dinh et Tchèn essaient de retenir Agnès dans le couloir, mais non, qu'elle vienne donc, cela ne pourrait tomber plus à point. Et sans être enveloppée de l'illusion habituelle, bien entendu.

L'enfant s'arrête sur le seuil de la porte, soudain embarrassée de son élan de curiosité, mais Ouraïn lui sourit et la petite vient se presser contre elle, tout en surveillant le visiteur du coin de l'œil. Et enfin elle n'y tient plus : « Maman, pourquoi il n'est pas vraiment là, le monsieur ? »

Elle ne répond pas, attentive à la réaction de Nathan, et cette fois-ci, c'est quand même ce qu'elle attendait. Il se tourne vers elle en balbutiant : « Votre fille ?

— Oui. »

Il ne s'exclame pas : "N'est-elle pas censée n'avoir que deux ans ?" ou : "Elle est bien grande pour son âge !" Il observe de nouveau Agnès. Ses yeux s'arrêtent sur le collier – plumes, perles, coquillages, petits morceaux de bois sculpté. Son collier à lui. Le reconnaîtra-t-il ?

Encore un moment de réflexion, et il se lève pour aller s'accroupir devant l'enfant : « Je suis là, dit-il, raisonnable, puisque tu me vois. »

Agnès se mord un peu la lèvre inférieure : « Mais vous êtes à côté.

— À côté de quoi ? »

Le ton de sa voix en fait un jeu, et la petite se détend avec un sourire : « Dans la Maison de l'autre côté. »

Il réfléchit, impassible.

« Toi aussi, alors, puisque tu me vois à côté, comme ta maman.

— Oh, nous », dit Agnès avec un petit mouvement de menton qui fait danser ses boucles rousses, « nous voyons partout. »

Il l'observe encore en silence.

« Tu t'appelles Agnès, n'est-ce pas ? Moi, c'est Nathan. Quel âge as-tu, Agnès ? »

L'enfant se tourne vers Ouraïn, qui hoche la tête, à la fois satisfaite de constater que les leçons de discrétion ont bien pris, et pour lui signifier qu'elle peut répondre.

« Je suis une Natéhsin, dit-elle avec fierté. Je ne vieillis pas comme tout le monde. »

Encore une autre petite pause silencieuse. Puis Nathan désigne le collier du doigt.

« Tu as un bien joli collier.

— C'est mon papa qui me l'a donné.

— Est-ce un collier magique ? » demande-t-il, toujours d'un ton enjoué.

« Non, c'est un collier de souvenirs.

— Tu es sûre ?

— Mon papa me l'a dit.

— Je peux le toucher ? »

Elle penche un peu la tête sur le côté, puis décide, généreuse : « Oui. »

Il le soulève d'un doigt, et maintenant, il voit le pendentif que dissimulait le collier. Le pendentif à cinq côtés où chante en silence le phénix aux yeux d'ambrose.

Il se relève un peu rapidement, pour masquer son soudain vacillement, et la petite vient se coller contre les cuisses d'Ouraïn.

Il lui sourit : « Ce sont deux très beaux colliers », dit-il d'une voix légèrement enrouée. « L'autre aussi, ton papa te l'a donné ?

— Non, le phénix, c'est Maman. »

Les domestiques apparaissent sur un appel silencieux pour emmener Agnès.

« La Divine est avec vous, Monsieur Nathan, dit-elle, très grande dame.

— Et avec vous, Mademoiselle Agnès », répond-il avec le même sérieux.

Il se rassied. Après un long silence, pendant lequel elle attend en buvant le reste de son thé à toutes petites gorgées, il remarque : « Elle a vos yeux. »

Et autant elle en a été irritée, lorsque Sigismond a fait cette remarque, autant elle en éprouve un curieux plaisir à présent, parce qu'il n'a pas dit "Elle ressemble à son père".

Il l'observe avec attention, avec toujours ce calme si agréable. Même sa curiosité n'est pas menaçante : « Pourquoi me laisser savoir tout cela ? »

Elle s'entend répondre, sincère de bien des façons : « Parce que je vous le dois. »

Il hoche la tête. Finit son thé. Se lève : « Je ne vous ferai pas perdre davantage votre temps, Madame. »

Elle a envie de le retenir, une impulsion qui la surprend, à laquelle elle s'abandonne – ils vivent tous deux sous l'égide du Dragon Fou, désormais.

« Ce n'est pas un dérangement. Je ne reçois guère de visite. » Elle le dévisage, consciente et vaguement amusée de chercher un prétexte. « Ne puis-je rien faire d'autre pour vous ? Avez-vous… un logement, un emploi ? »

Elle le sait bien : Robert-Marie Nathany travaille chez un herboriste de la rue des Jésuites et loge dans une chambrette sous les combles de son employeur.

« Oui, Madame, merci.

— Si vous avez quelque besoin…

— Ce ne sera pas nécessaire, Madame. » Mais il plisse soudain un peu les yeux. « Peut-être pourriez-vous satisfaire une de mes curiosités, cependant. »

Ah. Laquelle aura-t-il choisie, parmi toutes celles qu'il doit entretenir ?

« Les histoires les plus folles courent sur l'ambercite. On dit que les marins des bateaux qui la transportent jouissent d'une vie plus longue et saine que l'ordinaire. Est-ce vrai ? »

Répondre trop directement serait peut-être suspect.

« L'ambercite n'est point magique, Monsieur, vous devez le savoir.

— Elle pourrait avoir cet effet tout en étant des plus ordinaires. »

Elle sourit : elle a tendance à oublier qu'il ne pense pas comme un géminite. « Ne le saurait-on pas ? »

Il hausse un sourcil et réplique avec un petit sourire à son tour : « Eh bien, pas nécessairement, Madame. D'ailleurs… – son expression est redevenue grave et pensive – … il ne le faudrait point, pour personne. » Il la regarde bien en face : « N'est-ce pas ? »

Elle n'est pas certaine de ce qu'il veut dire, mais elle n'ira pas chercher de réponse en lui. Elle envisage plutôt plusieurs répliques, soudain ravie de son incertitude, et, en lui rendant son regard entendu, choisit la meilleure, celle qui dira tout en ne disant rien : « En effet, Monsieur. »

Il hoche la tête. Qu'a-t-il déduit, que déduira-t-il de cette confidence ? Seul le Dragon Fou le sait.

Il amorce un mouvement vers la porte. Elle se lève pour l'accompagner et, obéissant à une autre impulsion, elle demande : « Nous reverrons-nous ? »

Il lui lance un regard de côté, surpris : « Le désirez-vous, Madame ? »

Elle choisit encore la franchise : « Comme je vous l'ai dit, je ne reçois guère de visites. Et aucune qui… m'intéresse. Vous avez connu Jakob Ehmory. Et Gilles Garance. J'aimerais en connaître la véritable histoire. » Elle sourit encore. « Et vous-même êtes assez unique, Monsieur Archer, si j'en crois le peu que racontent les livres à votre propos. Tous ces voyages… »

Et vous ne m'avez pas conté votre rêve, mon ami, ni cette bizarre prophétie de Singapour, et j'aimerais fort savoir ce que vous en pensez, vous.

Il l'observe toujours.

« Votre époux n'y verra-t-il pas quelque inconvénient ? » Ce n'est pas une intonation galante mais celle d'un véritable souci.

Elle ose, attentive à sa réaction : « Puisque vous ne désirez pas le rencontrer, mon époux n'a nul besoin de savoir votre visite, ni les prochaines. »

Il hausse quand même un peu les sourcils : « Et de votre côté, me conterez-vous, Madame, la véritable histoire de l'Émorie ? »

Elle penche un peu la tête de côté, en feignant l'incertitude, cette fois. « Ce que j'en pourrai. Comme je vous l'ai dit, je n'étais qu'un pion. Mon époux serait mieux placé que moi pour cela. »

Il l'observe encore, les yeux un peu plissés. Puis avec un aimable sourire et une légère courbette, il lui tend la main : « Dans ce cas, Madame, je serai fort heureux de vous divertir un peu. »

Elle prend la main tendue, la serre – une main chaude, franche et nette : « Vendredi prochain à la même heure, si vous êtes libre ? »

— Je le serai, Madame. »

Nous le serons peut-être tous un jour, mon ami.

Alors qu'elle va pousser la porte, celle-ci s'ouvre, sur Tchèn. Ouraïn se fige : drapé nonchalamment dans les bras du domestique, une forme noire à la tête rousse cligne de ses yeux dorés en bâillant.

Sans un mot, Tchèn dépose le chat à terre. Tchènzin regarde autour de lui, puis se dirige vers Nathan qui s'accroupit avec un temps de retard. Le chat renifle la main tendue, puis la bute de son museau, avec un début de ronronnement. Nathan caresse l'échine arquée. Le ronronnement devient plus sonore, puis le chat s'écarte d'un pas délibéré à la rencontre des deux korats sortis de leur cachette.

Ouraïn regarde fixement Nathan qui se relève, stupéfait : « Ce chat m'a suivi sur le bateau, depuis Garang Nomh. Mais il a disparu lorsque j'ai débarqué à Sainte-Pierre. Je pensais… Je vais vous en débarrasser. »

Elle réussit à dire : « Non. C'est un de nos chats », tout en regardant les korats se frotter contre Tchènzin. « Je le croyais perdu. »

Et elle ne l'a pas vu tandis qu'elle observait Nathan dans ses périples, jamais. Tchènzin, la monture des Dragons. Elle sourit. Allons, il y aura cinq chats pour se souvenir avec elle et avec Agnès, désormais.

Et vous, Monsieur Archer, vous êtes véritablement le présent que m'a fait le Dragon Fou.

43

« Lily !

La petite silhouette s'élance en arrachant son masque et Haizelé s'accroupit pour la recevoir dans ses bras. Elle la serre contre elle en aspirant son parfum familier de bergamote. Ouraïn les observe en souriant. Ce doit être étrange pour Haizelé, car Agnès était bien plus petite la dernière fois qu'elles se sont vues, il y a six mois. Elle avait six ans, et elle a grandi d'un seul coup : son soma est désormais celui d'une enfant d'au moins dix ans. Et sa psyché aussi, car la petite s'écarte en fronçant un peu les sourcils puis éclate de rire : « Tu es déguisée en capitaine corsaire ! » L'ancienne Agnès n'aurait pas compris la plaisanterie.

« Et toi ? » demande Haizelé en se relevant. Agnès porte un justaucorps à larges manches, le tout cousu d'innombrables petites languettes de soie multicolores qui évoqueraient des écailles si l'extrémité n'en était laissée libre et frémissante. Agnès ramasse le masque si cavalièrement abandonné et s'en couvre la tête : une ingénieuse fabrication de carton et de papier mâché forme sur le devant une gueule hérissée de dents carrées, avec deux gros yeux surmontés de sourcils froncés sous un jaillissement de plumes jaunes et bleues, s'allongeant à l'arrière en une crête également emplumée, mais de véritables petites plumes. Coudre tout cela a pris un temps incroyable. Dinh et Tchèn y ont contribué davantage qu'Agnès, malgré la coutume du Festival des Loups. Elle a fabriqué et peint le masque elle-même, cependant. Elle est douée pour ce genre de choses. Haizelé dira sans doute qu'elle tient de son père, songe Ouraïn avec une lointaine irritation.

« Je suis le Serpent à plumes, Questalcoat ! » dit-elle d'une voix légèrement caverneuse.

« Quetzalcoatl, rectifie Ouraïn. Décidément, nous aurions dû te le faire répéter à chaque plume qu'il a fallu coudre ! » Elle s'avance à son tour, mains tendues : « Ma chère Lily, nous commencions de nous inquiéter.

— Je vous avais promis d'être là, ma très chère Aurore. Une petite tempête nous a forcés à un détour, au large de Chypre. Nous venons d'arriver. Du coup, j'ai dû improviser quelque peu en fouillant dans les vieilleries. »

Elles s'embrassent. Ouraïn se détache la première pour examiner Haizelé avec amusement. La capitaine tourne sur elle-même, bras levés, puis se met à rire en tapotant la garde à l'ancienne de son sabre démodé : « Tout est absolument authentique, je puis le garantir !

— Et des plus impressionnants ! » s'exclame la voix de Gilles dans son dos. Haizelé se retourne avec un large sourire, qui se mue en un autre éclat de rire : Gilles, dont on ne voit pas un seul cheveu roux, fait une princesse atlandienne quelque peu athlétique et d'une origine indéterminée, mais c'est une splendeur exquise en jade et turquoise, coiffée d'un bandeau ornementé de petites perles de couleurs d'où jaillit une couronne de plumes d'autruche d'une extravagante hauteur ; sur la poitrine repose une collerette miroitante dont les couleurs sont reprises par les larges bracelets aux bras nus et aux chevilles découvertes par la tunique magnifiquement brodée.

Elle l'étreint à son tour : « Eh bien, Monsieur Antoine, les Atlandies sont à la mode cette année !

— Avec la délégation des Sept Nations qui se promène dans les royaumes géminites, il ne faut point s'en étonner. Heureusement, elle ne se trouve pas à Venise en ce moment, nous risquerions peut-être un incident diplomatique avec nos costumes de fantaisie, Agnès et moi. Rahyan n'est pas venu, en fin de compte ?

— Non. Se déguiser, même en autre chose qu'en femme, ne l'amuse décidément pas. Il préfère s'occuper du bateau.

— Pas trop de dégâts, cette tempête ?

— Le cargo a été un peu brassé. Rien de grave. »

Dinh, entré derrière Gilles, dispose les deux boîtes sur le guéridon.

« Je vous ai apporté… », dit Haizelé, inutilement, car Agnès s'exclame « Des cadeaux ! » en ôtant de nouveau son masque pour aller examiner les rubans et en ajoutant : « Lequel est le mien ?

— Agnès ! » proteste Gilles, plus amusé que sévère.

Haizelé se met à rire aussi : « Eh bien, je suis heureuse de voir que tu n'as pas grandi tellement que cela. Le vert, bien sûr. »

Agnès, rappelée à l'ordre, prend le temps de dénouer les rubans et ne déchire pas le papier. Après avoir ouvert la boîte, elle laisse échapper une exclamation admirative. Elle n'a vraiment plus six ans : elle aurait plutôt été déçue d'un tel cadeau, auparavant.

Elle a sorti le miroir et le tient à bout de bras pour l'admirer, même s'il est un peu lourd, puis se retourne avec un grand sourire ravi pour le montrer à ses parents.

Gilles va le prendre des mains de la petite pour l'examiner de plus près : « Quel travail splendide, ma chère Lily ! Magyar ?

— Oui, XVe siècle. C'est un ensemble de deux miroirs identiques, je me suis gardé l'autre. Je les ai trouvés à Chypre. »

Agnès reprend jalousement possession du miroir pour en examiner de près les détails, elle aussi.

« On m'a garanti qu'ils sont magiques », ajoute Haizelé, avec un coup d'œil amusé à Ouraïn. « Si l'on y regarde en pensant très fort à une personne qui est au loin, on peut la voir, et elle peut vous voir aussi. »

Un petit silence, puis Agnès fronce les sourcils : « Mais ce n'est pas vrai. » Elle a vérifié avec son talent, évidemment.

« Eh bien », dit Haizelé avec un autre petit sourire à Ouraïn, « si tu le désires, ce peut sans doute l'être. »

◆

Elle voudrait rester avec Haizelé que regarde Ouraïn, mais la pente est trop forte et, terrorisée, elle bascule irrésistiblement dans Agnès-aux-yeux-bleus.

◆

Agnès les dévisage tous les trois tour à tour, dé-concertée, puis elle comprend la plaisanterie et esquisse une moue de regret en soupirant : « Il vaut mieux pas. » Ce serait pourtant bien agréable si elle pouvait voir Papa ou Lily chaque fois qu'elle en a envie.

Elle n'a pas besoin de regarder son père pour savoir qu'il est un peu agacé, et voit du coin de l'œil le léger hochement de tête approbateur de sa mère. Elle caresse le miroir en baissant les yeux. Quand ils sont là tous les deux ensemble, elle ne sait jamais lequel elle doit satisfaire.

Mais le cadeau est très joli, ce petit miroir rond, ancien, car le tain est tout doré au lieu d'être argenté. Peut-être est-ce voulu, puisqu'il n'y a pas de taches ni de rayures comme dans les vieux miroirs. Le cadre qui l'encercle est plus large que la glace elle-même : des fleurs stylisées, des arbres, des oiseaux et des animaux tout en cloisonné d'or, avec des couleurs vives où dominent le bleu et un rose très vif, presque rouge. Agnès le met à la bonne distance afin de pouvoir distinguer son visage entier. Elle se retourne vers Lily, ravie : « J'ai encore les mêmes yeux que Maman, là-dedans !

— Oui, cela m'évoquait la couleur de tes yeux, autrefois. »

◆

L'horreur incrédule la rend à elle-même, un bref instant. Elle se débat, mais en vain, elle est comme prisonnière entre la surface du miroir et son reflet dans le regard d'Agnès. La seule, l'unique Agnès.

◆

Après avoir reposé le miroir sur la petite table, Agnès se précipite vers Lily pour l'embrasser encore. Le cadeau, c'est très bien, mais que Lily soit là, et qu'on ne doive pas lui mentir, c'est encore mieux ! Elle est si contente que Papa l'ait mise au courant avant leur départ de Sainte-Pierre ! C'était trop triste de penser au chagrin de Lily et de Rahyan s'il leur avait dit qu'elle était morte. C'est bien mieux ainsi. D'ailleurs, Papa n'a pas l'air de regretter de leur avoir dit la vérité.

Et maintenant, Lily est revenue avec le *Sigismond*, et c'est le Festival des Loups à Venise et elle va pouvoir aller au Bal des Enfants tout à l'heure avec elle et Papa ! N'est-ce pas merveilleux ? Elle n'aura pas à se déguiser lorsqu'on ôtera les masques puisqu'elle a vraiment dix ans, maintenant, l'âge qu'est censée avoir la seconde Agnès. Heureusement que l'igaôtchènzin est arrivée bien avant le Festival. Papa n'avait plus aucune raison de refuser qu'elle aille au bal costumé. Il a été bien surpris de la trouver si grande en rentrant de son voyage à Rome !

C'est agaçant, tout de même. Les igaôtchènzin arrivent n'importe quand, pas forcément juste avant une de ses "bouffées de croissance", comme il dit : impossible de prévoir quand elle va grandir, ni de combien d'années. Encore heureux qu'elle les sente arriver, ces absences ! Mais du coup, elle n'ira pas au Collège Santa-Felice comme elle l'avait espéré, elle restera encore avec ses tuteurs à la maison – Dinh et Tchèn et Maman, et Papa lorsqu'il est là. D'un autre côté, c'est normal : il faut rattraper, après être passée d'un âge à l'autre. Du moins va-t-elle pouvoir sortir plus souvent en ville avec Papa ou Lily, maintenant, et sans même avoir à promener son illusion avec elle.

Un peu maussade tout à coup, elle contemple ses yeux dorés par le miroir. Pour le temps que cela durera. « Tu ne ressembles décidément pas à ta mère », a marmonné Papa à son retour, la première surprise passée. Mais peut-être que, la prochaine fois, elle aura encore l'âge que devrait avoir Agnès-aux-yeux-bleus. Après tout, c'est un peu pour cela que la deuxième Agnès est née : "pour essayer de remettre le calendrier à l'heure", comme disait Papa.

Elle incline le miroir jusqu'à y capter le visage de sa mère. Saisie d'un soudain regret, elle répète : « Tu pourrais venir avec nous, Maman, tout le monde sera déguisé de toute façon. » Quelle importance, vraiment, si elle devait avoir un autre déguisement en dessous, une illusion d'Européenne, lorsqu'on retirerait les masques ? Elle aime danser, Maman, elle lui a appris, elle danse avec Dinh ou Tchèn quand monsieur Nathany joue des gavottes ou des menuets au clavecin…

« Je n'ai jamais aimé me déguiser », dit Maman.

Agnès repose le miroir sur le guéridon, avec un soupir un peu irrité : et du coup, elle ne va jamais se promener non plus en ville, elle reste tout le temps à la maison ! Elle pourrait sortir, pourtant, même sans illusion pour faire semblant : on est à Venise ici, pas en France. Et tout le monde ici sait bien que madame Garance vient d'Émorie. Est-ce qu'elle en a honte, à la fin ? Et même si on la regardait d'un drôle d'air, sûrement, elle pourrait s'en moquer ? Papa s'en moque, lui. Il le dit bien, ce n'est pas sa faute, tout ce qui est arrivé, ce n'est pas leur faute à eux. Il a tout fait pour essayer de prévenir les troubles, mais personne ne l'a écouté.

« Votre présent est dans le paquet bleu, Aurore », dit Lily d'une voix douce.

Agnès oublie son irritation et pose le miroir pour se rapprocher de sa mère.

◆

Libérée du miroir, elle voudrait mettre fin à la vision, ôter l'aiguille de la Carte, mais sa main ne lui appartient plus. Le temps d'être frappée de panique, de désespoir, le temps de penser "Agnès la Folle a gagné !", et elle bascule de nouveau, mais en Ouraïn.

◆

« Qu'est-ce que c'est, Maman ? »

Ouraïn n'a nul besoin de dérouler le papier de soie, elle sait déjà. Elle le fait néanmoins, en sentant se préciser sous ses doigts la forme élancée. Elle en contemple enfin l'ivoire tellement jauni par l'âge qu'on le croirait teint. La Jongleuse jongle avec l'invisible, bras à demi tendus, paumes ouvertes pour offrir autant que recevoir. La manière aussi indique l'ancienneté de la statuette : la silhouette est disproportionnée, très mince et toute en longueur ; les drapés de la tunique moulante, comme les extrémités de la mince ceinture à cinq nœuds sont soulevés aux coins par la brise de la Création ; dans le chignon à trois coques, on distingue encore des traces de laque noire. Elle est très semblable à celle du petit autel de Kurun, oublié à Garang Nomh lors du déménagement. Laissé à Garang Nomh. Ouraïn ne s'en est pas rendu compte tout de suite, mais avec le temps, elle a compris : il s'agissait d'un geste délibéré. Elle ne voulait rien emporter de Kurun loin du Pays des Dragons.

Pour trouver, en arrivant à Sainte-Pierre et en déballant les malles, le vieux tableau peint par Gilles, Kurun en igaôtchènzin au petit pavillon ! Mais qui le saurait aujourd'hui ? – elle, lui, et peut-être Chéhyé.

Elle est un peu surprise d'éprouver tant de mélancolie au souvenir qui vient de la traverser. Puis, avec un sourire, elle tend la statuette à Haizelé, qui s'est approchée aussi pour mieux voir sa réaction : « Merci, Lily, elle est très belle. » Lily a déjà compris et s'est un peu assombrie. Ouraïn lui caresse le bras, pour atténuer la déception de la jeune femme. « Permettez-moi de vous l'offrir en retour. Elle vous portera bonheur. » Elle capte et retient le regard de Haizelé : « La Jongleuse, voyez-vous, est dorénavant plus présente pour moi dans son absence. »

Haizelé reste immobile un moment, puis reprend la statuette. « Si je trouve les quatre autres, les accepterez-vous ? » dit-elle d'un ton léger, mais son regard est grave.

« Ma chère Lily, vous n'y êtes point obligée.

— Non. C'est pour cela que j'aimerais les trouver et vous les offrir. »

Ouraïn incline la tête en souriant. À quoi bon s'entêter ? « Dans ce cas, oui. Mais gardez la Jongleuse, je vous prie.

— Elle est vraiment splendide, pourtant, Aurore », dit Gilles avec un certain regret, en prenant la statuette des mains de Haizelé. « Où l'avez-vous trouvée, Lily ?

— Ah, elle, c'était à Bombay.

— Et authentique aussi », murmure Gilles. Il la replace avec soin dans son berceau de papier de soie. « Depuis la mort de Tambor Ayvanam, le pays n'est plus fermé aussi hermétiquement qu'on veut bien le croire », murmure-t-il, songeur. « Il y a décidément de la contrebande par voie de terre depuis le Laotchin, comme par le nord du Camtchin.

— Pour ce qu'on en sait, dit Haizelé, Humphong est moins hostile aux Européens.

— Oui, et surtout, il aime la richesse. Le pays s'est beaucoup appauvri pendant le règne de son père… »

Il se retourne vers Haizelé : « D'ailleurs, ma chère Lily, j'aimerais vous entretenir tout de suite d'un mien projet à ce propos.

— Devons-nous nous retirer ? demande Ouraïn en faisant aussitôt mine de se lever.

— Non, non. Cela vous concerne aussi, toi et Agnès. Lily, que diriez-vous d'un nouveau bateau ? »

Haizelé hausse les sourcils : « Mais j'aime mon *Sigismond*, Monsieur Antoine.

— À près de cinquante ans, il se fait vieux pour un bateau qui en a tant vu, et il a mal supporté la conversion au charbon. De plus, il ne conviendrait pas à ce qui se prépare. Asseyez-vous donc, ma chère. »

Haizelé obéit. Gilles se met à marcher de long en large, les mains dans le dos, un spectacle incongru avec ses plumes qui frémissent en cadence et sa collerette qui cliquette à chaque pas.

« Mes entretiens à Rome avec la hiérophante française, madame Gardis, ont été des plus… intéressants. Avec le changement de dynastie, depuis que notre Louis de Toulouse s'est remarié avec la princesse Marguerite, il y a deux ans, on veut rétablir la confiance et la prospérité dans le royaume. Bref, on veut lever l'Embargo. »

Haizelé s'est redressée dans le sofa, l'œil allumé : « Il faudrait pour cela dissoudre l'Édit de Silence.

— On l'a commencé discrètement l'an dernier. On y rencontre des difficultés inattendues, mais on finira bien par y parvenir. Il y faudra du temps, je ne m'en illusionne point. Après les Années Terribles, la frilosité collective est trop bien installée, renforcée qu'elle a été pendant si longtemps par l'Édit. Et d'autre part, surtout, il faut compter avec le cartel des barons du charbon. »

Ouraïn croise les mains dans son giron, patiente, tout en faisant mine d'observer Agnès qui joue avec son masque sans beaucoup d'intérêt pour cette conversation de grandes personnes. Le nom de Frédéric Darlant ne devrait pas tarder à tomber dans la conversation.

« Le chef de file en est le baron Darlant, et il ne me porte pas dans son cœur, poursuit Gilles. Je dois admettre que c'est réciproque.

— Un ennemi de Sigismond, ou d'Antoine ? » demande Haizelé après un petit silence pensif.

« De Sigismond. Mais je n'aimais guère son père ni son grand-père. Même si Hubert Darlant était bien le plus intelligent des trois. »

Haizelé hoche la tête, sans interroger plus avant. Ouraïn l'observe avec intérêt : qu'elle ait posé cette question constitue déjà un progrès. Étonnant comme elle a bien pris les soi-disant révélations sur l'identité réelle de Sigismond et la fausse mort d'Agnès… Et même celle du talent secret d'"Antoine", prétendu cadeau de ses alliés du clan de Kurun – mais Gilles a le tour d'inventer des histoires qui semblent vraisemblables. Qui ne le sont point si l'on s'interroge sur les détails, mais Lily ne pousse pas ses questions, ni à Gilles, ni aux Ghât, ni même à elle, qui pourtant l'y encourage. Si durement dressée à n'en point poser, la pauvre, pendant les années passées au service de son horrible maître tamil. En a-t-elle conscience ? Comprend-elle comme elle a simplement transféré sa loyauté à ceux qui l'en ont sauvée ?

Mais pas encore assez sauvée, hélas : elle ne veut toujours pas s'appeler Haizelé – et elle porte encore les cicatrices de ses poignets, cachées ici sous d'extravagantes dentelles d'un autre âge. Un jour, elle permettra bien qu'on les lui efface. Pour l'instant, la malheureuse n'est pas encore libre de ces souvenirs.

« Toujours est-il, reprend Gilles, que la Royauté française songe à un avenir où l'ancienne Émorie pourrait jouer de nouveau un rôle, plus limité mais important malgré tout. Le changement de pouvoir à Daïronur semble prometteur.

— En quoi cela nous concerne-t-il, Agnès et moi ? » demande Ouraïn d'une voix égale. Va-t-il vouloir user de leur talent à toutes deux pour la transformation de l'ambercite, comme il l'a fait avec Kurun ? Le conflit éclaterait au grand jour entre eux, alors, et c'est bien trop tôt.

Mais il lui sourit : « Parce que nous allons sans doute aller nous installer en France d'ici quelques années. »

Agnès écoutait malgré tout, car elle lâche son masque, soudain tout excitée : « Vraiment ? Où irons-nous ? À Orléans, à Lyon ?

— Non, ma chérie, à Aurepas, le berceau de notre famille. » Il se retourne vers Ouraïn et Haizelé : « Et bien humblement, pour y reprendre le commerce ancestral. Nous n'aurons pas à subir l'Édit en rentrant, puisqu'il n'est plus appliqué aux frontières. De fait, nous serions revenus plus tôt, si ce n'avait été de cela. »

Il regarde Haizelé, attendant une question qui ne vient pas, et Ouraïn choisit d'intervenir : « Et ce nouveau bateau transporterait de l'ambercite ? »

Haizelé la contemple, bouche bée, mais Gilles se tourne vers elle dans un grand frémissement de plumes, surpris et satisfait de se voir si bien deviné. Puis, peut-être soudain conscient du ridicule, il ôte sa coiffe pour la poser sur le dressoir : « Eh bien, d'abord les minerais que nous récupérerons avec discrétion au large de Sardopolis, là où on les a jetés lors des ultimes émeutes, et que nous irons entreposer avec le reste dans nos caches de l'océan Indien. Mais à un moment donné, oui, sans doute de l'ambercite, quoiqu'on ne m'en ait point encore vraiment parlé à ce stade. On a surtout évoqué une possibilité de pourparlers secrets avec Humphong, qui aurait fait donner des indications en ce sens à l'un de nos agents à Canton, pour la reprise, en tout cas, du commerce général, sinon pour l'ambercite.

— Où se ferait la transformation ?

— Dans un endroit sûr. Je n'aurais pas même à m'en occuper très souvent, Chéhyé pourrait y veiller, avec des talentés recrutés sur place. Comme tu le sais, il est de toute confiance. »

Ouraïn baisse les paupières en espérant qu'il n'y a point vu l'éclat de colère qui l'a raidie. N'ont-ils donc rien appris, rien compris ? Il serait vain de l'espérer de lui, mais la Royauté et sa Hiérarchie, après les douloureuses épreuves qu'ont traversées leur peuple, tous les peuples géminites, pendant les Années Terribles ?

« Est-ce un projet de la seule Royauté française ou d'autres y seraient-elles intéressées ? » demande-t-elle lorsqu'elle est plus sûre de sa voix.

Il la couve d'un regard approbateur : « Pour l'instant, la seule Royauté française et ses hiérophantes. Ces quatre personnes seules sont au courant.

— Et leur agent à Canton.

— On y a veillé, comme toujours. »

Elle détourne les yeux de nouveau, pour bien signifier qu'elle ne se laissera pas engager dans l'une de ces discussions politiques qu'il affectionne tant.

Haizelé semble remise de sa stupeur : « Si le nouveau bateau est conçu pour l'ambercite, cela ne soulèvera-t-il pas des soupçons ? »

Gilles a un petit sourire sarcastique : « Ma chère Lily, avec le soutien du pouvoir français, le secret n'est pas un problème, s'il en avait jamais été un pour nous. » Il vient se planter devant la marine qui orne le mur au-dessus de la cheminée et qui représente son premier bateau, *L'Ehmory*, dans ses beaux jours. « Ce serait un clipper – ils sont aussi rapides et parfois même davantage que les bateaux à vapeur, nul ne s'étonnera trop de sa vitesse. Car non seulement ce navire pourra-t-il transporter de l'ambercite, mais ses moteurs seront propulsés par elle – une fois rendu assez loin des côtes, évidemment. Cela en rend la conception un peu plus complexe, mais c'est un défi qu'il me plaira de relever et qui me distraira fort à propos des bois et des étoffes d'ameublement ! »

Haizelé le suit des yeux dans le va-et-vient qu'il a repris ; maintenant assise sur le bord du sofa, tendue vers lui, elle a visiblement subi la contagion de son enthousiasme. « Combien de canons ?

— Une quarantaine. Un navire long courrier, pour étendre le commerce des Garance en Extrême-Orient, mais capable de tenir tête aux pirates et aux corsaires. »

Haizelé hoche la tête, l'œil pensif. « Et la… conséquence de l'ambercite ? »

Ouraïn lui glisse un regard en biais, agréablement surprise. Gilles s'immobilise, la dévisage aussi un instant puis demande d'une voix douce : « Il faut plus de vingt ans pour en constater les effets sur les marins, comme je vous l'ai dit. Et *L'Aigle des Mers* transporterait surtout du minerai, au début. »

— Vous l'avez déjà nommé ?

— Ma foi, oui. »

Elle hoche la tête : « C'est un beau nom.

— J'aurais voulu "Le Dragon des Mers", mais ces créatures ne sont pas très populaires en pays géminites, ces temps-ci. »

Ouraïn jette à Gilles un coup d'œil incrédule : comment peut-il plaisanter avec ce genre de sujet ? Il ne plaisante pas, cependant : il est peiné.

« Si le projet est couronné de succès, remarque-t-elle posément, ce bateau transportera bel et bien de l'ambercite. »

Mais Haizelé fait un petit geste de la main : « Ce ne serait pas un problème pour moi, de toute façon. Et pour l'équipage, Monsieur Antoine, vous useriez des mêmes contrats secrets, je suppose. »

Il lui sourit, très content d'elle : « Exactement. » Puis il redevient sérieux : « Vous comprenez bien que ce n'est pas pour demain. Mais d'ici un an ou deux, lorsque les pourparlers seront en train, j'aurai fini les plans du bateau et la construction en commencera à Gênes.

— Et alors nous irons en France ? » demande Agnès, qui n'a pas cessé d'écouter, cette fois.

« Quand le bateau aura été construit, ma chérie. Et peut-être même un peu plus tard, lorsque l'Édit de Silence aura commencé de se desserrer.

— Un projet à long terme », murmure Haizelé.

Il lui sourit de nouveau, en feignant d'être légèrement attristé : « Toujours, ma chère, par force. »

Elle sort alors une petite boîte ouvragée de la poche de son habit : « J'ai justement pensé à vous en voyant ceci. »

Il fait jouer le fermoir. Après un moment de silence, il en montre le contenu à Agnès, curieuse, puis à Ouraïn : sur le velours bleu nuit repose un scarabée d'or égyptien, monté en broche.

« Une pensée des plus délicates, Lily, merci », dit-il avec une émotion qui n'est pas feinte.

Que voit-il dans ce présent ? Un symbole de résurrection, l'emblème de Khépri, le dieu égyptien du soleil ? Ou encore l'insecte industrieux qui ne cesse de pousser avec patience sa petite boule d'excréments ? Sans doute pas cette dernière image, bien qu'elle lui corresponde au moins autant que les deux autres.

Il cherche un instant sur sa tunique un endroit où accrocher la broche, finit par la piquer dans la ceinture tissée qui lui encercle la taille. « Et vive l'esprit de syncrétisme », dit-il plaisamment.

Puis il reprend sa couronne de plumes. « On donne une petite réception chez les Abruzzo, Agnès et moi devons y faire acte de présence. Nous nous retrouverons tout à l'heure pour le bal au Palais des Doges, alors, comme prévu ?

— Comme prévu », dit Haizelé en se levant, tandis qu'Agnès se plante son masque sur la tête et prend la main de son père.

« Mais pas trop longtemps, Papa ? »

Ouraïn retient un sourire. Gilles cultive assidûment la vieille Maria-Emmanuelle Abruzzo, sa très arrière-grand-tante et la dernière Garance de la lignée européenne. Elle est riche, ils sont censés avoir presque tout perdu, mais, vieille femme fantasque, il lui plaît de faire sous prétexte de Charité un pied de nez à la bonne société vénitienne en fréquentant ouvertement son parent déchu. Retorse et rusée, elle s'entend ainsi très bien avec Gilles – il est des traits de famille qui, apparemment, se jouent du temps et de la distance. Mais Agnès trouve fort ennuyeux le vieux palais et ses vieux occupants.

La petite se rappelle qu'elle n'a pas dit au revoir, lâche la main de son père et revient vers elles en relevant son masque d'un air vaguement coupable. Haizelé l'embrasse sur le bout du nez du serpent, provoquant un petit gloussement. Ouraïn sourit avec tendresse pour la rassurer, arrange le masque bien d'aplomb. « Et quel est le nom du Serpent à Plumes, au fait ?

— Quetzalcoatl », répond Agnès, et Ouraïn peut deviner son grand sourire sous le masque.

Elle la regarde s'éloigner en courant pour rattraper Gilles, tandis que Haizelé vient s'asseoir dans le fauteuil près du sien, en débouclant sa ceinture pour la poser par terre près d'elle, fourreau et arme compris. Elle doit être soulagée : Gilles ne lui a pas proposé de les accompagner chez les Abruzzo. Il a appris sa leçon.

Ouraïn sourit par-devers elle : Haizelé a été horrifiée, à Sainte-Pierre, lorsqu'elle a enfin compris les allusions auxquelles on se livrait devant elle, et ce, même lorsque Ouraïn lui a fait comprendre ensuite que cela ne la dérangeait nullement. « Mais monsieur Antoine est un père pour moi, il ne me viendrait jamais à l'idée…! » Ouraïn en est bien d'accord :

Gilles prend ses maîtresses ailleurs et avec la plus prudente discrétion. Elle s'est cependant abstenue de le préciser à Haizelé, l'a réconfortée et lui a conseillé d'en parler à "Antoine", qui, après avoir éclaté du rire incrédule requis, s'est fait compréhensif et paternel, comme il sait si bien l'être. Il s'abstient désormais de sortir trop souvent seul avec elle en société lorsqu'elle se trouve à Venise.

« Eh bien, nous avons amplement le temps de prendre une petite collation, n'est-ce pas, Lily, pendant que vous me conterez vos aventures ? Aimez-vous toujours les beignets de loups ? Dinh en a fait en quantité telle pour ce midi que même Agnès n'en est pas venue à bout. Oh, et un ami devrait se joindre à nous sous peu, cela ne vous dérangera pas ?

— Assurément non », s'exclame Haizelé avec un plaisir surpris. « Je n'ai pas encore abandonné mes espoirs de vous convaincre de sortir de la maison. Mais si Venise se décide enfin à venir à vous à la place, c'est aussi bien !

— Oh, ce n'est pas Venise », dit Ouraïn en regardant Tchèn arriver, chargé du grand plateau qu'il dépose avec une grâce silencieuse sur la table devant elles. « Un émigré, comme nous.

— Tous les amis sont précieux », dit gravement Haizelé.

Ouraïn se penche pour lui caresser la main : « Oui. »

Tchèn verse le thé fumant dans les tasses, une cérémonie qu'elles observent toutes deux en silence, dans le souvenir partagé des longues heures de Sardopolis, Haizelé convalescente, muette et fermée, Ouraïn assise non loin de là, attentive et patiente, et la première fois où Haizelé s'est assise pour prendre la tasse qu'Ouraïn lui proposait comme chaque jour. Et les larmes, ensuite, inattendues, convulsives, versées sans un mot par l'une, essuyées sans un mot par l'autre.

Tandis que Dinh entre à son tour avec le plat de beignets fumants, embaumant la fleur d'oranger, la cloche de la porte d'entrée résonne sourdement au rez-de-chaussée. Tchèn s'éclipse.

« Juste à temps pour les beignets, votre ami », remarque Haizelé, en attrapant un entre deux doigts pour en examiner la forme, comme à son habitude.

« Il les aime un peu moins que vous, si cela peut vous rassurer. »

Après quelques instants, le battant de la porte s'ouvre : « Monsieur Nathany, Madame.

— Faites-le entrer. »

Il entre, en costume de ville ordinaire et pourtant déguisé comme toujours par sa barbe, sa moustache, son nom. Il ne semble pas surpris en voyant Haizelé et s'avance vers elles avec empressement : « Ah, Capitaine Lily, n'est-ce pas ? Aurore et Agnès se faisaient bien du souci pour vous. »

Si Haizelé est surprise, elle ne le montre pas. Elle se lève, une habitude d'esclave dont elle n'a encore pu se départir – mais comme elle est capitaine de bateau et traite presque toujours avec des géminites, on n'en est pas trop surpris, si on l'interprète de façon erronée.

« Voici l'ami dont je vous ai parlé, Lily, monsieur Robert-Marie Nathany, qui est herboriste, et grand voyageur.

— J'ignorais que le *Sigismond* fût désormais un féroce navire corsaire », fait Nathan d'un ton plaisant en serrant avec une petite courbette la main que lui tend Haizelé.

« Seulement cette année pendant le Festival des Loups », répond-elle, plus réservée.

Nathan s'assied et, pour prendre un beignet, tire un peu sur ses manches, dévoilant la cicatrice rougeâtre de son bras droit. « Aha ! » dit-il en haussant les sourcils, « les délices de Dinh ! J'arrive juste à temps.

— Lily en faisait justement la remarque.

— Puisque ces beignets existent encore, j'en déduis qu'Agnès ne se trouve pas dans la maison ?

— Elle est avec son père chez nos parents Abruzzo, avant d'aller au Bal des Enfants.

— Dans ce cas, profitons-en », dit Nathan en saisissant un beignet blond. « Hum, un hérisson », ajoute-t-il après l'avoir examiné. « Et le vôtre, Capitaine ? »

Haizelé considère son beignet d'un œil sceptique. « Une pomme de terre en train de germer ?

— Les deux vivent sous la terre, décide Nathan, nous devrions pouvoir nous entendre », et il croque la moitié de son beignet d'un coup de dent, en souriant à Haizelé.

Elle ne peut se retenir de lui rendre son sourire : avec Agnès, l'année précédente, elles ont cherché en vain comment désigner une divination qui s'exercerait sur l'aspect des beignets, avec force dénominations absurdes, et bien des rires.

« Où vous a emmenée ce bon vieux *Sigismond*, cette fois, Capitaine ? » demande Nathan entre deux bouchées.

« Madagascar.

— Toliara, Tamdsina ? »

Elle hausse un peu les sourcils : « Tamdsina.

— Ah », dit Nathan, les yeux au loin. Il prend un autre beignet.

Ouraïn observe Haizelé à la dérobée : osera-t-elle être curieuse avec cet étranger ? Avec Gilles et avec elle-même, son réflexe acquis d'obéissance paraît l'en empêcher. Mais ici, elle devrait obéir à son autre réflexe, le désir de les protéger : elle voudra en savoir davantage sur cet inconnu – et avec une légère jalousie aussi, malgré tout, qu'elle en ait conscience ou non.

Ouraïn retient un sourire. C'est à peine si elle a parlé de Haizelé à Nathan, et jamais de Nathan à

Haizelé, elle les a toujours tenus séparés jusqu'à présent. Cartes et dés attribuent avec constance à Haizelé le côté de Hundgao, la Danse, qui oriente la Maison d'Ugépan – les Étoiles, le Pardon : peut-être faut-il y voir un bon augure pour Haizelé. Et certes, Hundgao entretient des rapports secrets avec le Dragon Fou, mais jusqu'à hier cela n'était jamais apparu dans ces consultations. Et la carte de Hyundigao y est arrivée à l'endroit – "Hasard, accident, chance, renversement de fortune, nouvelles perspectives, découvertes, révélations" –, alors que les autres fois elle arrivait inversée. Cela valait bien d'inviter Nathan, même si elle n'était pas tout à fait certaine que le *Sigismond* rentrerait à temps à Venise pour le jour du Festival.

« Êtes-vous donc déjà allé à Madagascar ? » demande Haizelé.

Ouraïn sourit dans sa tasse de thé.

« Oui, autrefois. »

Haizelé le dévisage d'un œil sceptique : malgré sa barbe qui le vieillit un peu, il semble aussi jeune qu'elle, et elle approche maintenant la quarantaine. « Autrefois ? Ce ne devait pas être il y a si longtemps.

— Je suis parti très jeune, dit Nathan.

— Comme herboriste ?

— Et cuisinier. »

Elle lève sa tasse en un salut plaisant : « Le poste le plus important à bord d'un bateau. »

Il lève sa tasse en retour : « Après celui de capitaine. »

Ils boivent leur thé, tandis qu'Ouraïn commente, curieuse de la suite : « Dinh lui doit d'ailleurs sa recette de beignets.

— Oh ? » dit Haizelé. Elle en prend un autre, le croque. « Dans ce cas, mes compliments. Cela vous dirait-il d'embarquer à nouveau ? »

Il se met à rire : « J'ai raccroché mes jambes de mer depuis trop longtemps.

— Cela ne doit pas faire si longtemps non plus. Ne venez-vous pas d'Émorie, vous aussi ? »

Il jette un rapide coup d'œil à Ouraïn, qui soutient son regard sans broncher.

« De Sardopolis », dit-il en se penchant pour reposer tasse et soucoupe et prendre un autre beignet.

Haizelé doit sentir sa soudaine réserve, car elle boit quelques gorgées en silence.

« Et vous voilà herboriste à Venise, reprend-elle pourtant.

— Eh bien, dit Nathan avec un petit rire, je me rends tous les jours en gondole chez mon employeur. »

Elle rit comme elle le doit, mais insiste : « La mer ne vous manque pas ? »

Une ombre légère passe sur les traits de Nathan. « Quelquefois, dit-il enfin. Mais… » – il sourit en lançant un bref coup d'œil à Ouraïn – « … il est un temps pour tout. » Une petite pause puis il reprend : « L'époux d'Aurore était également un grand voyageur, mais il vous a délégué ses voyages. Vous pouvez voyager pour moi aussi. »

Ouraïn lui adresse un regard surpris. Qu'essaie-t-il de suggérer à Haizelé ?

« Mon contrat avec monsieur Garance n'exige pas l'exclusivité », dit Haizelé, aimable, et qui n'a apparemment pas saisi les interprétations possibles de la référence à Gilles. « Si vous avez des commandes particulières, nous pourrons en discuter un autre jour. »

Le sourire de Nathan se fait indulgent : « Je voulais seulement dire, Capitaine, que d'autres visitent désormais les pays lointains que j'ai connus autrefois. Il me suffit de le savoir, et de me rappeler. »

Ouraïn contemple le fond de sa tasse à travers la surface tremblante du liquide. Pourquoi soupçonner ce pauvre Nathan d'intentions cachées ? Il dit la plupart du temps exactement ce qu'il pense.

Haizelé semble un peu déconcertée, mais intriguée. Mais c'est que Nathan n'est pas Gilles – ou Agnès, d'ailleurs, qui s'avère déjà une excellente petite comédienne. Il ne se soucie d'adapter ni ses comportements ni ses déclarations à l'âge qu'il est censé avoir. Il parle comme un homme de plus de soixante ans qui a beaucoup vécu. Et il avait déjà beaucoup vécu, le pauvre Nathan, avant d'être suspendu à trente-six ans pour plus d'un siècle et demi.

« Et quels sont ces pays lointains ? » reprend Haizelé, plutôt souriante cependant. « Si je dois y voyager pour vous…

— L'Afrique, du nord au sud. Les Indes aussi. Madagascar. Et par la terre jusqu'au Tibet. »

Les yeux de Haizelé s'arrondissent. Elle mord dans un autre beignet, sans doute pour se donner le temps de réfléchir, puis murmure : « Vous avez vraiment commencé très jeune.

— À seize ans. »

Elle le regarde d'un autre œil, comme Ouraïn savait qu'elle le ferait. Il y a entre ces deux-là des possibilités intéressantes, les cartes l'ont bien vu. Haizelé avait dix-sept ans lorsque Gilles l'a ramenée de Puttalam, dix-huit lorsqu'elle s'est engagée avec Rahyan sur le *Sigismond*.

Ils grignotent en silence les beignets restants, en en laissant, mais elle pousse le plat vers eux : « Finissez, je vous en prie. J'en ai eu tout mon saoul à midi. »

Ils se servent chacun à son tour, tandis qu'elle remplit de nouveau leur tasse à tous trois. Pendant un moment ils partagent un confortable silence, tout en écoutant le chant des oiseaux qui monte du jardin par la fenêtre entrouverte. L'un d'eux, tout proche, est aussi insistant qu'un oiseau mécanique – *ti-dziiii, ti-dziiii*. Le regard amusé de Haizelé croise celui d'Ouraïn, qui lui sourit en retour, devinant sa pensée : oui, cet oiseau n'existait pas à Sardopolis, heureusement, ou elle se serait retrouvée affublée d'un bien curieux prénom temporaire.

« Il y aura d'autres voyages », dit soudain Ouraïn, sans savoir pourquoi c'est avec ce sujet qu'elle relance la conversation, « Sigismond vient de nous annoncer que nous allons bientôt nous installer en France. »

Nathan se tourne vers elle : « Vraiment ? La situation s'est-elle donc tellement améliorée ?

— On a suspendu l'Édit de Silence aux frontières l'an dernier, lui a-t-on dit. »

Elle a conscience du regard que lui jette Haizelé, de son froncement de sourcils, puis de la réflexion qui s'amorce derrière ses paupières baissées : ce monsieur Nathany est un homme auquel Aurore se confie. Et donc un homme sûr.

« Est-on donc parvenu à en défaire le sortilège ?

— On y rencontre quelques difficultés, mais Sigismond a bon espoir qu'on y parviendra. »

Tout en versant avec soin deux mesures de sucre brun dans son thé, Nathan soupire : « Je crains qu'il ne soit par trop optimiste. Savent-ils même à quoi ils ont affaire ? »

Haizelé se penche pour prendre l'avant-dernier beignet. « Que s'est-il donc passé avec ce fameux Édit ? Je ne l'ai jamais très bien compris. »

Nathan esquisse un petit sourire attristé : « Vous n'êtes pas la seule. Je suis bien sûr que depuis longtemps certains se sont efforcés de défaire le sortilège initial, en secret – et en vain.

— Mais qu'est-ce donc, à la fin ? »

Il se carre dans son fauteuil, le regard au loin, tasse et soucoupe oubliées sur la table. « En connaissez-vous l'histoire ?

— Pas vraiment. Plutôt les effets. »

Nathan réfléchit un moment : « Le deuxième dimanche d'avril 1740, trois mois après Kéraï, on avait décidé de célébrer un Office des Morts partout en même temps dans le royaume, pour tous les disparus de la bataille, et ceux d'Émorie. Toutes les cloches devaient sonner à la même heure, onze heures, et l'on avait étendu le réseau des mages, de villes en villages, afin que tous pussent se joindre au même moment à un rituel qu'on voulait une offrande apaisante, le début de la consolation avant les célébrations de la Pâque. La reine Jordane était des plus instables depuis l'annonce de la débâcle. Elle avait déjà ordonné l'Embargo, des émeutes avaient déjà éclaté ici et là. Les premières notes du glas, ce jour-là, l'ont apparemment fait basculer dans la folie. Avec un talent décuplé par le désespoir, elle s'est de quelque façon emparée de la synergie des ecclésiastes dans tout le pays, et elle y a imprimé tout son chagrin, tout son refus de croire à ce qui s'était passé. » Il soupire : « Et ce refus a éveillé une profonde résonance chez ceux qu'elle a atteints ainsi. Beaucoup de Français ne voulaient pas croire à la défaite de Kéraï, ni à ses circonstances, ni à ses conséquences. Beaucoup désiraient oublier. »

Après un petit silence, il reprend : « Tout le monde n'avait pas été touché, bien sûr. On s'est rendu compte très vite de ce qui était arrivé. Pour constater ensuite qu'on ne pouvait renverser ce sortilège. Une telle puissance s'y était déversée qu'il n'avait même pas besoin d'être renouvelé, du moins pour ceux qui l'avaient subi ce dimanche-là – un fait inouï dans la magie géminite. Les générations suivantes n'ont subi en comparaison qu'un sortilège d'oubli… ordinaire, dirais-je, et qu'il fallait vraiment entretenir, lui. Mais le sortilège initial… »

Il reprend sa tasse, y tourne la cuillère d'un geste machinal. « Je crois que c'était une convergence unique, et funeste : le talent en synergie de tous ces ecclésiastes, celui de la reine, et le désir profond de ces millions de gens. Tout cela s'est condensé en un tout qui était bien davantage que la somme de ses parties. Je doute qu'on puisse jamais jeter de nouveau un sortilège de cette puissance. À plus forte raison effacer rapidement celui-ci. »

Le silence se prolonge ensuite.

« Êtes-vous un talenté, Monsieur Nathany ? » demande Haizelé.

Ouraïn la contemple, agréablement surprise. Comme Nathan, elle est souvent inattendue dans ses réflexions.

« Non », dit Nathan une fois remis de sa propre surprise. « Mais on ne peut que s'intéresser à ces sujets, au voisinage d'Aurore. »

Et cette fois le sourire et le coup d'œil qu'il adresse à Ouraïn ne peuvent avoir qu'une seule interprétation : il est au courant. Les yeux de Haizelé s'agrandissent un peu. Elle ne peut spéculer sur l'étendue de son savoir, mais du moins connaît-il le talent d'Ouraïn, et sans doute d'Agnès. Elle ne commentera sans doute pas… Et en effet, lorsqu'elle reprend la parole, c'est pour dire : « Si le sortilège est ineffaçable, cela veut-il dire que madame et monsieur Garance ne pourront aller vivre en France ?

— Pas nécessairement », dit Nathan avec un léger haussement d'épaules. « Si l'Édit n'est plus renouvelé… Ses premières victimes ne vivront pas éternellement. » Il repose sa tasse. « Vous devrez peut-être attendre un certain temps, cependant, Aurore. »

Elle ne peut s'empêcher de murmurer : « J'en ai l'habitude. »

C'est sans importance, de toute façon : il les suivra. Il en a davantage encore de raisons que Haizelé : il attend les petits-enfants du Dragon. Ce n'est pas seulement pour elle qu'il a été si affligé à la mort de la "première" Agnès, le pauvre, si heureux à la naissance de la "seconde". Et il sait devoir attendre qu'Agnès ait assez grandi pour avoir des enfants à son tour, puisqu'elle lui a bien fait comprendre que la petite n'aurait ni sœur ni frère.

Est-il dupe? Il est discrètement resté à l'écart de la maison, à Sardopolis, pendant "le deuil de madame Garance", et elle a continué de prétendre avec lui qu'Agnès aux yeux bleus est bien sa seconde fille. La ressemblance des deux enfants a dû le frapper, comme tout le monde, mais il a toujours manifesté la plus grande délicatesse à cet égard : il faut ménager cette malheureuse Aurore, pour qui le sujet est encore douloureux. Peut-être croit-il à quelque magie – ou simplement à la rumeur habile qu'a fait courir Gilles : l'âme de la première Agnès est revenue avec la seconde. Elle ne s'en veut pas trop de lui mentir sur ce point, ni de lui avoir laissé croire que Sigismond est Antoine, puisqu'il a avancé lui-même cette hypothèse.

Après tout, il ne lui a toujours pas parlé de son rêve, lui, ni de la prophétie reçue à Singapour.

« Qui sait, peut-être l'attente ne sera-t-elle pas si longue, dit Haizelé. Il règne en France une atmosphère nouvelle. La Reine Folle est morte, une nouvelle dynastie a remplacé la burgondine, et maintenant que les séquelles des Années Terribles commencent de s'effacer, l'économie est relancée, la paix règne de nouveau…

— Tout ce prudent optimisme est fondé sur un mensonge, malheureusement », soupire Nathan en reposant sa tasse. « Sur le grand oubli qu'est l'Édit de Silence. » Sa voix se fait pensive : « Mais en fin de compte, peut-être en avait-on besoin. Peut-être l'oubli est-il aux peuples comme le sommeil aux individus. Un sommeil temporaire, et plutôt agité au début en ce qui concerne surtout les Français, mais nécessaire pour reprendre des forces et faire face ensuite…

— À quoi donc ?

— Aux souvenirs, et aux questions qu'ils devront susciter. »

Haizelé fait une petite moue : « Doit-on se souvenir de tout ? murmure-t-elle.

— Nous sommes tout ce que nous avons vécu », réplique Nathan, sans comprendre qu'elle ne parle plus vraiment de l'Édit de Silence.

Elle proteste : « Mais on ne se rappelle pas chacun des instants de sa vie.

— Non, mais ce qui est assez important pour que l'on désire l'oublier l'est assurément assez pour qu'on accepte un jour de se le remémorer. »

Haizelé baisse la tête sur sa tasse, se rend compte qu'elle est vide et la pose à son tour sur le petit guéridon.

« Et si l'on se rappelait tout sans pouvoir rien oublier ? » demande Ouraïn, avec un amusement soudain las.

Nathan esquisse un sourire, de nouveau inconscient de ce qui se dit – et comment en serait-il autrement ? « Ce serait assez l'Enfer des christiens ! » Il redevient grave. « Mais cela dépend de la manière dont on se souvient. Ce peut être un refus, serré comme un poing sur la rancune, la colère. » Il ajoute d'une voix plus douce, sans la regarder : « Ou sur le chagrin, le regret, les remords. Et il est un autre souvenir par lequel, comme par une vague, on peut se laisser porter. Une main ouverte, par où l'on peut le laisser s'écouler, pour le reprendre et le laisser, et le reprendre… Et alors, d'une certaine façon… » Il sourit, amusé sans doute de sa soudaine éloquence : « … arrivé à la limite, ce souvenir-là se dissout dans un détachement bien proche de l'oubli.

— Vous aimez les paradoxes », déclare Haizelé, en laissant échapper un rire perplexe. Elle est encore trop loin de ce détachement pour comprendre. Mais Ouraïn saisit très bien. Le poing serré, c'est lorsqu'elle se rappelle comme une humaine. La main ouverte, c'est lorsque la Natéhsin surgit en elle, défaisant tous les liens, et elle flotte alors au bord de la danse, brièvement apaisée.

Toujours brièvement : c'est un répit qu'elle ne se permet pas souvent.

« J'essaie de trouver la paix », répond Nathan, un écho si approprié à ses propres pensées qu'elle lui sourit avec une affectueuse tendresse, et tant pis pour ce que pensera peut-être Haizelé. Il lui rend son sourire. Peut-on aimer une personne à qui l'on ment et qui ne vous dit pas toute la vérité non plus ? Elle ne le croyait pas possible – la seule personne à qui elle ment, et sans aucun scrupule, c'est Gilles. Agnès… elle n'a encore jamais menti activement à Agnès, ni d'ailleurs à Haizelé.

Mais c'est qu'elles n'ont pas encore posé les bonnes questions. Nathan non plus.

Le jeu consiste, n'est-ce pas, à éviter qu'ils ne les lui posent avant que le temps n'en soit venu.

44

On refuse la Carte, malgré son appel. La fureur et l'horreur sont trop fortes. Plus jamais, plus jamais, la Carte ! On essaie de la déchirer, mais on ne le peut pas, bien sûr, alors on l'enfonce dans son étui de métal, on voudrait que ce soit une épée, et l'étui, la gorge d'Ouraïn, d'Agnès, de toutes les menteuses traîtresses.

Pourtant, une dernière fois, par défi, on retourne les cartes divinatoires. La première arrache un rire furieux : Le Phénix. À l'envers – "apparat, apparences ; frivolité, luxe, séduction, prodigalité ; faux-semblant, pose". Les Bourreaux de Pardon, ensuite : "une vérité sera rétablie, mais coûtera cher". Sept de Mémoire : "manque de protecteur et de protection ; on ne peut compter que sur soi-même ; isolement, abandon…" On rit de nouveau, comme on mord.

Undhèt, ah, oui, la Tempête : "électricité vitale, instinct ; magnétisme, influence sur autrui ; forces occultes rattachées à l'animalité ; révolution, bouleversement". Les Mages d'Équité, mais à l'envers : "interruption d'un voyage, par mort ou accident ; il faudra beaucoup de charité pour aider au passage".

Quelle charité? Il n'y aura pas de charité, pas de pardon! Le Dragon Fou, à l'envers aussi – "changement désordonné à l'issue incertaine; désordre, catastrophe; nouvelles perspectives, découvertes et révélations négatives; mensonges". La Reine d'Oubli: "femme pourvue de bonnes intentions mais qui provoque mal et malheur sans le vouloir vraiment". Parlez-moi de l'avenir, cartes, et non du passé!

La Coupe, Yundchin, – "vie universelle, circulation, fluide réparateur, thaumaturgie… régénération… désintéressement… adaptabilité, souplesse". Que vient-elle faire là, cette promesse fallacieuse de paix? On la jette au loin d'un geste rageur.

Et la neuvième… Quoi, l'Étoile, la Maison de Pardon? "Espoir qui revient"? "Innocence, compassion, vaillance"? "Prédestination, protection occulte, immortalité"?

Foutaises.

Il est temps d'aller ouvrir la seule Maison dont pas une carte n'est apparue ici. Il est temps d'aller ouvrir la Maison de Vengeance.

45

L'Aigle des Mers poursuit son voyage vers la France par la voie habituelle du commerce maritime entre l'Extrême-Orient et l'Occident, avec des escales pour charger l'ambercite déguisée. Pierrino encore affaibli les regarde passer, souvenirs de récits des marins, lectures du collège – histoires de Senso. Au début de janvier, Goa, au fond de son estuaire, et le son vibrant de la Cloche d'Or qui flotte sur le comptoir portugais depuis le temple de La Luz. Suryapur, dans le Gujarat, que les islamites appellent Surat, où les Indiens disent que leur dieu Krishna s'est arrêté avec ses vaches sacrées au cours d'un de ses voyages : on charge à bord soies, porcelaines et musc. Et toujours plus loin, tandis que janvier devient peu à peu février et que le climat se transforme à mesure qu'on monte vers le nord. Les trois îles de l'archipel de Zanzibar la belle – ivoire, ébène, carapaces de tortues. Il y a une cache dans l'île de Pemba, la plus au nord, et Pierrino serait assez rétabli à présent pour aider au déchargement, mais il refuse, il ne veut pas toucher à l'ambercite, Haizelé n'insiste pas. Il lézarde plutôt sur le pont, à l'ombre de la dunette, dans la brise marine qui atténue les rayons brûlants du soleil. À la toute fin de janvier, ce sera la côte sud de la péninsule arabique, Adan, dont les murailles blanches contrastent de façon frappante avec le sombre roc volcanique sur lequel elles ont été édifiées. Au début de février, au large de Ra's Karaba, on effectue l'un des rechargements en ambercite de la machine à vapeur qui actionne le bateau. Il cède à sa curiosité, cette fois, et va voir comment cela se passe.

C'est propre, bien sûr, tout différent des bateaux à charbon. On tire des deux chaudières les assemblages qui tiennent les boulets, douze tours de douze boulets disposés par rangées de trois. Les boulets ont changé de taille, de façon bizarrement inégale. Le "souffle" de l'ambercite dévore en partie sa matière elle-même, semble-t-il. On pèsera les restes – certains ont la bonne taille et peuvent encore servir à d'autres usages, lampes et petites machines; le reste est jeté à la mer. Chéhyé assiste à cette immersion, et Pierrino le soupçonne de prier.

Et le voyage continue, pour le commerce ou les caches, parfois les deux ensemble, mais alors le déchargement des caisses d'ambercite se fait la nuit.

Gamsa, Abu Darba, Alismalya sur le canal qui relie le Nil à la mer Rouge, Hefa dans la principauté de Judée, le cap Apostolos, Paphos qui est Chypre… On se trouve maintenant dans l'empire de Byzance. On mouille à Kalonoros, "la Belle Montagne", avec son impressionnante citadelle juchée sur sa presqu'île rocheuse. Et là, on débarque le corps suspendu de Rahyan, qu'on va sublimer dans une petite crique déserte, comme il le souhaitait.

Après la cérémonie, les autres se dispersent pour retourner à la citadelle. Haizelé s'est assise sur un rocher. Elle ne pleure plus.

« C'est là qu'avait habité sa famille, dans un petit village de pêcheurs disparu depuis. Il aimait y faire escale, pour s'y recueillir. »

Pierrino s'assied près d'elle. Ils se sont quasiment évités depuis les révélations. Mais si Haizelé est capable de vivre avec tout ce bouleversant savoir, ne doit-il pas l'être aussi ? Et admettre aussi que, à mesure qu'ils se rapprochent de l'Europe et de la France, il se sent redevenir peu à peu lui-même, le jumeau curieux.

« Et votre famille à vous ? se hasarde-t-il enfin à demander.

— Ils étaient sur le bateau avec moi lorsque j'ai été capturée. »

Il n'en demande pas davantage, embarrassé. Et pourtant, toujours de la même voix neutre, elle enchaîne sur sa rencontre avec Rahyan à Puttalam, comme il avait été enlevé dans un raid perse et vendu plus tard à Sirilanka, leur projet de fuite, et comment ils avaient réalisé grâce à Sigismond leur rêve commun, qui était de naviguer.

Pierrino l'observe à la dérobée, surpris et prudemment heureux de ces confidences. Elle s'est un peu animée, sur la fin. Le deuil a eu le temps de commencer son œuvre.

Ils restent assis en silence un moment, contemplant la mer aux courtes vagues écumeuses. Quelle existence, Haizelé !

« Vous n'avez jamais eu envie d'une vie… ordinaire ? »

Elle esquisse un sourire oblique : « Avec un époux et des enfants ?

— Pas nécessairement, mais…

— Je n'ai pas eu le temps d'y songer. Et j'ai toujours aimé la mer. Ce que je me rappelle du voyage, avant les pirates, c'est comme j'étais joyeuse en me réveillant, tous les matins. Mon frère était malade, pas moi. Je grimpais dans les haubans, ma mère était terrifiée, pas moi. Après, les premiers mois à Puttalam, je m'endormais en imaginant comment je m'enfuirais à bord d'un bateau. »

Elle noue ses mains autour de ses jambes, menton sur les genoux, une posture enfantine, et Pierrino en éprouve une fugitive tendresse amusée.

« Après… J'étais une très mauvaise petite esclave. Rebelle. Même les châtiments ne me disciplinaient point. Rahyan m'a sauvé la vie, je pense. Il a parié avec notre maître qu'il me trouverait une utilité. Majarajan en a été amusé. Et Rahyan, qui était le chef de ses gardes, m'a instruite dans les arts du combat. Il a gagné son pari avec le maître. »

La tristesse est revenue, pesante : « Il a été toute ma famille pendant si longtemps, père, mère, frère… »

Amant ? songe Pierrino – il est bien des façons de donner du plaisir, même pour un eunuque… Mais, cela, il ne le demandera pas.

« Je craignais que vous ne me teniez rigueur de mes mensonges accumulés, Pierrino », dit soudain Haizelé en se tournant vers lui.

Il songe avec gêne à toutes les questions qu'elle n'a pas encore posées, à tout ce qu'il ne lui a pas encore dit de Garang Xhévât : « Ce n'étaient pas les vôtres. Eux vous ont menti. »

Elle réfléchit : « Jamais Ouraïn. Lui, oui, mais jamais Ouraïn. Je n'ai simplement jamais songé à la questionner. Ni lui, d'ailleurs. Je leur devais tant… » Elle se redresse avec un petit soupir : « Mais d'une certaine façon, je les comprends. »

Pierrino est scandalisé, par réflexe. Et pourtant, il comprend aussi : Gilles et Ouraïn étaient tous deux prisonniers, de mensonge en mensonge, et, au début, Gilles pouvait trouver tout cela justifié.

Gilles. Ouraïn. Mais il a moins de mal avec ces prénoms qu'avec "Grand-père" et "Grand-mère".

Du moins n'est-il pas vraiment un descendant de Gilles. Satisfaction un peu dérisoire : la dette familiale pèse si lourd… Il en a peut-être payé une partie avec ces enfants que portent les Natéhsin, à Garang Xhévât. Peut-être même, qui sait, cela est-il lié au retour du Dragon de Feu ? Il ne voit pas comment le cycle pourrait reprendre, cependant : les deux enfants ne pourraient constituer une nouvelle triade du Phénix. Quel destin, pour ses fils qu'il ne connaîtra sans doute jamais ? Pourront-ils le choisir ? Il n'a à ce sujet que des questions et des angoisses auxquelles il refuse de s'abandonner. Lorsqu'il a interrogé Chéhyé, le vieux Ghât'sin a répondu, après avoir longuement médité : « Les dés n'ont pas fini de rouler. »

Mais à mesure qu'ils se rapprochent du but de leur voyage, il songe de plus en plus à sa famille européenne, et non à ce qu'il a laissé au Hyundzièn.

« Parlez-moi de mon véritable grand-père, Haizelé », demande-t-il.

Elle hoche la tête : « Robert-Marie Nathany… »

Elle regarde au loin, tandis que son silence se prolonge, puis elle se tourne vers lui en prenant un respir comme si elle se décidait brusquement à plonger et Pierrino alerté se raidit, par réflexe : « Je l'ai retrouvé plus tard comme garde du corps de Sigismond. Ce qui était un peu surprenant, car je le connaissais seulement comme apothicaire et herboriste, et grand voyageur. »

Pierrino demeure pétrifié, sans pouvoir détourner son regard des yeux noirs qui l'observent avec acuité, tandis que Haizelé poursuit : « Sigismond le traitait comme on le fait normalement d'un tel employé, mais il devait bien le connaître et avoir travaillé avec lui à la fabrication de l'ambercite, car cet homme a très peu vieilli entre 1763 et maintenant. »

Pierrino éclate de rire, malgré lui.

Elle lui jette un regard inquiet, mais il n'en a cure. *Larché*. Eh bien, pourquoi pas Larché? La ronde des fausses identités et des grands-pères continue!

Comme plus tôt, comme chaque fois, il se sent écrasé, accablé. Il reconnaît ce refus affolé, ce raidissement, la tentation séductrice de la dénégation. Mais il se reprend, presque brutalement. Il se rappelle trop bien les mémoires d'Ouraïn-Aurore, et ce qu'elle disait de Gilles: non, il ne cédera pas à cet écho de Garance en lui! Un instant, saisi de vertige, il se sent flotter, comme s'il était perdu en pleine mer sans espoir de secours, mais il se force au calme, il respire à fond, il appelle Senso une fois de plus, comme une incantation. Senso, oui, Senso lui dirait sûrement de se laisser flotter, de s'abandonner à la bonté divine. Il doit trouver un sens à tout ceci, il a quelque chose à en apprendre, mais il doit surtout attendre d'en savoir davantage, être patient. Larché serait son véritable grand-père? Un autre repère qui disparaît à l'horizon mouvant, mais ce n'en est qu'un de plus: ses certitudes et ses croyances ont été éviscérées depuis longtemps, depuis Garang Xhévât. Et justement: ouvert, n'est-il pas plus muable, n'est-ce pas ce qui lui permettra de survivre? Si son soma peut se métamorphoser comme il l'a fait par deux fois, sûrement sa psyché doit être aussi résiliente?

Haizelé reprend, avec prudence, sans le quitter des yeux: « C'est d'ailleurs entre autres cette attitude de Sigismond à l'égard de Larché qui m'a mis la puce à l'oreille.

— Sur la véritable identité de… Sigismond?

— Non, je croyais toujours qu'il était Antoine. Mais justement. À un moment donné… Il a cessé de l'être. »

46

La chambre est tendue de bleu et d'or, spacieuse
mais coquette. Aux quatre coins du plafond, des figures
de nymphes jouent les cariatides. Sur le lit à l'ancienne, au riche baldaquin damassé, deux corps s'en-
lacent dans un farouche combat amoureux. Pierrino
ne sait s'il doit en être amusé, dans son rêve – ou
est-ce une vision de sa psyché vagabonde ? Il n'est
jamais très sûr, désormais, lorsqu'il dort. Il voit
d'abord la femme, brune, voluptueuse, longue face
ovale étrangement familière, à la forte mâchoire, un
nez impérial sous des yeux d'un noir étincelant et
des sourcils presque jointifs mais bien dessinés. Un
nom flotte vers lui : Théodora, Théodora Andoriakis.
Et puis il voit l'homme, le jeune homme, plus jeune
que la femme… Senso ? Il s'approche, stupéfait, et
soudain incertain : Senso, ou leur père Henri ? Son
talent à éclipses l'a-t-il encore plongé dans le flot du
temps ?

Ou bien c'est un simple rêve ordinaire, plutôt, car
on s'y métamorphose ; les courts cheveux bruns du
jeune homme s'allongent, ils deviennent une rutilante
crinière qui cascade à présent sur un corps gracile et
blanc, on est Agnès, qui est aussi Jiliane, bien sûr,

par une de ces collisions propres aux rêves ordinaires. La femme brune, elle, n'a pas changé : bouche béante sur un râle passionné, visage convulsé de plaisir, elle a plongé les mains dans les boucles rousses, ses jambes s'enroulent comme des serpents autour des cuisses pâles. Deux femmes, et pourtant, c'est une chevauchée, le rythme de ces deux corps accordés et qui culmine dans un orgasme aussi violent qu'un éclair. La jeune femme rousse se relève après un moment, comme terrifiée. La femme brune ne bouge pas, comme si elle s'était évanouie de plaisir…

Un cri. C'est lui qui a crié. Il se réveille en sursaut, haletant, en nage. Pourquoi ce sentiment de panique horrifiée ? Pourquoi cette certitude déchirante d'arriver trop tard ?

On lui caresse le front : Haizelé, inquiète sous son sourire amusé, et qui demande : « Qui est Angélo ? »

Les images absurdes du rêve sont si claires, si insistantes, elles exigent d'être élucidées et pourtant, tout ce qu'il ressent c'est cette hébétude catastrophée… « Je ne sais pas. Je ne sais plus. »

Après un moment de silence, il murmure encore plus bas : « Restez avec moi ? »

Elle s'étend près de lui et le prend dans ses bras, sans un mot. Elle sent la bergamote, un parfum familier, poignant, puis apaisant. Il se laisse aller contre elle, avec gratitude, et dérive de nouveau dans le sommeil.

À l'aube, après avoir dormi sans autres rêves, il la regarde encore endormie, déconcerté, attendri, en songeant à ses confidences de Kalonoros, à la petite Haizelé qui n'avait pas peur de la mer. Ce visage sans âge, lissé par le sommeil…

Elle sourit, ouvre les yeux, lève une main lente pour lui caresser la joue. Il semble tout naturel à Pierrino de se pencher pour lui déposer un baiser sur les lèvres. Elle lui passe les bras autour du cou, en lui rendant son baiser.

47

À partir de Byzance, les deux ecclésiastes du bord réintègrent le réseau des mages. *L'Aigle des Mers*, parti pour son ordinaire voyage annuel de commerce, en revient de la manière ordinaire, et même plus ordinaire que d'habitude car on leur a conseillé d'user le moins possible de l'ambercite. Les rumeurs sont allées bon train pendant leur absence, et les autres pays sont à l'affût.

Pierrino n'a pas demandé auparavant aux ecclésiastes de s'enquérir de Jiliane – d'une part pour respecter le silence observé par *L'Aigle des Mers* dans le réseau des mages, mais surtout, même après Byzance, parce qu'il en sait l'inutilité. Il pose la question cependant, parce qu'on s'y attend de lui. Dom Marti et domma Grousses secouent la tête d'un air navré : aucune nouvelle. Pensent-ils comme lui, tous les intéressés ont-ils pensé, peut-être tout de suite, que de la magie mynmaï était à l'œuvre ? On ne lui offre pourtant pas ce commentaire, même maintenant, et il se garde quant à lui d'épiloguer.

S'il n'a pas été surpris pour Jiliane, il l'est d'apprendre que Senso est en tournée avec la Compagnie des Deux-Rives – mais plutôt heureux de ne pas le trouver à Aurepas sous la coupe de… Grand-père. Par un retournement bizarre, plus ils se rapprochent des rivages français et plus il lui est difficile de penser "Gilles" et "Ouraïn". Il s'est demandé un instant – bref retour sarcastique de l'ancien Pierrino – comment il les appellerait une fois à Aurepas.

Chez l'ambassadeur français à Byzance, pas de lettres de l'un comme il l'avait craint, ni de l'autre comme il l'avait vaguement espéré. De Senso non plus, ce qui le chagrine un peu – mais il n'a pas écrit lui non plus, somme toute. Il en a eu l'idée à plusieurs reprises, après plusieurs tentatives infructueuses et beaucoup de papier gaspillé, il y a renoncé. Par où commencer ? Et surtout, on n'écrit pas ces choses-là. Il faudra attendre d'être avec Senso et tout lui dire de vive voix. Il se rappelle trop la petite chambre de l'auberge de Senlis et la lecture des lettres d'Olducey. Qu'aurait-il fait alors, comment les aurait-il lues, et Senso, s'ils n'avaient été ensemble, s'ils n'avaient pu se réfugier dans les bras l'un de l'autre ? Et Senso… La Divine sait ce qui lui est arrivé, et comment il s'est retrouvé dans la Compagnie des Deux-Rives. Peut-être a-t-il vécu, lui aussi, des aventures trop éprouvantes pour les confier à des lettres.

Senso, Senso, Senso. Souvent, Pierrino a le sentiment d'être tout entier une aiguille aimantée tendue vers l'ouest, tendue si fort qu'il en a mal dans la poitrine, les doigts qui fourmillent. Ce n'est pas le fil d'or – les médaillons conservent entre eux leur déconcertante magie –, c'est son désir, sa nostalgie, un besoin de Senso qui ne doit rien à leur originel lien secret. Avec parfois une pointe d'appréhension : il a tant changé pendant cette année qui n'a pas même duré six mois pour lui… Mais Senso en a vécu chaque jour, chaque heure : à quel point aura-t-il changé, lui ?

Ne se trouve-t-il pas depuis près d'un an avec la Compagnie – avec Étienne Larché ? Qu'aura-t-il appris ?

On lui a donné des nouvelles de ses grands-parents, bien sûr, il en a même demandé : là encore, on se serait étonné sinon. Ils ont repris leur vie normale, l'une chez elle avec ses domestiques, l'autre au magasin, au Pavillon, à Lamirande. "Ils s'ennuient beaucoup de vous et ont hâte de vous revoir", a fait dire dom Patenaude. Il s'est senti tout ému, de façon inattendue, en songeant que ce message venait directement de l'ecclésiaste, à travers mers et terres, depuis Aurepas. La durée est devenue très étrange pour lui : les figures et les décors de son enfance sont plus proches et plus certains que tout ce qu'il a vécu depuis son éveil à bord de *L'Aigle*, tout ce qui a déboulé sur lui en accéléré, comme s'il avait vécu ces quelques mois à la manière des années de la jeune Ouraïn : presque uniquement des événements marquants auxquels les absences de l'*igaôtchènzin* dérobaient le tissu ordinaire et apaisant des jours sans histoire.

Il appréhende décidément de revoir… Grand-mère. Mais en même temps il en a hâte. Elle leur dira où se trouve Jiliane. Et il a hâte, aussi, parce qu'elle lui contera le reste de sa terrible histoire, qui est malgré tout l'histoire de leur famille. Il n'est pas certain d'en être aussi curieux qu'il l'aurait été autrefois, mais c'est comme un devoir de savoir auquel il ne peut en toute conscience se dérober.

Il doit l'admettre aussi, il appréhende terriblement de revoir… Sigismond. Son esprit se dérobe à cette pensée, il se sent redevenir tout engourdi – il n'arrive pas à l'imaginer, cette rencontre. Que lui dirait-il ? Que pourrait-il bien lui dire ? Que pourra-t-il bien *faire* ?

Senso. C'est devenu son incantation, son offrande, ces deux simples syllabes lissent tout autour d'elles, il se sent plus clair, plus calme, apaisé. Il attendra Senso. C'est Senso qu'il reverra en premier. Avec Senso, il pourra réfléchir et déterminer la voie à suivre.

Il faut lui écrire, à Senso, simplement pour lui fixer rendez-vous à Aurepas, puisque la tournée de la Compagnie doit s'y achever. Et, afin d'être certain que ce message, s'il tombe en de mauvaises mains, ne pourra être déchiffré, il faut le coucher en termes à la fois énigmatiques pour autrui mais certains d'être reconnus par Senso.

Après avoir cacheté l'enveloppe, il va s'étendre et il s'endort, en souhaitant ne pas rêver.

48

Ils arrivent plus tard que prévu dans l'après-midi du 17 mars à Narbonne, où l'on doit discrètement rencontrer les émissaires royaux le lendemain. Pierrino appréhendait de se voir recruter pour l'occasion, mais on n'en n'éprouve apparemment pas le besoin : entre eux trois, Haizelé et les deux ecclésiastes en savent bien assez pour satisfaire les curiosités de leurs répondants.

Et finalement, après avoir posté la lettre au courrier exprès qui la délivrera le 18 à Toulouse – mais cela laisse tout de même deux jours à Senso, amplement le temps –, il regrette presque de ne pas les avoir accompagnés. Seul avec Chéhyé à l'auberge du port où ils logent, il est tout empêtré de lui-même. Il a essayé de lire *La Gazette d'Orléans* mise à sa disposition, s'est arrêté à la deuxième page. Tout cela est… irréel. Narbonne, le Midi, la France, l'Europe : irréels. Et pourtant, l'Émorie, Nomghur, Garang Xhévât lui semblent tout aussi évanescents. Lorsqu'il essaie d'évoquer le visage des Natéhsin, c'est comme un rêve – l'envol et le plongeon de Hyundpènh, l'apparition du Dragon de Feu : des rêves, comme la visite à La Miranda. Pas même des merveilles, simplement… une histoire qui ne lui appartient pas et où il serait tombé par mégarde. Il a beau se rappeler, sévère, que c'est son histoire, son héritage, son fardeau, il peut sentir en lui ce noyau obstiné, incrédule. Il n'y a que deux îles dans ces mers d'impossibilités brumeuses : Senso. Jiliane.

Il s'arrête devant Chéhyé vêtu à l'occidentale qui, tableau doublement incongru, a pris la gazette abandonnée et la lit avec ce qui semble une totale fascination.

« Chéhyé, tu es un Ghât'sin. Peux-tu trouver ma sœur ? »

Après un silence méditatif, le vieil homme déclare : « Je peux te servir, mais tu dois me prêter ton talent. Tu sauras mieux que moi la reconnaître. »

Pierrino hésite : s'il possède encore du talent, il ne sait comment y accéder. « Que dois-je faire ?

— Rien. Simplement, reste avec moi. Si tu la perçois, tu le sauras. »

Il s'assied par terre en tailleur, Pierrino en fait autant. Le Ghât'sin pose une main sur le médaillon du Dragon de la Montagne, et ses yeux se perdent dans le lointain.

Pierrino plonge. L'Entremonde est un océan sans limites, où il se déplace à une vitesse vertigineuse, sans bouger : c'est la substance divine de l'univers qui défile à toute allure. Mais que cherche-t-il ? – une image de Jiliane ? de sa psyché ? À quoi ressemble la psyché de Jiliane ? Il ne l'a jamais perçue. La flamme de ses cheveux, la texture de ses silences, le son rare de sa voix ? Son regard bleu et grave ? Son regard bleu et rieur ?

Et soudain dans les infinies et mouvantes textures des condensations lumineuses dont il sait, à travers

Chéhyé, que c'est le monde ordinaire tel qu'il se traduit dans l'Entremonde, il en perçoit une d'une brillance toute particulière, qui l'attire irrésistiblement. En même temps, Chéhyé dit : *Ton frère.*

Senso ? C'est lui, ce nœud de flammes capricieuses qui dansent dans cette sphère translucide ?

Il est comme toi. Veux-tu lui parler ?

Pierrino va pour dire oui, emporté par un élan de joie, mais il se retient brusquement : comment réagirait Senso à ce contact ?

Que fait-il ?

Il répète une pièce avec des comédiens.

« Il vaut sans doute mieux ne pas le déranger », dit Pierrino tout haut, avec regret.

Il sent la surprise de Chéhyé, et qu'elle n'est pas causée par sa réponse.

« Qu'y a-t-il ?

— Rien », dit le Ghât'sin.

L'Entremonde s'est brusquement évaporé, ils se trouvent dans la chambre, qui semble bien sombre et dure par comparaison.

« Mais nous n'avions pas fini !

— Il valait mieux arrêter, dit le Ghât'sin. On nous regardait. »

Pierrino se sent brusquement glacé. « Qui ? Qui nous regardait ? Un autre mage mynmaï ? »

Chéhyé semble méditer longuement : « C'est possible. On se dissimulait avec beaucoup d'habileté et de puissance. »

Pierrino reste un instant figé, puis demande : « Ce n'était pas… Ouraïn, ou ses deux Ghât ? »

Chéhyé hausse un peu les sourcils : « Non, eux, je les aurais reconnus. »

Les idées se bousculent dans l'esprit de Pierrino : « Mais c'était peut-être Jiliane ! Pourquoi ne me l'as-tu pas montré ?

— Ce n'était pas une femme », dit Chéhyé après un autre silence.

Il tend un doigt pour effleurer le médaillon de Pierrino.

« Des puissances sommeillent dans votre monde, comme dans le nôtre. »

Pierrino fronce les sourcils. « Des Dragons ? » dit-il avec un retour de son ancienne ironie – on n'est plus en Émorie, maintenant, on est à Narbonne, après-demain il sera à Aurepas !

Mais tout à coup les noms familiers n'ont guère d'efficace.

« Vous ne les dérangez pas, car vous les ignorez, aussi vous ignorent-ils, réplique Chéhyé. Mais ils ne se laissent pas observer en toute impunité.

— Des Dragons ! » proteste Pierrino, étonné de se sentir ce scandale, comme pour une infraction. « En France !

— Huètman' les a installés partout dans les racines du monde depuis le commencement », dit le vieux Ghât'sin sans se troubler. « Et les racines du monde ne portent pas les noms inventés par les humains. »

49

« Il y a une lettre pour vous, Monsieur d'Olducey »,
dit l'aubergiste lorsque Senso rentre de l'ultime répétition qui s'est poursuivie tard dans la soirée. Il la
prend avec lassitude : Grand-père, sans doute, ou alors
Émilie. L'un ou l'autre, ce ne sont que tristesses en
perspective.

Et puis il reconnaît l'écriture de l'adresse, et son
cœur bondit dans sa poitrine. Il décachette l'enveloppe
– brève déception, seulement quelques lignes, mais
c'est un rendez-vous, et c'est Pierrino, Pierrino, enfin !

« Alexis, c'est Pierrino !

— Ah bon », fait Alexis sans se retourner dans
les marches. « Je vais me coucher. Bonsoir. »

Et il disparaît sur le palier.

Senso reste un instant figé, en essayant de maîtriser son irritation. Ce n'est certainement pas de la
part d'Alexis une jalousie qui ne s'est jamais mani-
festée jusqu'à présent lorsqu'il s'agissait de Pierrino.
Non, l'intonation était claire, c'était simplement…
de l'indifférence. Certes, Alexis semble fatigué, ces
derniers temps. Il a été insupportable pendant cette

ultime répétition avant Aurepas, manquant ses entrées, débitant son texte de manière mécanique et trouvant pourtant à redire au jeu des autres comédiens, mais comment peut-il ne pas comprendre, ne pas partager sa joie à la réception de cette lettre tant attendue ?

Il attrape au vol Théodora, qui passe en déboutonnant son manteau d'une main lasse. « Je dois partir demain très tôt, Théodora. Des affaires de famille, à Aurepas. Vous y serez dans deux jours, de toute façon.

— Rien de grave ?

— Non. Pierrino est rentré de son voyage. Je vais le rejoindre tout de suite. »

Elle lui sourit : « Oui, bien sûr » – elle comprend, elle. Mais elle est fatiguée aussi. Les caprices d'Alexis, depuis plusieurs jours, usent la patience de la directrice de troupe et inquiètent l'amoureuse. Cela leur fera peut-être du bien, somme toute, de passer deux jours sans lui ; ils pourront se parler.

« Pourquoi ne pas venir avec nous, pourtant ? Tu n'arriveras pas tellement plus tôt.

— Je désire faire un petit détour. »

Elle hoche la tête sans l'interroger davantage. Ils montent ensemble à l'étage et, pendant qu'elle s'éloigne vers sa chambre, il frappe à la porte d'Alexis. Pas de réponse. Il hésite à entrer. Alexis ne dort sûrement pas déjà ! Quoi, il boude ? Si l'on ne veut pas le voir, on pourrait le lui dire ! Mais il ne va pas s'imposer si l'on ne veut pas de lui. « Je dois partir pour Aurepas demain à l'aube, Alexis. Nous nous retrouverons là-bas. »

Silence. Senso tourne les talons, étonné encore de ne pas mieux maîtriser son brusque éclat de colère. Il ne se savait pas tant d'impatiences, ni si brûlantes. À plusieurs reprises, pendant la répétition, il a haussé la voix. Il est fatigué lui aussi, il dort mal depuis des semaines, ce qui n'est sans doute pas surprenant, avec l'approche de la première de la pièce à Aurepas.

Avec l'approche d'Aurepas.

Mais du moins Pierrino y sera-t-il pour l'accueillir. Ensemble, ils feront plus facilement front.

Il s'immobilise, la main sur la clenche de sa porte, un peu honteux. "Faire front", pourquoi cette métaphore guerrière? Il n'y a pas d'ennemis à Aurepas.

Dans la matinée du 19 mars, ayant encore une fois à peine dormi et pourtant revigoré par la perspective de revoir Pierrino, il quitte Toulouse, seul, avec peu de bagages, sur un cheval loué qu'il échangera aux postes de remonte répartis le long de la route. Il songe avec un amusement distrait qu'il ne part pas tout de suite vers le sud, pourtant, mais, une dernière fois, vers le nord. Vers Villemuire, où a eu lieu l'attaque contre leurs parents. Il s'était promis d'effectuer ce triste pèlerinage, il l'a sans cesse remis pendant qu'ils étaient à Toulouse, trop occupé par la pièce, mais mieux vaut tard que jamais.

Il est malgré tout un peu inquiet, moins parce qu'il est seul – malgré le bracelet d'avers, si on se soucie encore de le suivre – qu'à cause du message de Pierrino: *Cher Senso, je serai très bientôt à Aurepas, comme toi. Si tu le veux bien, rencontrons-nous le 21 mars à quatre heures de l'après-midi là où nous étions avec Renaud le jour où tu as prêté pour la première fois ton manteau à Émilie. Nul autre que nous n'a besoin de savoir notre réunion pour l'instant. Je t'embrasse de tout mon cœur.*

Ce sera donc au bord du Corthon, le ruisseau où ils avaient coutume de se donner rendez-vous, adolescents, avec Renaud, Jiliane et Émilie. Mais Pierrino lui demande de ne le dire ni à Grand-mère ni à Grand-père – à personne. Et il ne désigne pas expressément le lieu. Que redoute-t-il donc?

À personne. Émilie. Divine, Émilie est-elle à Aurepas ? C'est le festival du printemps, bientôt le Bal des Loups, elle sera sûrement revenue de ses études à Lavelanet... Il se laisse aller au trot de son cheval, soudain plongé dans une anxiété encore plus profonde. Émilie. Revoir Émilie. Il ne sait pas même s'il l'aime encore ; il a le sentiment que pendant cette année il a plus changé qu'en dix ans ; pourront-ils se retrouver en harmonie, après le silence qu'il a laissé s'installer entre eux, malgré leurs lettres, à cause de leurs lettres ?

Et une autre pensée, qu'il ne peut retenir, ni adoucir : Émilie, c'était l'enfance, et il n'est plus un enfant.

Et une certitude : qui il est maintenant, seul Pierrino pourra le lui dire.

Plein d'une pesante tristesse, il poursuit son chemin dans l'aube qui s'affirme, indifférent à la campagne printanière.

50

À la fin de la matinée, après avoir changé de monture, Senso est pris de vagues nausées. Ce doit être l'inquiétude et, surtout, la fatigue qui le rattrapent finalement. Mais il les écarte et poursuit son chemin, au pas plus souvent qu'au trot, avec une sombre résolution.

À Villemuire, le ciel est nuageux, des giboulées menacent. Dans les alternances de soleil et d'ombre, le petit village a pourtant un air riant avec ses toits de tuiles et ses murs blancs, ses haies d'aubépines et ses lilas déjà fleuris dans jardins et cours. Senso s'arrête à la taverne : c'est certainement le meilleur endroit où se renseigner et il en profitera pour manger un morceau, même s'il n'a pas très faim ; on ne voyage pas ainsi sans se sustenter.

On n'est pas au courant, on le dirige vers l'auberge du lieu. Personne ne sait rien. « Un accident, une jeune femme qui a accouché ici ? » L'aubergiste corpulent et sa fille rondelette échangent un regard d'abord perplexe puis l'homme fronce les sourcils. « Ah oui… il y a une vingtaine d'années, c'est cela ?

Ma femme s'en est occupée, je crois, mais elle est passée depuis deux ans… Moi, je voyageais beaucoup à l'époque. » Voyons, Agnès et Grand-mère sont restées plusieurs mois à l'auberge, sûrement ils s'en souviennent mieux que cela, et surtout d'une femme au faciès asiatique comme Grand-mère ? « J'étais en pension chez ma tante à Montauban », dit la jeune fille.

Et les employés présents de l'auberge n'étaient pas là non plus, à l'époque. Senso jette un coup d'œil dans la salle où quelques vieux jouent aux cartes. Et eux, ils ne se souviennent de rien ? « Oui… peut-être… c'est loin, tout ça, mon petit Monsieur… peut-être le Marcelin… ah non, il est passé cet automne… » Senso ne sait pourquoi il trouve si important de rencontrer des témoins directs, mais il sent l'énervement qui point, le maîtrise tant bien que mal. Lorsqu'il précise la cause de l'accident, l'attaque des soi-disant brigands, on est encore plus perplexe, mais on le renvoie derechef à la maréchaussée.

Il se présente sous son véritable nom, cette fois : cela lui amène une officière, une jeune femme aimable d'une trentaine d'années. « Mon prédécesseur vous aurait sûrement mieux répondu que moi, Monsieur Garance. » Mais elle va exhumer le registre du printemps 1785 pour le consulter devant lui. Se redresse, les sourcils légèrement froncés. « Vous êtes certain de la date ? Il n'y a rien, le 10 mars. »

Senso ne peut se retenir : « C'est impossible ! »

Puis il se rappelle. La lettre de Jacquelin à leur grand-mère d'Olducey. La *véritable* date. "La mère d'Agnès est venue la rejoindre à l'auberge proche où on l'avait transportée et elle l'y a soignée avec dévotion pendant cinq mois…" Divine, il est plus fatigué qu'il ne le croyait !

« En octobre, Madame, pardonnez-moi. Je confondais avec… l'anniversaire de ma sœur. » Il ajoute, penaud : « Je ne sais pas la date exacte, en octobre. »

L'officière ne commente pas, remonte dans le temps en feuilletant rapidement le registre. Octobre. Deux, trois pages.

« Je ne trouve rien… »

Il lui prend le registre des mains, feuillette le mois d'octobre, puis en amont et en aval.

Rien.

« Peut-être y a-t-il erreur sur le lieu ? » suggère la jeune femme d'un air plus navré qu'agacé. Sa sollicitude ne touche pas Senso. Il n'a pas même la force d'être stupéfait : la tête lui tourne, il n'arrive pas à penser. Il s'entend dire « Peut-être », puis marmonner par réflexe des excuses et des remerciements. Il s'en va, il remonte à cheval, il quitte le village, au pas, ballotté sur sa selle. Il se sent si lourd, il est vaguement étonné que sa monture puisse le porter. Ses yeux se ferment tout seuls. Il s'arrête dans une grange en rase campagne. Une petite sieste lui fera sûrement du bien.

Quand il se réveille, il constate avec stupéfaction que c'est déjà la fin de l'après-midi. Il remonte en selle, irrité : il avait décidément sous-estimé sa fatigue. Il faudrait galoper pour rattraper le temps perdu, mais il ne s'en sent pas la force. Tant pis, il couchera à Mongiscars, au lieu de Pamiers comme il l'avait envisagé ; il arrivera plus tard et moins frais le 20 à Aurepas, c'est tout.

Il ne cesse d'être retardé le lendemain par des orages qui l'obligent à chercher refuge dans des fermes ou dans des granges. À Aurepas enfin, en milieu de soirée, il pleut encore. Entre les ombres et la lumière vacillante des réverbères, les rues désertes sous l'ondée ne sont que des rues, les maisons des maisons. Il pense à peine "je suis chez moi", n'en ressent rien. À quoi sert donc tout ce sommeil, si c'est pour être aussi exténué ? Il se laisse mener par son cheval, qui sent l'écurie, jusqu'au quartier du Mail et la Grande Auberge des Capitouls – c'est aussi le poste de remonte. La Compagnie s'y trouve déjà depuis la veille, mais tout le monde se repose après avoir déchargé le matériel au théâtre, un peu plus loin, de l'autre côté des Thermes. Et la générale qui est demain matin ! Théodora doit être furieuse de son absence. Et Alexis inquiet. Ou l'inverse. Devrais sûrement prendre un bain chaud. Me mouiller davantage ? Ah non...

Il décline l'offre de petit-déjeuner de l'aubergiste. Monte dans sa chambre. Se déshabille. Se rend compte qu'il a éparpillé ses vêtements au hasard sur le plancher. Étienne ramassera.

Étienne. Mais ce chagrin même est enfoui si loin sous la couche d'hébétude qu'il en tressaille à peine. Trop fatigué. Il se laisse tomber sur le lit en fermant les yeux.

◆

Il marche sur le chemin de la tour. Pourquoi courir ? De toute façon, il arrivera trop tard. Mais il arrive, malgré tout, il gravit malgré tout les marches étroites de l'escalier en colimaçon. La marée du temps ne sourd pas des pierres antiques pour le ralentir, le souffle rouge des parois n'essaie pas de le suffoquer dans son ascension. C'est inutile désormais. Lorsqu'il atteint enfin le sommet de la tour, il n'y a personne. Elle a déjà sauté. Elle est déjà tombée.

Il s'accoude au créneau. La mer s'étend au pied de la tour, lisse comme un miroir sous la lune de perle. Il n'a jamais regardé depuis les créneaux, avant ? (quand ?) Il lui semble... N'était-ce point la campagne autour de Lamirande, les autres fois ? (quand ?) Mais la mer, c'est mieux. La mer, c'est par là qu'est

revenu Pierrino. Il contemple la surface étale et son
accablement s'allège un peu, il y sent même poindre
un espoir tremblant. Sait-elle nager, celle qui est
tombée ? A-t-elle vraiment sauté, alors ? Devait-il…
devait-il donc l'accompagner, et non la retenir ?

Il grimpe sur le créneau, il étend les bras. Il ne
doit pas avoir peur. Elle n'avait pas peur. Il se ramasse
pour prendre son élan, mais une main lui encercle la
cheville, par-dessus son bracelet d'avers. « Non, dit
la voix implorante de Pierrino, non, reste encore
avec moi. »

Il ouvre les yeux, baigné d'une joie qui s'attarde.
Pierrino…

Mais la silhouette qui se redresse, la main qui lâche
sa cheville, ne sont pas celles de Pierrino. C'est une très
jeune fille vêtue d'une sage robe à motif fleuri, cheveux
sombres et bouclés, teint de pêche, lèvres en bouton
de rose. Divine, qu'elle est belle ! C'est tout ce que
Senso peut penser d'abord, le souffle coupé. Puis il
se rappelle qu'il est nu, tâtonne pour tirer sur lui le
couvre-lit.

La jeune fille sourit, en lui lançant un regard oblique
de ses yeux veloutés.

« Il n'y a rien à cacher, dit-elle. Vous avez là un
bien joli bracelet. »

Sa voix est magnifique aussi, un contralto riche et
profond, étonnant chez une si jeune fille. Et il y a bel et
bien quelque chose à cacher. A-t-elle vu son érection ?
Stupéfait, affreusement embarrassé, il balbutie il ne sait
quoi, que la visiteuse choisit d'interpréter comme une
question.

« Je suis avec la Compagnie, répond-elle. On nous a
dit que vous étiez arrivé très tard. Vous avez manqué
la générale, ce matin. Théodora a décidé de vous
laisser dormir. » Elle sourit encore, espiègle : « Mais
je voulais rencontrer notre grand auteur. Je m'appelle

Angèle. C'est moi qui joue votre Cyrine, maintenant. J'ai été engagée pour remplacer Alexis. »

Senso s'enroule avec maladresse dans le couvre-lit, désemparé – et horrifié de sentir que son érection ne diminue pas : « Quoi ? Alexis n'est plus là ? Qu'est-il arrivé ?

— Il a quitté la Compagnie avant-hier. On ne sait pas où il est allé. Il était capricieux, paraît-il.

— Avant-hier ? Et on vous a engagée à sa place ?

— Oui.

— Mais c'était Adélaïde qui doublait Alexis…

— Quand elle m'a vue jouer, Théodora a estimé que je serais meilleure. Même Adélaïde en a été d'accord. »

Senso la dévisage, désemparé, chagrin – et toujours stupéfait de son excitation. La jeune fille s'assied sur le bord du lit, passe un doigt le long de sa jambe découverte. Il frissonne. Elle se penche vers lui, il peut sentir un parfum léger de citronnelle. Il ferme les yeux, saisi de vertige, tendu de tout son être vers ces lèvres humides.

Le mouvement s'interrompt. La jeune fille s'est brusquement redressée, avec une expression étrange : stupéfaite et même… épouvantée. Elle recule avec un murmure indistinct, fait volte-face et s'enfuit dans un envol de jupes bleues et roses.

Senso demeure un instant abasourdi, la tête bourdonnante. Puis, avec la sensation d'une douche glacée, il prend conscience de l'heure. Cinq heures, il est cinq heures passées !

51

Le 19 mars, on quitte *L'Aigle des Mers* et ses marins en rade de Narbonne. En arrivant sur le quai du canal pour prendre le bateau qui les emmènera, Haizelé, Chéhyé et lui, à Aurepas, Pierrino se raidit : c'est le *Gil-Éliane*. Grand-Père est-il venu en personne ? Mais c'est le capitaine Rateneau qui les salue, jovial sous son ciré, après un bref instant de désorientation – ai-je donc tant changé ? se demande Pierrino ; il a pourtant rasé la barbe et les moustaches qu'il avait un temps laissé pousser : « Monsieur Pierrino, cela fait plaisir de vous revoir ! » Pierrino serre la main tendue avec un amusement teinté de mélancolie : il va revenir comme il est parti.

La pluie les accompagne depuis Narbonne, cesse à Carcassonne, reprend par intermittence – orages et giboulées de saisons. « Pas du beau temps pour voyager », marmonne pourtant l'un des soutiers qui passe son quart de repos sous l'auvent de proue avec eux. Pierrino ne commente pas. Il trouve la pluie fraîche et douce, comme les paysages familiers où le printemps tremble encore en hésitant brume verte sur les branches. Après la chaleur humide et oppressante des jungles et des villes mynmaï, c'est un contraste bienvenu.

Une grave avarie à l'écluse de Larégasses a causé un embouteillage sur le canal. Elle est finalement réparée, mais ils doivent attendre leur tour, et ils sont en queue d'une très longue file. Ils ne passeront pas avant tard dans la soirée. Pierrino prend son mal en patience, descend pour se dégourdir les jambes sur l'ancien chemin de halage, plaisante avec les badauds. Il garde son sourire même lorsqu'un chaland bloque encore davantage la voie à la suite d'une fausse manœuvre, ce qui retarde leur passage au lendemain matin. Rien ne l'empêchera de retrouver Senso, il le sait jusque dans la moelle de ses os – même l'omission stupide dont il a pris conscience avec retard : il n'a pas indiqué à Senso qu'il descendrait à l'Auberge des Capitouls. Mais comme Senso se trouve avec la Compagnie des Deux-Rives, et que c'est à cette auberge que descendent toutes les troupes ambulantes, à cause de la proximité du théâtre, cela ne devrait pas créer de problème.

Le 20 mars en milieu d'après-midi, le cabriolet les attend au Boccan – le cocher, monsieur Aziz, salue Pierrino avec la même légère hésitation que le capitaine Rateneau. Il manifeste une certaine surprise lorsque Haizelé lui demande de les emmener à l'Auberge des Capitouls, et une surprise certaine lorsque Pierrino y reste avec Chéhyé et les bagages tandis que Haizelé remonte dans la voiture : elle s'en va au Pavillon de Grand-père, sûrement impatient même si on l'a prévenu du retard, pour lui apprendre plus en détail le résultat des négociations, comme convenu avec lui ; comme convenu avec Pierrino, elle ne lui parlera que de ce résultat… Il s'enquiert auprès du domestique qui l'aide à transporter leurs bagages : la Compagnie des Deux-Rives est-elle arrivée ? Oui, mais on est allé décharger le matériel au théâtre. Pierrino est tenté d'aller surprendre Senso, y renonce. Toi si impatient, dirait Senso, tu fais durer le plaisir ? Il lui répond avec un sourire amusé : il ne faut pas déranger Monsieur l'Homme de Théâtre dans ses ultimes préparations. Le rendez-vous est prévu pour le lendemain, Senso aura arrangé en conséquence son emploi du temps sûrement très chargé – on va jouer sa première pièce pour la première fois, n'est-ce pas ?

Un fois installé avec Chéhyé, dont on pense apparemment qu'il est son serviteur et partage sa chambre, car on lui a déplié un petit lit de camp, Pierrino se demande pourtant ce qu'il va faire du reste de la journée, et une légère inquiétude l'assombrit. On sait au Pavillon qu'il se trouve à Aurepas. Et si l'on venait le surprendre à l'auberge, lui ? Il s'oblige à reformuler sa pensée, c'est ridicule d'user de ces détours. *Grand-père* voudra peut-être le surprendre. Grand-mère, c'est hors de question, mais Félicien ou Nadine ? Il peut sentir le refus absolu qui jaillit en lui à cette seule idée. Personne. Aucun d'entre eux. Senso d'abord.

Il se lève du fauteuil où il s'était laissé tomber. « Je vais aux Thermes, Chéhyé. Et souper ensuite au café Douzelat. Cela t'intéresse-t-il ? »

Le petit vieillard hausse les épaules. « Non. »

Pierrino le dévisage avec curiosité : « Que vas-tu donc faire ?

— On me montera à manger », répond Chéhyé – à côté, mais Pierrino n'insiste pas ; peut-être va-t-il espionner ce qui se dit entre Haizelé et Grand-père. Ou observer Grand-mère et ses Ghât. Mais ce sont ses affaires de Mynmaï. Il ne veut pas le savoir.

◆

Le lendemain matin, il s'accorde la grasse matinée, déjeune avec Chéhyé dans leur chambre, s'enquiert de Haizelé : elle est rentrée tard, lui fait-elle dire, est repartie tôt pour l'évêché avec monsieur Garance. Il s'interdit de chercher Senso – il a entendu des comédiens, dans le couloir, parler la veille de la répétition générale qui va occuper toute leur matinée. Il retourne dîner à midi chez Douzelat, et vers quatre heures et demie, le cœur battant, s'en va directement au rendez-vous avec Senso.

La pluie grisaille dans l'atmosphère, si fine qu'il n'a pas senti la nécessité d'emprunter un parapluie. Les rues ne sont guère achalandées, moins encore les abords du ruisseau. Il descend le petit chemin menant à la rive, suit celui qui longe le cours d'eau, herbe jaune striée de vert, branchages encore nus mais, ici et là, des touffes de violettes et de jonquilles. Il laisse couler les souvenirs sans en retenir la mélancolie – Renaud, Émilie, Jiliane… mais Senso, il va bientôt revoir Senso !

Senso n'est pas là. Et n'y est toujours pas après une heure d'attente.

La pluie, comme accordée à son humeur, se fait plus drue sur le chemin du retour, avec même du tonnerre. Il s'abrite dans une encoignure de porte en attendant que passe le plus fort de l'orage, en essayant de réfréner son inquiétude. Senso aura été retardé, voilà tout.

« Pierrino ! »

Ce n'est pas la voix de Senso – et ce n'est pas la première fois qu'on l'appelle ainsi, il en prend conscience du même coup. Un cabriolet tiré par un petit cheval luisant de pluie est arrêté devant lui et, sous la capote dégoulinante, quelqu'un en robe bleu mage sous un grand manteau bleu foncé lui adresse un sourire incrédule et joyeux. Dom Patenaude.

« Mais montez donc, mon enfant ! Où alliez-vous par cet horrible temps ? »

Il grimpe dans le cabriolet sans répondre, soudain soupçonneux. Grand-père l'aurait-il envoyé chercher ? L'ecclésiaste l'embrasse avec une affection non déguisée sans se formaliser de son silence : « Ah, mais que vous avez forci, mon garçon ! » Il ne dit pas "vieilli", mais son regard fugitivement perplexe le dit pour lui. « Je reviens de chez madame Bazzaud. Divine, si je m'attendais à vous voir là… ! Je ne vous croyais pas déjà arrivé. Savez-vous que Senso se trouve ici avec une célèbre troupe de théâtre ?

— La Compagnie des Deux-Rives, oui.

— Ah, vous l'avez donc retrouvé.

— Il est très occupé de sa pièce », dit Pierrino sans se compromettre.

Dom Patenaude le dévisage avec plus d'attention. Il doit bien se rendre compte de la bizarrerie de cette rencontre, à la fin, de son lieu incongru ?

— Je peux aller vous déposer chez votre grand-mère », dit l'ecclésiaste.

Il n'a pas dit "chez votre grand-père". Ils se regardent un moment sans parler, puis Pierrino détourne les yeux. « Nous sommes descendus à l'Auberge des Capitouls. Ce n'est pas tellement sur le chemin du presbytère…

— Oh, ce n'est qu'un petit détour ! »

Un claquement de langue et la voiture s'ébranle de nouveau.

« Tenez-vous donc toujours rigueur à votre grand-père de l'enlèvement de Jiliane ? » dit soudain dom Patenaude, d'une voix discrètement attristée.

Pierrino ne peut retenir un sourire sarcastique : « Je crois qu'on sait fort bien à quoi s'en tenir sur l'enlèvement de Jiliane. » Et comme dom Patenaude ne réagit pas, il pousse davantage, d'un ton entendu : « Je suis allé en Émorie. »

L'ecclésiaste ne se trouble pas : « Comment est-ce à présent ?

— Ils ont toujours des talentés. Et la résistance s'organise contre les Kôdinh, je crois.

— Et de quel côté se trouve la faction qui fournissait les minerais ? »

Pierrino se raidit : « Vous le saviez tout du long ? Et pour la fabrique secrète, à Kalpéni ?

— Une fabrique secrète ? » Dom Patenaude semble réellement surpris : « Cela, non. Je croyais qu'on y accumulait seulement les matériaux bruts. On fabrique déjà de l'ambercite ? Mais... qui s'en occupe ? Sigismond n'est pas parti si loin en voyage depuis des années.

— Ce secret a toujours été partagé par des gens dont on s'était assuré la discrétion. Vous deviez bien vous en douter ? »

Après un petit silence, dom Patenaude soupire : « Oui. »

Le pauvre n'est en rien responsable de tout ceci. En se reprochant sa mauvaise grâce, Pierrino demande d'un ton plus léger : « Et que s'est-il passé par chez nous ? L'Encyclopédie ?

— Oh, elle est à toutes fins utiles en suspens. Et les troubles continuent, tout comme se poursuit l'affrontement larvé entre la Royauté, la Hiérarchie, les barons du charbon et les républicains. Le Hutland et l'Angleterre se frottent les mains, les autres pays géminites en sont à envisager d'envoyer leurs propres émissaires aux Kôdinh... Votre grand-père espère beaucoup de ses propres négociations pour mettre fin à toute cette incertitude.

— Il va être déçu, Humphong a été remplacé par son fils, et le nouveau roi n'est pas sympathique au commerce, ni aux Français. »

Dom Patenaude secoue la tête d'un air affligé : « Dans ce cas, je ne sais ce qui se décidera ici. »

À l'auberge, l'ecclésiaste regarde Pierrino descendre du cabriolet. « Merci beaucoup, Dom Patenaude.

— Irez-vous au Pavillon bientôt? » demande brusquement l'ecclésiaste, comme s'il n'avait pu retenir sa question, son inquiétude.

« Demain », dit Pierrino en réfrénant un soupir. « Et chez Grand-mère. »

Mais d'abord, il doit voir Senso.

◆

« Eh, Senso, pas trop tôt! Darquier te cherche! »

Pierrino se dirige vers le jeune homme trapu qui vient de le héler dans la salle de l'auberge. Du moins ressemble-t-il toujours assez à Senso si on les confond encore!

« Non, je suis son jumeau, Pierre-Henri. Je le cherche, est-il là? »

Après avoir dévisagé Pierrino avec la curiosité attendue, le jeune homme esquisse une mimique d'ignorance.

« Pierre-Henri? »

Il se retourne: madame Andoriakis. Elle l'embrasse avec effusion, sans remarquer l'embarras de Pierrino, plutôt déconcerté de cet enthousiasme, puis elle le dévisage, les yeux plissés: « Vous ressemblez davantage encore à votre père, soupire-t-elle. Alors, vous voilà revenu de ce long et mystérieux voyage? Où diantre êtes-vous donc allé? Aucune nouvelle de vous, le pauvre Senso se languissait.

— Savez-vous où il se trouve?

— Chez vos grands-parents, sans doute. Il est arrivé tard hier soir, et il a manqué la générale ce matin. Il devait être bien fatigué – ou bien nerveux! Il nous a écrit une fort belle pièce, savez-vous? C'est ce que nous allons jouer ici, bien entendu, en première. Vous serez fier de lui! »

Pierrino refuse d'être inquiet, se permet seulement la surprise : Étienne ne lui aurait pas laissé manquer ce rendez-vous ? « Il est parti en compagnie de Larché ?

— Étienne ? Oh, il est revenu à Aurepas il y a plusieurs mois. Senso en était tout attristé. Il nous a quittés de manière bien abrupte à Bordeaux. »

Larché a repris son service auprès de Grand-père, alors. Pierrino dissimule de son mieux sa déception : « Senso avait bien reçu une lettre de moi à Montauban, n'est-ce pas ?

— Oh, oui, il est parti le lendemain matin, le 19, dit madame Andoriakis. Il a pris sa chambre ici, comme convenu. »

Pierrino la salue et se précipite pour demander à quel étage se trouve la chambre de Senso. Une soubrette s'apprête à faire le ménage, Senso n'y est pas. Lit en désordre, manteau manquant. Il a dû partir en hâte, et en retard, pour le rendez-vous. Aller maintenant le retrouver ? S'ils n'empruntent pas le même itinéraire, c'est le meilleur moyen de se manquer. Il vaut mieux rester l'attendre ici. Après un an, qu'est-ce que quelques heures de plus ?

52

Senso laisse se refermer derrière lui, sans la retenir, la porte de l'auberge. Il se laisse tomber sur un banc à l'écart, près de l'entrée. Pierrino, Pierrino, il a manqué Pierrino ! Irritation et culpabilité se disputent en lui, aussi douloureuses l'une que l'autre. Où est Pierrino, comment le retrouver, à présent ? Il n'est sûrement pas descendu chez Grand-père ? Chez Grand-mère, alors… Pourquoi, mais pourquoi ne lui a-t-il pas dit dans sa lettre où il resterait ?

Parce qu'il ne pensait pas que tu raterais le rendez-vous, imbécile, voilà pourquoi !

« Senso ! »

La voix toujours familière, après tout ce temps. Avec un effort, il se lève. Grand-père, boucles blanches en bataille, qui se précipite vers lui pour l'étreindre dans un grand élan de joie, indifférent à son habit détrempé, qui le serre longuement contre lui en répétant : « Senso, Senso ! » Puis il l'écarte à bout de bras, le dévisage, les sourcils un peu froncés : « Divine, comme tu as forci ! » Il lui tapote encore le dos, puis le lâche ; son regard balaie le foyer de l'auberge : « Et où donc est Larché ? »

Une lointaine surprise – mais comment l'auraient-ils su, en effet ? Il est trop las pour des ménagements : « Il est mort, Grand-père. L'émeute des Vendanges, à Bordeaux. »

Grand-père se fige. Quelles questions va-t-il poser ? Senso l'observe, la tête bourdonnante, trop épuisé aussi pour l'inquiétude. Mais, après un long silence, Grand-père dit seulement : « Tu as su sa condition, alors.

— Oui. »

Et l'on aurait pu nous en informer plus tôt. Mais à quoi bon le dire ? Étienne est mort, et sauvé.

« C'est terrible, dit enfin Grand-père. La Divine puisse-t-Elle avoir pitié de lui. » Il s'est un peu affaissé sur lui-même, son visage s'est assombri. « Rahyan, murmure-t-il, et maintenant, Larché…

— Rahyan est mort ?

— Oui, ils ont quitté l'Émorie de justesse, pendant le coup d'État. »

Un coup au cœur, mais non, Pierrino est sauf, il lui a envoyé cette lettre de Narbonne, n'est-ce pas ? Il ne peut pourtant s'empêcher de dire : « Et Pierrino ?

— Oh, il va très bien. Haizelé l'a ramené de son voyage, elle est descendue ici, comme à son habitude. J'espérais y trouver Pierrino, mais il est sorti. Tu tiens vraiment à demeurer à l'auberge, Senso, plutôt qu'à la maison ? »

Avec un effort surhumain, Senso réussit à dire d'un ton égal : « Je préfère rester avec la troupe, Grand-père. On va jouer ma pièce, et… »

Grand-père lève une main apaisante : « Je comprends. Nous te verrons quand tout cela se sera calmé. » Il lui adresse un clin d'œil : « Tu sais où nous habitons. »

Senso, impatient, grimace un sourire en retour. Il entend à peine Grand-père ajouter : « Tu salueras Pierrino de ma part. » Il cherche déjà des yeux l'aubergiste qui lui indiquera la chambre de Pierrino.

◆

On lui a dit qu'elle était occupée par le compagnon de Pierrino: il va frapper à la porte, incertain, lorsque le battant s'ouvre sur un petit vieillard mince aux yeux obliques presque réduits à des fentes sous des cheveux blancs rassemblés sur le haut du crâne. Longue et maigre barbiche, moustaches tombantes, blanches aussi… Un Mynmaï. Pierrino et Haizelé ont ramené un Mynmaï?

Il reste là, abasourdi, sans savoir comment saluer le vieillard – parle-t-il seulement leur langue?

Le vieil homme penche la tête de côté et murmure, comme résigné: « Nomghu. »

Senso porte par réflexe la main à son pendentif sous son habit et sa chemise trempés, le dégage pour le montrer avec un sourire hésitant: « Oui, Nomghu. C'est mon pendentif. Je suis Senso, le frère de Pierrino. »

L'indigène a légèrement reculé. Il dévisage Senso, le visage levé vers lui – il lui arrive à peine à l'épaule. Puis il secoue légèrement la tête en murmurant quelque chose en mynmaï, que Senso ne comprend pas. L'intonation semble attristée.

Sans rien ajouter, le vieil homme contourne Senso et, ayant attrapé un manteau et un bonnet sombres accrochés à la patère près de la porte, il s'éloigne dans le couloir tout en les revêtant, sans même fermer la porte.

« Où vas-tu, Chéhyé? »

Senso se fige, le souffle soudain court. La voix de Pierrino. On ne lui répond pas. Claquement de talons qui se rapprochent, dans les marches, dans le corridor. Lui, il ne bouge pas, il ne peut pas, il attend de voir Pierrino s'encadrer dans l'embrasure, et voilà, c'est

Pierrino, enfin, plus grand, plus fort, plus hâlé, mais c'est toujours comme s'il se regardait dans un miroir, ils se ressemblent toujours, et jusqu'à l'immense sourire qui les illumine au même moment, le pas qu'ils font ensemble l'un vers l'autre, l'étreinte féroce qui les écrase l'un contre l'autre. Pierrino sent le chien mouillé, c'est merveilleux, ils rient, ils tournent sur place sans se lâcher, ils ne peuvent se lâcher, ils ne se lâcheront plus jamais, jamais, ils parlent en même temps, ils disent la même chose, "Tu es trempé", ils se répondent en même temps, "Toi aussi", ils se remettent à rire, leurs phrases suivantes se chevauchent encore, "J'étais si inquiet de ne pas te voir au rendez-vous!" "Je me sentais tellement mal d'avoir manqué le rendez-vous!", ils s'écartent un peu, sans se lâcher, ils se dévisagent, un instant immobiles, puis ils se serrent de nouveau l'un contre l'autre et maintenant, ils sanglotent.

Après un moment, tout de même, du même mouvement, ils s'écartent l'un de l'autre. Senso lisse les cheveux mouillés de Pierrino derrière ses oreilles, Pierrino essuie les larmes de Senso. Ils reniflent en chœur, rient de nouveau.

« Tu es vraiment trempé, dit Pierrino, tu vas attraper la mort. La chemise aussi ? Idiot, pourquoi n'as-tu pas pris de parapluie, tu ne voyais pas le temps qu'il faisait ?

— J'étais trop pressé. Tu es trempé aussi.

— Moins : je me suis fait secourir par dom Patenaude, figure-toi. Je suis revenu dans son cabriolet.

— Comment est-il ?

— Toujours aussi rondelet. Et aussi aimable. Mais enlève donc tout cela ! Je vais te prêter une robe de chambre. »

Senso obtempère et, en caleçon, torse nu, va se planter devant la cheminée où un petit feu adoucit la

fraîcheur printanière. Pierrino, à la réflexion, se débarrasse aussi de ses habits mouillés, va fouiller
dans une des malles ouvertes au pied du lit pour en
tirer une moelleuse robe de chambre en laine qu'il
lance à Senso sans se retourner tandis qu'il en cherche
une autre.

Senso ne l'attrape pas. « Qu'est-ce que c'est ? »
demande-t-il d'une voix blanche.

Pierrino se retourne, suit son regard, porte la main
à son dos, juste au-dessus de la ceinture de son
caleçon. « Une cicatrice. » Il ne sourit plus.

En deux enjambées, Senso est près de lui ; il effleure la cicatrice – déchiquetée, d'un blanc nacré,
affreuse : « Tu as été blessé ! »

— Je suis là maintenant. »

— Et on t'a laissé cette cicatrice ? » demande Senso,
déconcerté, lorsqu'il a retrouvé la maîtrise de sa voix.

Pierrino fronce un peu les sourcils. « C'était une
dague magique et… » Il s'interrompt, se mordille
une lèvre, puis secoue la tête. « Longue, très longue
histoire. » Il soupire. « Entre autres.

— Oh, Divine, Pierrino… » De nouveau saisi
d'horreur rétrospective, Senso prend le visage de
Pierrino entre ses mains, le couvre de baisers dé-
sespérés, oh, Pierrino, ne me dis pas que j'ai failli te
perdre ! Il referme ses bras sur lui pour le sentir
contre lui, bien chaud, bien vivant, avec les arêtes
des médaillons qui lui rentrent dans la poitrine…

Le temps ralentit. L'espace se morcelle. Le visage
de Pierrino, tout près. Une pommette. Le pli de la
paupière. L'amorce de la bouche. Une main sur ce
visage, qui le tourne vers lui. La sienne. Une main
dans son dos, au creux de ses reins, qui l'attire. La
main de Pierrino. Leurs corps s'épousent, glissements
liquides et pourtant brûlants. C'est comme s'ils
n'avaient plus de limites, comme s'ils n'avaient plus

de peau, comme s'ils se fondaient l'un dans l'autre, échangeant la perfection de leur essence. C'est comme... avec Alexis, a le temps de penser Senso, rêveusement surpris, puis emporté au-delà de l'étonnement dans le tourbillon incandescent, dans les échos enlacés du désir et du plaisir qui dansent en longues ondulations duveteuses, qui se propagent dans toutes les directions jusqu'au bord du monde, hésitent un moment, tenus sur un fil d'or pur et vibrant, et basculent.

TROISIÈME PARTIE

53

Une main caresse la joue de Pierrino; il ouvre les paupières. Les yeux noirs le contemplent, avec un éclat rieur. Haizelé assise près de lui, attentive et tendre.

Haizelé? Il se redresse brusquement dans le lit. Les lampes sont allumées dans la chambre. Il est près de sept heures.

La jeune femme se redresse aussi, un peu inquiète: « Tu sembles bien mal en point... La blessure te fait-elle encore souffrir? »

Pierrino la contemple, hébété. Elle ne porte pas ses habits habituels de capitaine mais une robe de soie rose et noire qui la fait ressembler à une précieuse orchidée. Avec un effort qui l'épuise, il souffle: « As-tu vu... Senso?

— Senso?

— Il était... là.

— Il est reparti, alors, je ne l'ai pas vu. »

Dans la tête de Pierrino, c'est une lente sarabande d'images très nettes, qui sont des sensations, des souvenirs, des certitudes. Ce tourbillon, cette impression de tomber soudain l'un vers l'autre, comme si Senso avait été un aimant, cette parfaite imbrication de leurs corps, cette sensation de se diffuser, de couler, de changer…

Comme au bord du lac, avec les Natéhsin.

Il ne dit rien, parce que les mots se dérobent. Taraudé d'une terrible et informe appréhension, il se lève et cherche des habits. Haizelé l'observe, déconcertée.

« J'ai vu Sigismond, dit-elle au bout d'un moment.

— J'ai rencontré dom Patenaude », la coupe-t-il, dans l'espoir d'échapper à la discussion.

Elle semble comprendre. Elle le laisse passer des culottes de velours prune et une chemise propre, la blanche aux dentelles vert amande, puis elle reprend la parole : « Il m'a invitée à assister avec lui à la pièce de Senso, au Grand Théâtre. Il vient me chercher bientôt en voiture. Viendras-tu aussi ? »

Les gestes familiers lui ont rendu un peu de son sang-froid. Il répond tout en boutonnant sa chemise : « Pas avec vous deux. Mais c'est la pièce de Senso, bien sûr, j'y vais.

— Et au Bal des Loups, après la représentation ? »

Il tombe des nues : « Le Bal des Loups ?

— Nous sommes le 21 mars, Pierrino. » Elle se désigne d'un geste amusé : « Je me suis déguisée en femme. »

Il la dévisage avec consternation ; il n'a vraiment aucune envie de se déguiser, ni de danser !

« C'est seulement que je ne vois pas non plus comment échapper à cette invitation sans éveiller des curiosités importunes », dit Haizelé avec un petit sourire perplexe.

Il est un peu embarrassé de sa réaction : « Vas-y, certainement. Mais ne dis pas que je suis là, voilà tout. »

Elle le dévisage gravement : « Ils le savent, eux deux. Il faudra bien aller les voir.

— Et toi, es-tu allée rendre visite à Aurore ? »

Il est un peu plus mordant qu'il ne l'avait voulu, le regrette aussitôt.

Elle baisse la tête : « Non. »

Honteux, il vient lui prendre les mains : « Nous les verrons tous ensemble. Mais pas maintenant. Je dois d'abord retrouver Senso.

— Ne disais-tu pas qu'il était là tout à l'heure ? »

Pierrino s'efforce de ne pas détourner les yeux. « Il n'était pas au rendez-vous, et tout à l'heure… nous n'avons pas eu le temps de parler comme je le désirais. »

Haizelé le dévisage un moment sans rien dire, puis secoue la tête avec un sourire un peu surpris. « Il n'en aura sûrement guère le temps maintenant ! »

◆

Pierrino se fait prêter un loup par l'aubergiste, avec une cape noire du plus bel effet. Il inviterait bien Chéhyé à l'accompagner – également déguisé ainsi, nul ne prêterait attention à son exotisme –, mais il ne le trouve nulle part. Il est peut-être allé chez Grand-mère. Peu importe.

On se presse à l'entrée du théâtre, dans une atmosphère bon enfant. Beaucoup de gens déguisés ou, comme lui, munis d'un masque ordinaire : on veut aller directement du théâtre au Bal des Loups de la Maîtrise ou à ceux, plus populaires, qui se tiennent ailleurs dans la ville.

Et si Jiliane était là elle aussi, déguisée, revenue en cachette parce qu'elle les sait de retour ?

Mais si Jiliane était là, ne l'aurait-il pas senti ?

Pas forcément. Il écarte résolument cette fantaisie tout en contournant le théâtre pour se rendre dans la rue à l'arrière, à l'entrée des artistes. Il n'aura certainement pas le temps de parler avec Senso, mais il veut s'assurer qu'il est bien là et avoir une idée de son état.

Lorsqu'il se démasque dans les coulisses, on le prend encore pour Senso puis, une fois détrompé, on manifeste son ignorance, et son agacement : « Non, on ne l'a pas vu de l'après-midi non plus. Il a manqué la générale, il ne va tout de même pas manquer la première de sa propre pièce ?

— Il est peut-être trop nerveux », suggère un des machinistes, un homme mûr à l'aspect levantin.

« Ce n'est pas comme s'il avait à y faire quoi que ce soit, dans sa pièce », bougonne le jeune homme costumé en matelot qui s'est trompé sur l'identité de Pierrino.

« Justement », réplique l'autre.

Pierrino s'éloigne. Que faire, à présent ? Où Senso pourrait-il être allé ? Erre-t-il dans les rues, bouleversé ? Est-il allé chez… Grand-mère ? Ce serait encore le mieux, et tant pis pour son désir d'être le premier à lui parler : les trois Mynmaï seraient en mesure de l'aider à comprendre. Que peut-il bien penser, Senso, que peut-il bien ressentir ? Il n'a aucun moyen, lui, de s'expliquer ce qui s'est passé entre eux à l'auberge.

Et tu le comprends tellement bien, toi ? À ce stade, "C'était comme avec les Natéhsin" est plus une description qu'une explication. Et d'ailleurs, c'était différent aussi : il n'est pas tombé en *igaôtchènzin*, Divine merci, Senso non plus, et… Il se fige soudain, repart d'un pas plus lent. C'est tenir pour acquis que Senso est comme lui, un talenté métissé, et qui s'ignore. Et si… ? Non, c'est absurde, ils sont jumeaux. Et Chéhyé avait dit : "Il est comme toi." Le talent de Senso ne s'est pas ouvert lors de cette… rencontre, sûrement ? Il s'en serait ressenti. Moins que lui-même à Garang Xhévât, peut-être, mais…

Ou bien – il se sent subitement glacé – cette étreinte n'a été pour Senso qu'une affreuse aberration, et il s'est enfui parce qu'il ne pouvait souffrir l'idée de lui parler après cela. Leurs jeux enfantins… n'étaient que des jeux, plus tendres ou curieux que passionnés. Et la prière, avec Jiliane… cela n'avait rien à voir, il n'y a jamais rien eu d'érotique à cela, c'était seulement leur sang mynmaï qui parlait en eux, pour une raison qu'il ignore encore. Et du reste, il ne se l'est rappelé qu'après le lac, lui, après les Natéhsin. Si cela se trouve, Senso ne s'en est jamais souvenu !

Il se rend compte que ses pas l'ont ramené devant l'entrée principale du théâtre où se hâtent les derniers retardataires. Il est sept heures passées. Il fouille dans sa poche pour y trouver sa bourse. S'il ne reste plus de places au parterre, peut-être le laissera-t-on assister à la pièce debout au fond de la salle.

Mais il en reste deux ou trois – les retardataires étaient des propriétaires de loges, semble-t-il. Celle des Garance est occupée par Haizelé, avec Grand-Père, sa voisine de droite par monsieur Bénazar, sa sœur et son épouse, celle de gauche par le juge Belloc et sa propre épouse. Et une troisième, surprise, par monsieur Saramon et mademoiselle Lamarck ! Visages si familiers – et lointains comme le souvenir d'une autre existence. Désemparé, il observe plutôt autour de lui au parterre des gens qu'il ne connaît pas, une bande de collégiens tout excités et diversement déguisés, avec des masques qui leur couvrent la figure – s'ils ne les retirent pas, ils vont avoir bien chaud ! De respectables matrones aurepaines, un petit vieillard à la face toute plissée qui ressemble bizarrement à Chéhyé – il regarde encore, mais la ressemblance s'est évaporée… Puis les trois coups résonnent et les rideaux s'écartent.

La toile de fond est un décor exotique : un lointain horizon de mer houleuse mais très bleue sous le soleil, des échafaudages de nuages tropicaux, des palmiers échevelés. On fait silence. Appuyé à un rocher remarquablement réaliste, vêtu de robes bleues en lambeaux, un homme âgé se redresse, regarde autour de lui, puis se lance dans un monologue extatique et vengeur. Il est sauf, il a abordé à cette île soudain surgie de la mer, une île magique, car son vaisseau a sombré dans une mer étale : la Divinité lui sourit puisqu'elle l'a seul épargné…

Dans l'assistance s'élèvent des soupirs surpris ou choqués. Mais aussi un friselis d'excitation.

Pierrino n'est pas scandalisé, au contraire du reste de l'assistance, par les références évidentes. Sa surprise est d'un autre ordre, et sa perplexité, et sa curiosité croissante. L'inspiration de la pièce est évidemment *La Tempête* de Shakespeare, mais on s'en écarte assez vite. Le naufragé, le prince-magicien Argance, injustement exilé par son frère le roi Dorgas, prend possession de l'île en la baptisant Méiore, car il saura la rendre meilleure que l'ancien monde qui l'a rejeté. Des créatures magiques vivent sur l'île et se mettent naïvement à son service, l'une en particulier, nommée Cyrine, qui se présente d'abord sous la forme d'une sirène toute dorée. Pierrino reconnaît la patte de Senso dans la beauté et l'ingéniosité du costume, qui arrachent un murmure d'admiration aux spectateurs. Elle devient ensuite une humaine ordinaire. Mais une partie de l'équipage aidé par les compagnes magiques de Cyrine a également abordé dans l'île. Parmi ces survivants se trouvent Clément, le fils d'Argance, domma Merlin, une jeune mage fervente à laquelle il n'est pas indifférent, et deux jumelles qui se présentent tantôt comme des garçons tantôt comme des filles, pour le plus grand dam des

matelots survivants qui les voudraient pour galantes.
Il y a sur l'île des pierres sacrées dotées d'un pouvoir
extrême, et bientôt convoitées par le magicien, mais
si l'on s'en empare, l'île disparaîtra de nouveau dans
les flots.

Qu'a donc appris Senso d'Étienne Larché?

◆

Senso contemple la scène où l'on met la dernière
touche au décor, où ne reste plus maintenant que
Guillaume Scarrow venu se placer près de son rocher.
Depuis les cintres, il ne voit pas la salle, mais il en
entend le bourdonnement, puis le soupir collectif d'anticipation lorsque résonnent les trois coups. Tout cela
est si familier, la vue plongeante sur les planches,
sur les machines à l'arrière et sur les côtés, sur les
coulisses où l'on a fait silence en s'immobilisant, il
se souvient si clairement de toutes les fois où, adolescent, il grimpait ainsi dans les hauteurs du théâtre.
Il a perdu cette vue cavalière avec la Compagnie,
toujours dans les coulisses avec les machinistes, les
costumières ou les accessoiristes. Curieux comme ces
souvenirs-là sont plus flous…

Regarde ta pièce.

C'est ce que dirait Pierrino, bien sûr. Regarde ta
pièce au lieu de rêvasser. Il est dans la salle, Pierrino,
sûrement, même s'il dormait lorsque le vieux petit
homme est entré dans la chambre. "Il est fatigué. Il faut
le laisser se reposer. Il est temps d'aller au théâtre."
Étrange, tout de même, que Pierrino soit si fatigué.
Mais il a couru. Non, c'était moi qui courais. J'étais en
retard. Ai-je encore rêvé de la Carte? Il pleuvait…

Regarde ta pièce.

La voix impérieuse qui n'est pas celle de Pierrino
semble irritée. Avec un petit sursaut coupable, Senso

obéit, Senso regarde sa pièce, depuis les cintres du
Grand Théâtre d'Aurepas. Il énonce en silence les
répliques des uns et des autres tout en suivant les va-
et-vient bien réglés sur la scène. Il est surpris, vaguement amusé : tous ces détails dont il n'avait pas
eu conscience auparavant ! Domma Merlin doit beaucoup, étrangement, à domma Castelet… les jumelles
qui sont parfois des jumeaux, bien sûr… et Méiore
est un anagramme d'Émorie, et Argance de Garance,
mais enfin, quel aveuglement stupéfiant ! Il croyait
avoir si habilement manœuvré, et il n'avait pas vu la
moitié des rapprochements. Quoique, lui, il voulait
"Argeance", non ? – l'assonance avec "argent", pour
évoquer la cupidité et la soif de pouvoir du mage
dévoyé ; mais "arrogance" ne serait pas mal non
plus, avait dit…

Regarde ta pièce.

Avec à présent un incompréhensible sentiment de
malaise, Senso regarde sa pièce. C'est l'intermède-
ballet du premier acte, le chassé-croisé amoureux
des matelots et des jumelles-jumeaux. L'assistance
rit. Il se détend un peu. Oui, décidément, la première
version était bien trop sérieuse – bien trop ennuyeuse !
Alexis avait raison de vouloir transformer ainsi les
jumelles, et la pièce en tragi-comédie…

Regarde ta pièce.

Applaudissements à la tombée du rideau sur le
premier acte. Mais le malaise refuse de s'effacer,
insiste, augmente même. Rumeur dans la salle, les
bavardages vont bon train. Sur la scène, on change
frénétiquement les décors. La forêt, l'autel antique
et ses pierres sacrées, le chœur des créatures magiques,
tout est en place. Musique. Rideau. Cyrine s'avance,
magnifique, passionnée, pour le monologue de la prophétie. Les pierres sacrées garantissent la magie de
l'île, si on les vole, l'île s'engloutira, à moins que le

voleur ne se trouve captif entre deux miroirs. Les créatures magiques chantent et dansent avec elle, se dispersent côté jardin. Argance sort de sa cachette, jubilant. Il n'y a pas de miroirs dans l'île, il s'emparera en toute impunité de cette magie et se vengera de ceux qui l'ont offensé. Il sort côté cour.

Senso se mord les lèvres, le cœur soudain serré. Grand-père. Grand-père doit se trouver dans sa loge, et voir tout cela. Mais il a malgré tout écrit cette pièce, il doit bien y avoir déjà pensé, n'est-ce pas ? Non sans discussions pourtant, il s'en souvient, il n'était pas toujours d'accord. Avec Théodora. Et surtout avec…

Regarde ta pièce.

Il serre la main courante de la passerelle, saisi d'un soudain éblouissement qui lui laisse la nausée. Voyons, il ne va pas être malade, il n'a pas le trac à ce point ? Il ferme les yeux. Lorsqu'il les rouvre, c'est le milieu du troisième acte, bien, cette pièce roule rondement, pas de lenteurs, on ne voit pas le temps passer. Argance a capturé la naïve Cyrine pour la sacrifier sur l'autel et accéder ainsi aux pierres sacrées, Clément et domma Merlin viennent de l'apprendre… Il n'aurait pas dû rouvrir les yeux, tout l'espace tangue autour de lui, il ferait mieux de s'asseoir s'il ne veut pas tomber et manquer la finale, les jumelles qui dansent en miroir autour d'Argance pour réaliser la prophétie…

Tu sais comment cela se termine. Tu peux partir, maintenant.

◆

Le rideau se ferme, sur des applaudissements nourris et même un rappel. Les étudiants, excités, crient en chœur : « Cy-rine ! Cy-rine ! » On lance des fleurs, la jeune actrice en ramasse puis s'enfuit, comme effarouchée, dans les coulisses. Les étudiants crient encore, mais elle ne reparaît pas. Finalement, les applaudissements se taisent, mais non les commentaires qu'on échange en se levant pour s'en aller. Pierrino essaie de se frayer un passage plus rapide vers la sortie. Il faut retourner dans les coulisses, Senso y sera sûrement ? « Excusez-moi… pardon… »

On se retourne : « Pierrino ! » Consternation : dom Patenaude, son épouse et domma Castelet. Ils ont dû reconnaître sa voix, car il ne s'était pas démasqué.

« Eh bien, c'est un succès ! sourit madame Patenaude. Vous devez être fier de notre Senso.

— Surtout un succès de scandale, on dirait », remarque son époux, un pli soucieux au front.

Pierrino sent que c'est son tour de parler ; on s'étonnerait de son silence : « Cela n'indique-t-il pas que l'Édit s'efface ?

— Certes. Mais il y a quand même des convergences… surprenantes, murmure domma Castelet.

— Est-ce aussi votre avis, Pierrino ? » reprend dom Patenaude, grave sous son apparente désinvolture.

Que savent-ils, exactement ? Les archives de la Maîtrise sont sous scellés, mais certainement pas pour les évêques, et peut-être pas pour ces deux ecclésiastes. Car après tout, si sympathique soit dom Patenaude aux encyclopédistes et à l'esprit nouveau, et nonobstant l'amitié réelle qui semblait l'unir à Grand-père, lui et domma Castelet n'étaient-ils pas un peu chargés aussi de surveiller les Garance ?

Il regarde l'ecclésiaste bien en face – à quoi bon dissimuler ? « Oui. Je dois voir Senso. Si vous voulez bien m'excuser… »

Mais, dans l'agitation joyeuse et soulagée des coulisses, Senso n'est nulle part. Les comédiens, en nage, exténués mais ravis, n'y prêtent guère attention : les admirateurs se pressent, souvent jeunes ; on veut surtout voir Angèle, la comédienne qui jouait Cyrine, quelle beauté, quelle voix, quel registre ! Mais on est déçu : madame Andoriakis l'a raccompagnée à l'auberge, elle était épuisée, et à juste titre, elle était remarquable. Remarquable ? Elle était extraordinaire, merveilleuse, elle ira loin, cette jeune comédienne, c'est une nouvelle mademoiselle de l'Estoile !

Et une voix trop familière, résonnante quoique bonhomme : Grand-père, avec Haizelé dans son sillage ; il veut féliciter les acteurs, bien sûr, et surtout Senso. Étienne Larché n'est pas aux alentours – ne travaille-t-il donc plus pour les Garance ? Mais pourquoi a-t-il quitté Senso à Bordeaux, alors ?

« J'ai pris la liberté de vous faire apporter à tous un en-cas, dit Grand-père, il a été disposé dans le salon d'honneur. »

On se récrie, on remercie avec effusion, certains retournent en hâte se changer dans les loges, d'autres restent en costume, admirateurs et membres de la troupe mêlés se pressent en bavardant et en riant dans le corridor menant des coulisses à l'aile droite du théâtre. Après une hésitation, Pierrino les suit – espoir renouvelé : Senso était peut-être au courant, il se trouve déjà dans le salon… On s'exclame en entrant : le petit en-cas est un véritable festin, la salle abondamment décorée, avec tables fleuries et chaises pour s'asseoir. « Si je connais bien les gens de théâtre », déclare Grand-père, content de son effet, « certains d'entre vous n'ont pas mangé grand-chose avant la représentation et vous en avez tous maintenant grand besoin. »

On le remercie de nouveau. Derrière les grandes tables couvertes de plateaux alléchants, Pierrino reconnaît plusieurs membres de la tribu Douzelat, prêts à faire le service des plats chauds. Et, comme son estomac se rappelle à son souvenir, il ne se fait pas prier et commence de se remplir une assiette, tout en cherchant dans la foule. En vain.

Un branle-bas à la porte, des exclamations qui sont des acclamations, Pierrino se hausse sur la pointe des pieds avec un soudain espoir, mais c'est Théodora. Elle a pris le temps de se changer, splendide dans sa robe de satin parsemée de fleurs versicolores qui mettent en valeur sa complexion orientale. Elle va droit à la table où Grand-Père s'est assis avec plusieurs comédiens. Il se lève, lui tire une chaise.

« Monsieur Garance ! C'est un honneur.

— Madame Andoriakis, tout l'honneur est pour moi – sans compter le plaisir.

— Tout cela pour nous ? Vous nous traitez comme des rois.

— N'êtes-vous pas la reine du théâtre ?

— Oh, Monsieur, mais d'un bien petit royaume.

— Vous êtes trop modeste.

— Vous êtes trop généreux. »

Pierrino écoute avec une surprise mêlée de consternation. Il s'attendait confusément à des étincelles entre Grand-père et cette femme qui lui a, somme toute, volé Agnès ; et puis, cette pièce, il ne peut en avoir manqué tous les parallèles avec… l'histoire de Gilles Garance. Des étincelles, il y en a, mais d'une tout autre nature : Théodora fleurète, Grand-père réciproque, visiblement séduit et flatté.

« Ceci ? » Un geste qui englobe la salle et le festin. « Mais c'est la moindre des choses. N'avez-vous point accueilli et nourri mon petit-fils, et pas seulement de nourritures terrestres ?

— La pièce vous a donc plu.

— Mais oui, Madame. Un sujet délicat, dans un moment délicat, traité avec le doigté nécessaire pour en dire assez sans en dire trop. Senso a été, de toute évidence, à bonne école. Où se trouve-t-il donc, au fait ? J'aimerais le féliciter.

— Il est pris ailleurs, il nous rejoindra bientôt. Mais la pièce lui doit bien plus qu'à moi, qu'à nous tous.

— À l'exception de votre Angèle », déclare le juge Belloc, à la table. « Une addition récente à votre troupe, me dit-on ?

— Une bonté de la Divine, Monsieur, au moment où une défection subite nous avait laissés désemparés. Nous l'avons engagée à Toulouse, au tout dernier moment.

— Sa prestation est d'autant plus remarquable. Nous rejoindra-t-elle ici ?

— Non, elle est vraiment épuisée. »

Grand-père lève son verre. « Buvons à son repos, et aux sacrifices qu'on doit consentir pour son art. »

Le toast est répété avec conviction, de proche en proche, par toute la salle. Il se tourne vers Théodora, galant : « Et vous, Madame, êtes-vous trop lasse ou accepterez-vous d'aller avec moi au Bal des Loups de notre Maîtrise ?

« Ah, mais je ne suis pas déguisée ?

— Quelle importance ? Les loups suffisent. Et puis… » – il adresse un clin d'œil à Théodora – « … le théâtre n'est pas qu'une affaire de costumes, n'est-ce pas ? »

Pierrino les regarde partir, abasourdi et ulcéré.

◆

Senso regarde la façade de la maison. Il y a trois rangées de fenêtres, sur la façade. Trois rangées de deux fenêtres. Jamais eu plus de deux fenêtres, sauf une fois. Il se trouve donc sur la place du temple ? Mais oui, il est parti. Du théâtre. Il se rappelle vaguement avoir marché dans des rues vaguement familières. C'est la nuit, il fait frais et humide, les pavés luisent encore d'une ondée. Il s'approche à pas lents de la maison. La maison. La porte voûtée à double battant, avec ses petits carreaux. Des larmes lui viennent soudain aux yeux, il se sent étourdi, s'appuie au pilier du Couvert. Oui, à la maison. Chez Grand-mère. Chez lui. Le seul endroit du monde où il sera chez lui.

La porte s'ouvre en silence devant lui. Parfums, cire et rose. Des silhouettes dans le corridor, sous la lueur vacillante des candélabres, Nadine, Félicien, immuables, et Grand-mère, dans sa tunique à ramages rose et dorés. Il s'avance. Elle s'avance. Elle ouvre ses bras. Serré contre elle – si petite, si frêle –, il aspire la familière odeur de bergamote. Elle lui prend le visage entre ses mains, il plonge dans ces yeux ambrés, scintillants de larmes. Ses doigts sur son front, ses joues, ses lèvres, légers comme des ailes de papillon. Puis elle se détourne pour s'engager dans l'escalier. Il la suit, avec Nadine et Félicien, la main sur la rampe polie.

Dans la chambre dont la porte s'ouvre à sa droite, leur chambre. Les bougies s'allument. La tête de la licorne, sur la commode, s'anime d'ombres et de reflets dorés, il la reconnaît, c'est le masque de Jiliane à cet autre Festival des Loups auquel, pour la première fois, ils n'avaient pas assisté ensemble. Il se souvient. À côté, le beau livre sur les oiseaux qu'ils lui avaient envoyé d'Orléans en cadeau d'anniversaire. Il se souvient. Il l'effleure d'un doigt qui tremble, tout son corps tremble, du désir, du manque, de l'horrible manque de Jiliane, de Pierrino, une déchirure brûlante, avide, où il s'engloutit, comme avant les médaillons. Éblouissements. Nausée.

Un parfum à la fois âcre et sucré sous son nez. Il est assis sur le lit. Son ancien lit. Il boit l'infusion avec obéissance. Il s'étend. Ses pieds dépassent. Tristesse. Il n'est plus un enfant.

Il flotte, sans autre amarre que la douloureuse absence de Jiliane, de Pierrino, et elle l'étrangle. Un mouvement furtif à la porte : les chats entrent, un par un. Poupée saute à gauche, Pissenlit à sa droite, les deux korats sur sa poitrine, sur son ventre. Si légers. Et Panthère, noir et feu, au pied du lit. Il dérive un instant dans les étincelles mordorées de leurs pupilles. Et puis il n'est plus là.

54

Pierrino jette un regard circulaire sur la salle commune de l'auberge. Senso n'y est point, mais il s'attendait à cette déception. Il s'approche d'une tablée de comédiens à qui il a parlé après la représentation – Guillaume Scarrow, Carolus, Adélaïde Letourneur. Il se sent encore pâteux du somnifère dont il s'est assommé la veille, et il doit en avoir l'air, car on se pousse pour lui faire de la place en lui tirant une chaise, avec des commentaires amusés sur les excès de la dive bouteille.

Il se force à manger ce qu'on met devant lui, sans le goûter vraiment, plus attentif aux réponses qu'on lui donne. Senso ? On l'a vu quitter le théâtre avant la fin de la pièce – Pierrino dissimule son immense soulagement : enfin, quelqu'un l'a vu ! Il n'avait pas l'air en trop bon état, on n'a pas insisté. Mais cela faisait plusieurs semaines qu'il était souffrant ; de fait, depuis la grande émeute de Bordeaux, il ne s'est jamais vraiment rétabli. La pièce ? C'est l'œuvre conjointe de Senso et d'Alexis Dessanges, mais celui-ci a quitté la Compagnie quelques jours plus tôt assez brusquement, on ne sait trop pourquoi. "Théodora pourrait sûrement en dire plus long, mais elle ne se plaindra pas, ce n'est pas son genre… non, surtout pour une querelle d'amoureux… Alexis lui aura demandé de choisir entre elle et Senso… Non, ce sera Senso qui lui aura demandé… Quant à moi, ce serait plutôt elle qui leur aura demandé de choisir entre elle et eux !" On rit – Théodora n'est pas là. Pierrino continue de manger machinalement, abasourdi. Senso et Théodora ? Son rêve… Mais Senso et un garçon ? Senso dans un tel ménage à trois ? A-t-il poussé si loin sa recherche de l'harmonie ?

Et soudain, sa main s'immobilise au-dessus de son assiette : des images déboulent en lui, incrédulité, stupeur : Paris. Arnaud et la cantatrice. Et lui.

Et Senso à la porte de leur chambre, fasciné.

D'où vient ce souvenir ? Ou bien l'a-t-il rêvé ? Ils n'en ont jamais parlé, tous les deux…

Pas plus que de cette nuit sous la lune, lors du Festival des Vendanges, à Lamirande, avec Émilie. Pas plus que de la prière, avec Jiliane. Senso s'en est-il souvenu, à un moment donné, lui aussi ?

Mais s'il a passé presque toute l'année avec cet Alexis, aurait-il dû réagir si fort, après leur propre rencontre ?

Les comédiens se dispersent peu à peu. Pierrino, la tête bourdonnante, attend, mais Théodora ne descend toujours pas de sa chambre. « Elle fait la grasse matinée », lui dit-on avec force clins d'œil lorsqu'il s'en enquiert, « comme Angèle. Elles se sont beaucoup fatiguées, toutes les deux. »

Théodora et la jeune comédienne, maintenant ! ? Plus vraisemblablement, la directrice aura passé la nuit avec Grand-père !

Peut-être devrait-il aller aux nouvelles à la maison. Peut-être Senso s'y trouve-t-il. Peut-être est-il temps d'affronter cette réunion.

Il retourne dans sa chambre pour prendre son manteau. La silhouette qui se retourne vers lui n'est pas celle de Chéhyé – mais où est-il donc passé, à la fin ? Il n'est pas rentré, la nuit dernière. C'est une jeune fille pâle, aux courts cheveux sombres et lustrés, des yeux très noirs qui le contemplent fixement. La comédienne qui jouait Cyrine. Angèle.

« Je suis dans la chambre d'en face, dit-elle avec lenteur, tout en le dévisageant. C'était ouvert… Je cherchais… Senso. »

Le nom de Senso efface l'outrage de cette intrusion. Il s'approche. « Senso ? Vous l'avez rencontré ?

— Hier. »

Elle le regarde toujours. Il songe confusément qu'elle n'est pas si belle, privée des prestiges de la rampe, du maquillage et des costumes, mais il émane d'elle une force vitale, vibrante, irrésistible. Il avance d'un autre pas, il est tout près à présent. Elle lève la main pour lui toucher la joue, elle souffle : « Vous lui ressemblez… », il sent un frisson ardent lui parcourir l'échine, mais il ne recule pas, il n'a pas envie de reculer, il a envie de l'écraser contre lui, contre son érection soudaine, qui ne l'étonne pas, il est au-delà de l'étonnement, elle est dans ses bras, ils roulent sur le lit et c'est comme plonger dans une tempête brûlante…

C'est lui qui mène le jeu, pas elle, il en a pourtant confusément conscience. Et il se rappelle, confusément : hier, c'était Senso. Mais ce sont les mêmes glissements, la même sensation de complétude, la même fusion de plaisir vertigineux.

Elle se relève brusquement, s'arrache à lui. Il n'a pas la force de la retenir, il flotte dans une brume duveteuse, que traverse soudain le regard horrifié – terrifié ? – de ces splendides yeux noirs. Il se redresse tant bien que mal. Elle a saisi le premier vêtement qui lui est tombé sous la main, la chemise de nuit jetée sur une chaise, elle la passe avec des gestes maladroits, une des manches se déchire, elle s'enfuit de la chambre en trébuchant, pieds nus.

Pierrino attrape ses culottes puis se lance à sa poursuite, torse et pieds nus lui aussi, indifférents à la stupéfaction qui le suit à travers l'auberge.

Dehors, dans l'air frisquet, on détele la voiture de poste. La jeune fille s'accroche à la crinière d'un des chevaux dételés, bondit à cru sur son dos et, arrachant les guides des mains du palefrenier, part au galop en direction de l'Herche.

« Pierrino ? Mais que se passe-t-il ? »

Dom Patenaude, domma Castelet. En cabriolet. Sans répondre, Pierrino saute sur la banquette, prend les rênes des mains de dom Patenaude pour faire demi-tour et suivre le cheval qui galope lourdement mais à toute allure.

Il la rejoint près des arbres aux énormes racines qui baignent dans la rivière. Elle a glissé à bas de son cheval. Il bondit hors du cabriolet pour courir vers elle dans l'herbe, il appelle, "Angèle !", étreint par une terrible et familière appréhension. Elle le regarde par-dessus son épaule et elle saute, dans l'eau tumultueuse, bouillonnant des pluies de printemps. La chemise trop grande flotte un instant comme des ailes, disparaît.

Il plonge à son tour, par réflexe. Aussitôt, il avale une grosse gorgée d'eau boueuse, il s'étouffe, il se débat, se rattrape à une racine. Des cris par-dessus le fracas de l'eau, des mains qui le saisissent, le hissent, le tirent sur la berge. Il se retourne sur le ventre en toussant, il scrute la surface de l'eau tourbillonnante : rien.

On l'enveloppe d'un manteau sec, on l'aide à se relever, on est dom Patenaude, affolé. Domma Castelet, figée sur la rive, a les yeux perdus dans l'espace des mages. Mais elle secoue la tête, vacille et s'appuie contre un des badauds, très pâle. « En aval… », dit-elle d'une voix altérée, « … chemise…

— Oh, Divine, s'est-elle noyée ? » s'écrie une femme horrifiée.

Les deux ecclésiastes échangent un regard. « Je le crains », dit dom Patenaude après un petit silence. « Il va falloir sonder la rivière. J'ai prévenu dom Taralle à la Maîtrise, il va s'en occuper. » Il se tourne vers Pierrino : « Nous devons rentrer à l'auberge vous réchauffer. »

Pierrino se laisse entraîner, grelottant malgré le manteau, et l'écharpe de domma Castelet qu'il a nouée autour de ses cheveux ruisselants. Angèle. Angèle s'est noyée. Par sa faute ? Des ébauches d'explications se soulèvent, retombent, il n'arrive pas à les croire mais s'y accroche avec désespoir : il a été touché là-bas par l'attrait mystérieux des Natéhsin, il le porte en lui, elle y a succombé, et ensuite elle a pensé à Théodora et elle a été épouvantée… Est-ce donc ce qui s'est passé aussi pour Senso ? Mais c'est épouvantable, c'est abominable, il faut que cela cesse !

« Divine, Pierrino, que t'est-il arrivé ? »

Haizelé redevenue Haizelé, dans son habit de capitaine, est à la porte de l'auberge avec les palefreniers, le cocher de la voiture de poste, l'aubergiste, des comédiens. Il ne répond pas. Des gouttes d'eau lui dégoulinent sur le visage, la rivière, ou des larmes, ou les deux. Il regarde Guillaume Scarrow, qui se trouve au premier rang des badauds, il murmure d'une voix rauque : « Angèle s'est noyée. »

L'autre fronce les sourcils : « Quelle est cette mauvaise plaisanterie ? Elle était à l'instant à l'étage, Théodora lui disait au revoir.

— À l'instant ? Théodora ?

— Peut-être cinq minutes. Théodora allait chez votre Grand-père. »

Mais même si… elle n'aurait pas eu le temps de…

Dom Patenaude le bouscule en s'élançant dans l'escalier menant à l'étage. Il le suit, hébété.

◆

La porte de la chambre d'Angèle est fermée à clé. Dom Patenaude murmure tout bas, impatient, puis tourne la poignée. La porte s'ouvre.

Personne. Les volets sont ouverts. Le lit n'a pas été défait.

Pierrino fait quelques pas dans la pièce, se retourne. Les deux ecclésiastes, immobiles sur le seuil, ont la même expression lointaine : ils sondent. Le regard de Pierrino croise celui de Haizelé derrière eux. Elle n'est plus affolée. Elle n'est pas stupéfaite. Elle est tendue comme une corde d'arc.

Les contours d'une porte de communication se détachent sur la tapisserie fleurie du mur de la chambre. « Cette porte, où mène-t-elle ? demande Pierrino.

— À la chambre de madame Andoriakis. » L'aubergiste, entrée à son tour, semble ne pas savoir si elle doit être fâchée ou inquiète.

« Ouvrez-la, voulez-vous, Pierrino ? » demande domma Castelet d'une voix étrangement neutre.

Il lui jette un coup d'œil déconcerté, puis tourne la poignée.

La porte n'était pas fermée. La chambre aux volets encore clos est plongée dans la pénombre, mais pas assez pour qu'il ne puisse distinguer la silhouette étendue sous le riche baldaquin damassé du lit à l'ancienne.

La lampe à huile s'allume brusquement sur la table de chevet, illuminant les murs tendus de bleu et d'or, la chambre spacieuse et coquette, les nymphes en cariatides aux quatre coins du plafond. Par terre, éparpillés au hasard, manteau, robe, dessous. Pierrino les enjambe, saisi par une terrible impression de familiarité.

Cascade de cheveux noirs, la tête est renversée en arrière, la nuque reposant sur le bord du lit. Sur les draps blancs en désordre, le corps voluptueux, brun, nu. Théodora Andoriakis. Bras ouverts, une jambe repliée. Elle n'a pas bougé. Ses yeux sont fixes, ses lèvres distendues par une grimace extatique.

« *Rigor mortis* », murmure domma Castelet dans le dos de Pierrino. « Au moins une demi-journée.

— Vous le voyez seulement maintenant ? dit la voix de Haizelé.

— Cette pièce… était protégée. La porte… invisible. »

Il se retourne, il a l'impression d'avoir les mouvements saccadés d'un automate. Dom Patenaude soutient domma Castelet, ou elle le soutient. Ils sont tous les deux livides.

Les jambes de Pierrino le portent vers la chambre d'Angèle avant qu'il ne l'ait pensé, et maintenant, il ne marche plus, il court, il se précipite vers la commode, il en arrache les tiroirs l'un après l'autre en les jetant au sol. Une boîte s'ouvre en tombant, laissant s'éparpiller des dés de pierre colorée, de longues cartes étroites aux motifs terriblement familiers aussi. Un tube métallique argenté tinte sur les lattes du parquet, il le secoue après en avoir arraché le couvercle. Un rouleau de couleur crème en sort, rebondit, roule vers le lit, Pierrino se jette à quatre pattes pour l'attraper. Le temps se télescope, il est à la maison, dans leur chambre, avec Senso, il tend le bras pour attraper sous le lit de Jiliane la Carte capricieusement échappée… Avant même de saisir le rouleau à pleine main, il sait que le contact en sera trop lisse, trop doux, trop chaud, comme une peau vivante.

Il se relève en jetant la Carte sur le lit, fait volte-face, se précipite vers la porte. Haizelé proteste : « Que se passe-t-il ? Attends-moi ! »

Il lui agrippe la main au passage, l'entraîne sans répondre, voit les ecclésiastes leur emboîter le pas. Le tissu mouillé de l'écharpe lui gifle la joue, il l'arrache d'un coup, indifférent à ses cheveux trempés. Dehors, il saute sur la banquette du cabriolet, hisse impatiemment dom Patenaude tandis que Haizelé se tasse à l'arrière contre domma Castelet.

Puis il fait claquer les guides sur le dos du petit cheval, qui pousse un léger hennissement de protestation et part au trot, puis au galop le long du Mail. Il voit à peine les autres voitures qui s'arrêtent ou s'écartent, entend à peine les cris irrités ou effrayés des passants. Rue des Paneblous, Porte d'Amont… enfin, le cours Pontande, la porte de la cour, ouverte, les gravillons qui crissent lorsqu'il arrête violemment le cabriolet et saute à terre. Il entre en trombe dans le vestibule du pavillon. Madame Beaupretz sort du salon en ouvrant de grands yeux. « Ah, Divine, Monsieur Pierrino ? »

Pierrino s'arrache à son étreinte : « Où est Grand-père ?

— L'invitée de Monsieur est arrivée très en avance », dit monsieur Beaupretz d'un air légèrement désapprobateur. « Il l'a emmenée rendre visite à votre Grand-mère. »

Pierrino se précipite dans le parc, sans attendre les autres.

55

Senso ouvre les yeux dans la pénombre striée de lumière. Pierrino. Pierrino tout proche, il le sait, il le sent, Pierrino dans la cour du pavillon, dans le parc. Le fil d'or, le fil d'or est revenu et le tire vers lui ! Il se redresse.

Une main dure sur sa poitrine, une voix étrangère, triste, plus implorante qu'impérieuse : « Il ne faut pas. » Au bout de la main, le vieux petit indigène d'hier, d'avant-hier, quand était-ce donc, peu importe, Pierrino, Pierrino dans la cuisine de la maison… Elle a une force étonnante, cette vieille main. Brusque éclair de colère : ce vieillard croit-il qu'il va l'empêcher de retrouver Pierrino ?

« Laisse-moi ! »

L'autre sursaute, recule d'un air épouvanté. Ah, il ne voulait pas parler si fort, mais il y a plus important, Pierrino, Pierrino dans le couloir. Il se lève en vacillant un peu, sort sur le palier, se penche dans la cage sombre de l'escalier. Des silhouettes dans la minuscule antichambre, il les regarde sans vraiment les voir, des robes bleues, et Grand-mère flanquée

de Nadine et de Félicien au pied des marches, mais
il ne voit que Pierrino devant Grand-mère, Pierrino
qui lève les yeux vers lui, et c'est comme s'il avait
brusquement tiré sur le fil d'or, ou est-ce le fil d'or qui
les tire l'un vers l'autre ? Pierrino écarte rudement
Grand-Mère qui crie « Non ! » et Senso veut se précipiter vers lui aussi, mais un nouvel éblouissement le
saisit, il vacille et se retient à la rambarde. Pierrino
gravit les marches en trois bonds pour le prendre dans
ses bras. Il s'y laisse aller, sans force, extatique.

Il cligne des yeux : l'air tremble comme un mirage de
chaleur dans le couloir, derrière l'épaule de Pierrino,
un tremblement qui se condense en virant à l'écarlate,
des lignes verticales, horizontales, qui se rejoignent
en un éclair pour former les contours d'une porte.
Senso sourit : « Regarde, Pierrino, la porte-de-moins ! »
Pierrino se retourne sans le lâcher, ses yeux s'écarquillent : il voit aussi.

Senso se dégage des bras de Pierrino. Il faut ouvrir
cette porte enfin découverte, n'est-ce pas ? Il cherche la
poignée, il n'y en a pas. Mais il sait : il mime le geste
d'ouvrir, et la porte s'ouvre. On peut entrer maintenant.
Il trébuche presque, il n'avait pourtant pas vu de
marche. Pierrino le retient, et le suit.

La lumière sourd des murs, liquide, attentive – rouge.
Sur les murs, rouges, des objets rouges entr'aperçus
du coin de l'œil, car ils se dérobent au regard franc.
Sans les voir, on sait qu'ils sont étranges, et terribles, et
interdits. Et qu'ils respirent. Au centre de la pièce,
comme une soudaine condensation du rouge, une
forme. Il y a une tête, à la crinière de fils cuivrés, et des
bras, et un corps avec des jambes. Durs. Raides. Rouges.

Mais c'est une statue. Une statue de bois rouge et
de cuir. L'un des bras est tendu, tout raide, avec au
bout une main étroite. C'est une femme, nue, écorchée.
On distingue les os sous le mince relief des muscles.

Une autre condensation, et maintenant, devant la statue, comme une offrande, sur un trépied, il y a un grand bassin de métal martelé où brûlent, sans flamme, des billes d'un rose presque rouge. Et, suspendu à une croix invisible dans son bel habit des dimanches, bras étirés, paralysé, Grand-père.

Il y a quelqu'un d'autre, qui se condense à son tour, mais Senso cligne de nouveau des paupières, incertain : cela tremble et se déforme, non, cela se transforme, c'est Théodora puis… Alexis ? Non, c'est cette jeune fille, la comédienne qui l'a remplacé, Angèle, et maintenant – flot de joie, brusquement interrompu – c'est Jiliane, la rutilance de ses boucles indomptées, l'éclair bleu de son regard… mais elle devient aussitôt une femme plus petite, aux longs cheveux noirs et aux yeux dorés, et qui tient un rouleau de parchemin dans un de ses poings, comme on tient une arme. Et maintenant c'est de nouveau Théodora, et elle rit, d'un rire féroce qui ricoche en éclats rageurs sur les murs rouges de la chambre pour venir transpercer Senso.

Il se presse contre Pierrino, dont la main se referme sur la sienne. Il rêve. C'est un rêve.

La créature changeante tend un doigt vers Grand-père. Avant même qu'elle ne parle, Senso sait que cette voix éclatera comme un tonnerre : « C'est le temps de la vengeance », dit-elle, et il a le sentiment que sa tête va exploser. « Les dés ont fini de rouler. Il est temps de guérir la blessure du monde.

— Non, Jiliane, non, il ne sait plus rien, il a tout oublié ! »

La silhouette qui a bondi vers la créature se recompose dans sa mémoire. Haizelé. Mais… Jiliane ? Est-ce vraiment Jiliane, cette impossible créature ?

Haizelé s'est arrêtée avant de la toucher. Elle répète, d'une voix basse et désespérée : « Il a tout oublié. Il s'est fait oublier.

— Pas nous », dit la créature de sa voix d'avalanche, inhumaine, où résonnent soudain des centaines, des milliers d'autres voix de femmes, d'hommes, d'enfants. Senso voudrait se boucher les oreilles, mais ce ne sont pas elles qui entendent.

Un mouvement derrière la créature qui n'est pas, qui ne peut être Jiliane : le bras de la statue est retombé à son côté. Et le visage de la statue est animé de la même fureur insensée que celui de la créature. Et la statue dit d'une voix grinçante : « Moi aussi, je me rappelle, je me rappelle tout. »

La lumière rouge tremble et glisse et se condense autrement. Et la chambre est maintenant la chambre de Grand-père, au pavillon.

Grand-père, en robe de chambre, Jiliane en robe de nuit… non, – il ignore comment il le sait, mais c'est Agnès. Son regard est curieusement lointain. Des tourbillons lumineux s'accumulent autour de Grand-père. La substance divine. La substance de la magie. Elle vient de partout, on peut en suivre les coulées incandescentes sous le plancher, sous la rue, sous la place, jusqu'au temple, sous le temple, où brille une condensation de flammes d'un éclat insoutenable, terriblement familière.

"Reste avec moi, Agnès, tu dois m'aider pour l'ambercite", dit Grand-père. "Jamais", murmure Agnès. Grand-père vient lui prendre les mains, implorant : "Mais tu sais à quel point c'est essentiel ! T'ai-je jamais menti ? Ne te laisse pas entraîner dans les rancœurs de ta mère, je t'en prie…"

La porte s'ouvre avec fracas. Pierrino entre. Non, c'est leur père, c'est Henri. Avec son étrange double vue, Senso le voit à la fois de l'extérieur et de l'intérieur et, à l'intérieur, il y a une chaude lumière qui palpite dans une bulle impénétrable, le talent suspendu d'Henri sans défense.

Il est atterré, Henri, horrifié, furieux. Il crie: "C'est votre fille, comment pouvez-vous? Ne la touchez pas!" Grand-père lâche Agnès. Il devient plus grand, plus large, plus sombre et pourtant auréolé d'une lumière fulminante. Agnès semble s'éveiller brusquement, elle crie "Non!", elle se jette devant Henri qui veut l'écarter. Lorsque le feu de Grand-père les touche, Agnès se fige, la tête rejetée en arrière. La bulle intérieure d'Henri explose. Tout tremble et ondule. Un geyser de lumière jaillit d'Agnès pour transpercer l'Entremonde comme une épée de feu. Agnès tombe, très lentement. Henri s'est effondré aussi. Dans l'Entremonde fracturé, sa psyché affolée tourne autour du rugissement silencieux de lumière qui est Agnès.

Grand-père se redresse, haletant, hébété. Il rampe vers Agnès, la prend dans ses bras, en écartant comme un insecte la psyché d'Henri. La tête rousse ballotte, toute molle, comme si le cou était de chiffon. Grand-père pousse un rugissement en la serrant contre lui, sa magie se convulse en vain pour retenir et contenir le jaillissement d'Agnès, sa dissolution.

Brusque condensation d'une autre lumière dans la chambre, Grand-mère sort du vide, en vêtements de nuit, longs cheveux dénoués, yeux hagards. Elle arrache Agnès des bras de Grand-père. Une membrane vibrante se forme autour du geyser lumineux, l'enferme, le contient. Grand-mère disparaît avec Agnès. Grand-père s'affaisse, inconscient.

Senso voit de moins en moins bien, pris dans les tourbillons de lumière. Entre deux éblouissements, il aperçoit encore Nadine ou Félicien agenouillé près du corps d'Henri. Ensuite il se sent tomber.

Le fil d'or le retient. Senso regarde autour de lui, il les voit tous figés sur place, environnés d'un éclat rougeâtre, les deux ecclésiastes, et Haizelé, et plus près de lui, mais en contours de feu, Pierrino, son visage épouvanté, ses bras autour de lui. Il pense, avec une très grande lenteur, que cette fois ils ont eu tous deux la même vision. Ils sont ensemble, enfin. Dans cette chambre rouge. Dans ce cauchemar qui n'en finit pas.

56

Pierrino soutient Senso qui le soutient. Il baigne dans l'Entremonde, son talent s'est ouvert dès qu'il a mis les pieds dans la chambre rouge, il le sent, et il peut sentir le talent de Senso, plus rond, plus ardent, plus vaste – Senso n'a pas donné aux Natéhsin, lui. Pétrifié, il regarde la créature qui est parfois Jiliane toucher la main de la statue. Elle n'est plus que Jiliane, à présent, mais une Jiliane aux yeux brûlant d'un feu doré, qui se tourne vers Grand-mère avec des mouvements saccadés.

Grand-mère est à genoux, les mains tendues, le visage ruisselant de larmes : « Pardonne-moi, pardonne-moi ! »

Penchée sur elle, Jiliane parle maintenant, et c'est la voix grinçante de la statue qui s'échappe de ses lèvres. Pierrino comprend, avec une horreur impuissante : ce n'est pas Jiliane non plus. C'est Agnès, qui s'est emparée d'elle. Et Agnès siffle avec une fureur maligne : « Tu voulais l'enfant, tu voulais ta vengeance. Tu l'auras.

— Non, sanglote Grand-mère, non, je ne le voulais plus ! »

Agnès ricane : « Seul l'enfant plusieurs fois né de plusieurs pères pourra juger le Dragon Fou. As-tu donc oublié la prophétie de Xhélin, après t'être donné tant de mal pour la forcer à se réaliser ? Jiliane n'est-elle pas née au moins deux fois, à travers tous vos mensonges ? Et même bien plus encore ! »

Elle éclate de rire, et de nouveau elle glisse vertigineusement d'une forme à l'autre, Alexis, Angèle, Théodora. « Tu m'en as longtemps voulu, Untitunséh, de n'être pas l'enfant de la prophétie. L'as-tu oublié ? As-tu oublié, toi qui n'oublies jamais rien, comme tu t'es servie de moi pour réaliser ta vengeance ?

— Il t'avait tuée, sanglote encore Grand-mère. Il t'avait tuée ! »

La chambre rouge tremble et se métamorphose. C'est maintenant une chambre que Pierrino ne reconnaît pas tout d'abord, puis l'orientation, la lumière tombant des fenêtres… c'est leur chambre, et c'était celle de Grand-mère autrefois. La chambre d'Ouraïn, car elle ne déguise pas le regard ardent de ses yeux dorés. C'est Ouraïn, échevelée, qui marche de long en large, environnée d'un halo rouge, en répétant comme une incantation, d'une voix égarée : « Seul l'enfant plusieurs fois né de plusieurs pères pourra juger le Dragon Fou. Seul l'enfant plusieurs fois né de plusieurs pères pourra juger le Dragon Fou… »

À chaque répétition, elle se griffe le visage jusqu'au sang et, chaque fois, le halo rouge s'étale comme un nuage de sang dans de l'eau. Il s'écarte, se solidifie peu à peu en filets qui se tissent pour devenir une grande cage rouge. Il s'y ajoute sans cesse des filaments rouges et les trous de la grille se remplissent peu à peu. C'est une grande boîte à présent, une boîte rouge où des formes se précisent, un brasero de métal cuivré, des armoires vitrées où menacent dans l'ombre des objets aux formes indéfinies…

Une table oblongue à l'épais plateau où est étendu le corps nu d'Agnès, statue de marbre. Au fond, près d'une porte qui est un bâillement noir dans l'omniprésent écarlate, immobiles, semblables eux-mêmes à des statues dont seul le regard épouvanté serait vivant, il y a Félicien, et Nadine, deux volcans de lumière, et la lave ardente de leur magie coule vers Ouraïn, qui l'aspire et la file avec la sienne dans les parois de la chambre rouge.

Et puis, avec de terribles invocations au Dragon de Feu, qui est le Dragon d'Eau et le Dragon de la Montagne, en appelant à Yuntun la Mort et à Hétchoÿ la Lune, elle suspend entre les Maisons de la Déesse Agnès qui lutte et se tord en vain, et c'est dans la substance divine un grand entrechoquement de magies torturées.

Est-ce plus tard? Ouraïn est soudain vêtue d'une longue tunique de soie blanche, sans ornements. Ses cheveux sont sévèrement tirés en un lourd chignon. Le soma d'Agnès est suspendu : devenue immuable, elle ne peut s'évader. Mais dans son ventre, il y a une bulle où le temps n'est pas arrêté et où grandit l'étincelle qui est l'enfant.

La psyché d'Agnès se débat comme un papillon captif, affolée de chagrin, de rage et de haine, contre Ouraïn, contre Gilles, contre l'enfant, et pourtant, pourtant, c'est aussi l'enfant d'Henri, elle ne peut seulement la haïr, elle l'aime aussi, d'un amour immense et désespéré. Mais c'est une bête avide et aveugle, cette enfant, lorsqu'elle en aura fini de la dévorer, elle-même ne sera plus qu'une coque vide, bonne à jeter, elle ne pourra jamais se diffuser dans l'Entremonde, ou alors si mal, si lentement, elle s'y perdra pendant des éons avant de pouvoir rejoindre la Déesse. Et c'est son père, et c'est sa mère, sa mère, qui lui ont fait cela, tant de silence, tant de mensonges pour en arriver là, à ce qu'elle soit devenue le simple outil d'une vengeance venue du fond des âges. On lui a volé sa vie, la vie qu'elle avait réussi à gagner malgré sa naissance monstrueuse ! Un soudain élan de rage insensée traverse la peau du temps et de la magie pour pénétrer dans la petite Maison où l'enfant sommeille. Bref attendrissement, hésitation, et puis la fureur l'emporte devant l'enfant usurpatrice, l'enfant parasite – et la petite pousse vivante tressaille, noyée dans la haine et le désespoir d'Agnès.

Le ventre d'Agnès est rond et tendu, la peau s'en irise de reflets nacrés. Ouraïn se tient devant la table. Sa tunique blanche flotte à présent sur son corps décharné. Ses ongles sont très longs. D'un geste lent de l'index, elle fend le ventre d'Agnès, tandis que la chambre écarlate chatoie de lueurs phosphorescentes. Pas une goutte de sang sur la robe blanche, pas une goutte de sang sur la peau livide d'Agnès. Agnès qui n'est pas morte, qui est toujours suspendue, dont la psyché voit tout, dans une frénétique impuissance.

Les couches de peau et les organes s'écartent, une horrible fleur en train d'éclore. Ouraïn prend l'enfant, incroyablement rose et luisante, à la tête couronnée d'un duvet roux presque rouge. Les yeux bleus de l'enfant sont grands ouverts et comme emplis de terreur. Elle la dépose immobile et silencieuse dans un bassinet voisin tendu de linge blanc. Puis, d'un coup de dents qu'elle a maintenant aussi petites et aiguës que celles d'un félin, elle tranche le cordon ombilical, qui se replie telle une vrille rougeâtre.

Un autre glissement dans le temps : le corps exsangue d'Agnès au ventre refermé et sans marque flotte à la verticale, yeux ouverts mais vides de regard, devant Ouraïn qui le contemple d'un air égaré. La psyché d'Agnès tourne comme une furie dans la chambre rouge. Ouraïn murmure : « Nous serons vengée, mon enfant, mon trésor. Seule la Natéhsin plusieurs fois née pourra punir le Dragon Fou. Et elle se souviendra. Elle se souviendra de nous. Elle se souviendra de tout. »

Elle se met en mouvement, comme si elle caressait à distance le corps de sa fille, et la peau d'Agnès se sépare à mesure de son corps pour tomber sur le plancher, comme si c'était autant de gants retirés un à un : les bras, le torse, le ventre se dénudent tour à tour, découvrant la sculpture rouge des muscles en dessous, et puis les cuisses et les jambes, la chair à nu luisant comme un cristal, et, en dernier, le visage, où les yeux vitreux brûlent à présent d'un terrible feu azuré.

Ouraïn en assemble les morceaux par terre puis, avec des gestes las, elle défait ses cheveux – noirs et brillants, comme doués de plus de vie qu'elle, ils se déroulent avec une souplesse obscène dans son dos. Elle ôte sa tunique. Ses côtes sont des cercles de tonneau. Elle se couche face contre terre sur le lit de peau, les bras en croix. Torrent d'énergie, un maelström de créatures magiques transparentes tourne dans la chambre rouge, dragons, serpents, phénix, l'odeur de la mer, le bruit de la pluie, un vaisseau aux voiles gonflées, tout un clignotement de paysages, hautes montagnes, vaste miroir d'un lac, murailles de grès roses qui s'élèvent de tourelles en tourelles… La psyché d'Agnès, avec un grand cri discordant, se trouve aspirée à travers celle d'Ouraïn, et disparaît dans la Carte.

Ouraïn reste ainsi un moment. Puis, avec les mêmes gestes lents, épuisés, elle se redresse.

Les lambeaux de peau sont devenus un grand rectangle crémeux couverts de couleurs vives, qui luit un instant d'une lueur froide, puis s'éteint.

De plus en plus lente, en s'arrêtant à chaque pas, Ouraïn va toucher la main d'Agnès. Le corps d'Agnès se dessèche, se creuse, s'éteint, devient la statue, méconnaissable, mais avec sa crinière flamboyante et incongrue de cheveux roux. Les os d'Ouraïn s'effacent au contraire dans sa chair ressuscitée. Mais son expression n'a pas changé : fiévreuse, hagarde, démente.

Elle reprend sa tunique à terre, la revêt, puis s'approche d'un pas chancelant d'un berceau très ordinaire qui a remplacé la table de mort et de naissance. Elle y prend le bébé rose et toujours muet. Elle va le déposer sur le rectangle de la Carte où l'enfant reste immobile, ne clignant pas même des paupières.

D'un ongle toujours effilé, Ouraïn fait une entaille dans sa main droite, trempe son index dans le sang qui perle et touche le front, les lèvres et la poitrine de l'enfant à la hauteur du cœur, affreuse bénédiction. Le bébé tressaille. Puis elle prend la main droite de l'enfant, y trace une entaille dont elle fait couler le sang sur la carte. Y trempe son index déjà sanglant, et s'en signe à son tour le front, les lèvres, le cœur.

Elle laisse retomber sa main. Il y a maintenant une tache rouge sur la tunique blanche.

Elle fait un pas en direction de la statue, mais ses genoux se dérobent sous elle, et elle se replie, comme une longue fleur fauchée.

Le bébé se met à pleurer.

La chambre rouge se dissipe d'un seul coup. On est revenu dans leur chambre, au temps où c'était la chambre de Grand-mère. Ouraïn est étendue à terre non loin du berceau, le bébé hurle en gigotant sur la Carte.

Félicien et Nadine entrent, amaigris, les traits creusés. L'un prend le bébé qui se tait brusquement, et le met dans le berceau ; l'autre va déposer Grand-mère sur le lit.

Ensuite, ils reviennent à la Carte et la contemplent sans bouger, tête basse, bras ballants.

◆

Le temps de cligner des yeux, et c'est de nouveau la chambre rouge, Agnès-Jiliane tient dans son poing la Carte roulée. Elle la jette avec mépris sur Grand-mère toujours prosternée.

« Tu es devenue lâche avec le temps, Abomination. Tu n'as pas été digne de ta magie. » Son rire dément va se planter dans les parois écarlates qui le recrachent en échardes blessantes. « Elle me ressemblait trop, hein, ta petite vengeance, et il y avait ces deux-là… » – devant le geste brutal qui les désigne, Pierrino recule du même pas que Senso. « Et tu aurais voulu oublier, toi aussi, n'est-ce pas ? Tu as essayé de devenir humaine à ton tour, comme ta mère. N'avais-tu donc rien appris ? As-tu pensé que Yuntun oublierait ? Et Hyundigao, et tous les autres ? Qu'ils te laisseraient aimer et protéger tes petites abominations, comme tu ne l'as jamais fait pour moi ? »

La fureur étincelante d'Agnès semble fouetter Grand-mère, qui se redresse, le visage couvert de larmes ; un de ses chignons se défait, roule sur son épaule. « C'étaient tes enfants, Agnès. »

Rire méprisant : « Et j'étais la tienne. » Elle tourne sur elle-même, comme pour se faire admirer. « Regarde-moi, Mère. Ouvre les yeux. Regarde-la bien, ta petite vengeance. Vois-tu qui est aussi son père ? »

Grand-mère la fixe avec une expression de profonde horreur puis murmure en secouant la tête : « Sa fille aussi ? Jiliane ? Non. Non !

— Pauvre Ouraïn », dit Agnès faussement compatissante, puis, un grondement féroce : « Stupide

Ouraïn qui croyait tout savoir. Regarde la Natéhsin née de plusieurs pères, Untitunséh. » Un ricanement triomphant : « Oui, celle-ci… » – elle agrippe la chair de ses seins à pleines mains – « … celle-ci me vengera, nous vengera tous, celle-ci rendra ce monde à la Déesse, comme il aurait dû lui être rendu lorsque le Dragon Blanc est arrivé. Le cycle s'achève. Regarde-la bien, ta création, ta vengeance. »

Grand-mère est figée sur place, toujours à genoux, la tête levée vers Agnès, les yeux exorbités.

« Oui, oui », reprend la voix basse et brûlante d'Agnès. « Comme toi, comme moi, elle est sa fille, et elle lui reprendra ce qui n'aurait jamais dû lui être donné. En échange, elle lui accordera la paix. Elle nous accordera à tous la paix de l'oubli, elle nous effacera tous de la mémoire de la Déesse. Elle est le Phénix qui ne renaîtra pas, elle est la mort. »

Elle renverse la tête en arrière, et répète, un cri extatique : « La mort ! »

Puis elle abaisse de nouveau les yeux sur Grand-mère, avec une expression maligne : « Croyais-tu pouvoir arrêter Yuntun elle-même, Untitunséh ? »

Soudain, une silhouette chenue apparaît auprès d'elle, que Pierrino contemple avec hébétude. Chéhyé. Chéhyé qui se prosterne devant Agnès, devant Jiliane, en lui tendant la dague magique tirée de son fourreau et dont la lame de flamme ondule d'un éclat aveuglant.

« Ah, dit Agnès-Jiliane avec un sourire carnassier, tu as finalement trouvé ton chemin jusqu'à moi, Ghât'sin ? Tes dés sont tombés de mon côté ? »

Elle saisit la corne du dragon blanc et, d'un geste vif, elle lance la *gâtgoÿ* sur Grand-père crucifié à l'invisible.

◆

Pierrino s'élance, Senso a été plus rapide, et pourtant tout se passe au ralenti. Senso se raidit, immobilisé en pleine course. Pierrino vient buter contre lui, se rattrape puis le rattrape, car Senso s'effondre dans ses bras. Une horrible douleur lente traverse au même instant le dos et le flanc de Pierrino, là où la dague l'avait lui-même blessé. Il tombe. Mais ce n'est pas sa substance à lui qui se déverse dans l'Entremonde, ce grand jaillissement de lumière affolée, c'est celle de Senso.

La dague jaillit de la blessure, comme animée de sa propre volonté, fond sur eux. Pierrino se jette sur le corps de Senso pour le protéger, il veut crier "non", mais c'est lui que vise la dague à présent. Une autre voix crie pour lui : Grand-mère. Elle s'est jetée sur la dague, elle en a empoigné le manche à deux mains, elle lutte pour la détourner. Derrière elle, bras tendus devant eux, le visage convulsé, les deux ecclésiastes bougent, mais comme s'ils étaient captifs d'un verre en fusion en train de se solidifier.

« Comme il te plaira, Untitunséh, dit Agnès avec une sombre jubilation. Ton sang est notre sang. »

Lentement, inexorablement, la dague se retourne contre Grand-mère. Un instant, le regard de Grand-mère croise celui de Pierrino, puis elle cesse de résister, elle se jette même en avant, et la dague s'enfonce dans sa poitrine.

Grand-mère s'effondre dans les bras de Chéhyé, et un autre grand torrent de lumière vient fouetter l'Entremonde.

Pierrino n'est plus que regard :

Haizelé, soudain libérée de sa longue lutte immobile, ramasse vivement la Carte et la jette dans le brasero.

En poussant un hurlement impossiblement long, Agnès abandonne le soma de Jiliane, les voiles dé-

chirés de sa psyché se précipitent à la suite de la
Carte dans le feu froid de l'ambercite.

Jiliane vacille, livide, pour s'effondrer entre les
bras de Haizelé.

Quand donc Félicien et Nadine sont-ils entrés ?
Ont-ils toujours été là ? Leur magie brûle en eux,
presque aveuglante. Ils font un geste, l'un de la main
droite, l'autre de la main gauche, et la psyché d'Agnès,
arrachée au feu qui a dévoré la Carte, est aspirée par
la statue, où elle disparaît.

Personne ne bouge. Dans l'instant presque arrêté,
toutes les silhouettes se détachent en contours atro-
cement nets. La substance divine ondule en vagues
de flammes.

Et, d'un seul coup, l'Entremonde s'éteint. La chambre
rouge disparaît. On est dans la chambre des enfants.
Les mouvements reprennent et s'achèvent partout,
mais sans un bruit : Grand-père tombe, à moitié par
terre à moitié sur l'ancien lit de Pierrino. Chéhyé,
ployant sous le poids, étend Grand-mère à terre, les
ecclésiastes se précipitent vers elle. Jiliane à demi
évanouie s'accroche au cou de Haizelé qui la retient.
Et Pierrino regarde, tout près, le visage de Senso.
Les yeux bruns reviennent du vide pour se fixer sur
les siens, la main de Senso se lève pour lui toucher
la joue, les lèvres de Senso esquissent un sourire. Il
souffle : « Plus tard. » Il ferme les paupières, avec
un petit soupir, comme s'il s'endormait.

◆

Une main. Sur son épaule. Autour de ses épaules,
un bras. On le tire vers le haut. Vers le côté. Il se
laisse faire. Il n'entend rien, sinon le rugissement du
sang dans ses oreilles. Il ne voit rien, sinon des lueurs
fantomatiques qui se pourchassent d'un bord à l'autre

de son champ de vision. On appuie sur ses épaules. Il plie les genoux, se retrouve assis sur quelque chose de mou. Devant lui, un corps en habit vert et brun, à demi étendu. Sur un lit. Sur son lit. Dans sa chambre. Leur chambre.

Grand-père. Sur son ancien lit à lui. Inconscient. Lui, est sur l'autre lit. Le lit de Senso.

Senso.

Il veut bouger, mais ses jambes ne lui appartiennent pas. On s'assied près de lui, on lui passe de nouveau un bras autour des épaules. Un parfum familier, bergamote. Jiliane ? Non, Haizelé. Il tourne la tête vers elle. Lointainement fasciné par ses yeux, qui n'ont jamais été si noirs, si larges, dans son visage jamais si pâle.

En tournant la tête vers elle, il voit la chambre. Leur chambre d'enfants. Tellement de monde. Il n'y a jamais eu autant de monde dans cette chambre. Mais pas de bruit. Des silhouettes agenouillées, vêtues de bleu mage. Entre eux, étendue, la robe bleu-Grand-mère. Grand-mère. Ouraïn. Au fond, assise dans le fauteuil près de la fenêtre, cette silhouette à la peau si blanche dans la robe profondément décolletée de Théodora, avec cette crinière si étrangement courte de boucles rousses. Jiliane. Là, découpée en noir sur la lumière de la fenêtre, une silhouette aux jambes arquées, debout devant un autre corps étendu. Un autre corps. Étendu. Entre deux autres silhouettes, vêtues de vert. Les contours deviennent des noms. Jiliane. Chéhyé. Félicien et Nadine. Tchèn, Dinh.

Il se reprend à deux fois pour se lever, sent la main de Haizelé se glisser sous son coude, secoue la tête avec précaution. Comme si le mouvement en était la cause, il entend de nouveau, murmure, prière, incantation ? C'est Félicien, et Nadine. Ils semblent plus petits. Ils ont des yeux dorés. Ils ont repoussé les ecclésiastes. Agenouillés à leur place, les yeux clos, ils tiennent chacun une main de la silhouette en bleu-Grand-mère.

Pierrino se fige en battant des paupières. La silhouette devient transparente. Il distingue le parquet à travers les plis de la tunique.

« Non ! »

C'est la voix de Grand-mère.

Le parquet disparaît de nouveau sous la soie bleu-mauve.

Grand-mère essaie de se soulever. Du même geste, Félicien et Nadine l'y aident en glissant une main dans son dos. Elle les regarde tour à tour, les yeux élargis, elle souffle : « Nandèh ? Feï ? »

Ils ne répondent pas. Elle reste longtemps sans bouger tandis que son regard continue de passer de l'un à l'autre.

« Pourquoi ? dit-elle enfin, très calme.

— Il fallait inventer une nouvelle danse, dit l'un à mi-voix.

— Il fallait se souvenir autrement », dit plus fermement l'autre.

Grand-mère hoche imperceptiblement la tête. Son regard croise celui de Pierrino. Une expression désolée passe sur son visage : « J'ai essayé, dit-elle. De ne plus vouloir. »

Un frisson de transparence passe sur elle. Elle dit "Non" en s'accrochant aux mains qui la tiennent. Elle dit : "Pas moi."

Ses yeux cherchent dans la pièce. Pierrino les suit, revient avec eux à l'autre corps étendu. À Senso. Il sent ses genoux plier de nouveau, se retient au fer forgé de la tête du lit.

« Lui, souffle Grand-mère. Il n'est pas encore parti. Aidez-le, lui. »

Sans un mot, comme un ballet bien réglé, Chéhyé vient remplacer les deux serviteurs : il s'agenouille avec une étonnante souplesse, assis sur ses talons, appuie le torse de Grand-mère contre sa poitrine, comme pour lui permettre de voir Félicien et Nadine, qui sont allés s'accroupir de part et d'autre de Senso ; il écarte avec délicatesse de son front une mèche de cheveux noirs. Elle ferme les yeux. Chéhyé ferme les yeux. Leurs lèvres bougent en silence.

Félicien et Nadine (Nandèh ? Feï ?) ont pris chacun une main de Senso. Ils ferment les yeux à leur tour. Leurs lèvres s'animent.

Un espoir fou s'empare de Pierrino. Il veut les rejoindre, il veut les aider, il s'élance d'un pas vacillant. Une main lui prend le poignet alors qu'il passe devant le fauteuil, une petite main froide. Il s'arrête, suit la ligne des doigts, du bras, remonte au visage blanc de Jiliane, à ses yeux dorés et pourtant opaques. Elle dit, d'une voix blanche aussi : « Non. Il faut l'oublier. Le laisser partir. Il reviendra. »

Il ne comprend pas, mais découvre qu'il n'a pas la force de se libérer. Il laisse ses genoux plier avec lenteur, avec lenteur il s'assied, adossé aux genoux de Jiliane, sans quitter Senso des yeux. Le visage de Senso, son torse, ses jambes, semblent flotter sur le parquet comme un mirage.

Les petites mains froides se posent sur ses yeux.

« Il ne faut pas regarder, souffle Jiliane dans ses cheveux. Il ne faut pas se souvenir maintenant. Il faut le laisser partir. »

C'est une pression légère et fraîche sur ses globes oculaires, apaisante, comme la joue de Jiliane contre son crâne. Il écoute le silence vibrant, dehors, dedans, la tête vide de pensées, pendant une durée sans mesure.

Quand les mains de Jiliane quittent ses yeux pour se poser sur ses épaules, tout de Senso a disparu.

Une question se formule en lui, mais il n'a pas même le temps de ressentir l'émotion qui la porte, la voix de Jiliane souffle derrière lui : « Partout. »

Félicien et Nadine se relèvent avec lenteur. Ils reviennent auprès de Grand-mère. Elle vit encore, à petits souffles haletants, les traits contractés. Elle esquisse un geste saccadé de la main droite en direction de sa poitrine. C'est seulement alors que Pierrino voit que la dague y est toujours enfoncée jusqu'à la garde.

« Es-tu certaine, Ouraïn ? » demande une voix douce – Félicien. Feï. Ou l'autre.

Elle incline faiblement la tête : « Ma… dette. Le chemin le plus long vers la Déesse. »

Une main se referme sur la corne du dragon, et la flamme métallique sort de la poitrine de Grand-mère, qui pousse un gémissement sourd.

« Il faudra… la rendre à Hyundpènh », dit-elle d'une voix hachée.

Les deux Natéhsin pleurent, sans grimace, sans bruit, comme la première pluie d'automne tombe sur la terre desséchée.

« Nous pardonneras-tu, Ouraïn ? » demandent Nandèh et Feï, de la même voix.

Elle esquisse, incroyablement, un vague sourire : « Venez… me le demander.

— Nous viendrons. »

Les yeux mordorés parcourent la chambre, les visages. Trouvent Pierrino, s'arrêtent derrière lui.

« Jiliane… »

Il la sent se lever, s'écarte pour la laisser passer, la regarde se diriger d'un pas chancelant vers le corps étendu, s'agenouiller comme on tombe.

Grand-mère se soulève un peu : « C'est à toi… de le juger. Il te faut… savoir.

— … sais déjà trop, souffle Jiliane d'une voix éraillée.

— Mais pas… tout. » Sans quitter Jiliane des yeux, elle appelle, elle implore : « Nandèh, Feï… »

Elles disent, ensemble : « Oui. »

Le sourire de Grand-mère s'accentue, teinté d'un lointain étonnement, tandis qu'elle tend une main pour effleurer la joue de Jiliane : « Le nouveau… monde. »

Elle plisse les yeux, comme pour mieux voir, et puis elle ne bouge plus, et l'éclat doré cesse de palpiter sous ses paupières à demi closes.

57

Jiliane se retourne vers Grand-père, hébétée. Nandèh dit "non", Feï lui prend une main. Elle reconnaît cette sensation de glissement, de flottement, mais elle est trop épuisée pour en éprouver davantage qu'une lointaine horreur. Et puis elle bascule une fois de plus dans la Maison de la Déesse. Il est là, Gilles, Grand-père, le monstre, mais elle ne basculera pas en lui, non, plus jamais! Étienne Larché se trouve là aussi, et Haizelé. Mais ce ne sera pas en Étienne, Nathan – elle l'a toujours accompagné à travers Ouraïn, et Ouraïn... n'est plus. Haizelé, alors. Haizelé.

◆

« Eh bien, je crois que nous avons couvert tout le sujet », dit Sigismond en se levant d'un air bougon. « Je retourne à la maison. Nous avons toujours rendez-vous chez monsieur Douzelat à sept heures?

— Bien sûr », dit Haizelé, en dissimulant sa nervosité. Au moment où Larché passe devant elle, elle lui pose une main sur le bras : « Monsieur Larché, m'accorderiez-vous quelques minutes d'entretien? »

Larché jette un coup d'œil à Sigismond, qui hausse les épaules : « Je vous attends sur le pont, Étienne. » Il disparaît dans la coursive.

Larché a froncé les sourcils, à demi tourné vers lui.

« Nous sommes à bord de *L'Aigle*, Monsieur Larché », s'empresse de dire Haizelé, « je le croirais assez en sécurité. »

Il la regarde, les mains dans le dos, impavide.

Elle va s'asseoir à son bureau, lui fait signe de prendre le fauteuil d'en face. Après un petit délai, il s'exécute.

« Depuis que nous nous sommes rencontrés, Monsieur Larché, j'ai le sentiment persistant que ce n'est pas la première fois.

— J'ai ce genre de visage banal, dit-il sans broncher. C'est pratique dans mon métier.

— Ce n'était pas votre métier, à l'époque. Vous étiez herboriste et travailliez pour un apothicaire. »

Il hausse les sourcils, sourit presque : « J'ai un intérêt certain pour ces domaines, comme passe-temps. Nous serions-nous rencontrés dans une autre existence, ou en rêve, peut-être ?

— Non, à Venise, chez madame Garance, en 1763. »

L'expression devient indulgente : « Vous étiez à peine née en 1763, Capitaine, et moi de même. »

Elle le dévisage avec un mince sourire : « Lorsqu'il nous a présentés, monsieur Garance a dit que vous étiez au courant, par force, de toutes ses affaires, n'est-ce pas ?

— De celles dont il pense que je dois être informé afin de faire correctement mon travail. »

Elle allait pour dire : "Vous savez donc ce que nous transportons désormais, et ses effets sur ceux qui en sont au contact", mais soudain elle hésite :

Sigismond, surtout dans son état présent, méfiant jusqu'à la manie, n'aurait guère de raison de révéler cela à un simple garde du corps. Elle ignore, de fait, ce que sait ou non cet homme. Peut-être poursuivre cette discussion mettrait-il les Garance en danger, et qui sait, elle-même, Rahyan et tout l'équipage de *L'Aigle des Mers*.

Et pourtant, si cet homme est bien ce qu'elle croit, il doit connaître les Garance depuis fort longtemps, et il a travaillé à l'ambercite, car il ne peut avoir autrement en 1787 le même aspect, nonobstant barbe et moustaches absentes, que celui qu'il avait vingt-trois ans plus tôt.

Elle choisit de changer d'approche : « La personne à laquelle je pense s'appelait alors Robert-Marie Nathany. »

Il ne réagit pas de façon perceptible.

« Il avait, enroulée autour du bras droit, une cicatrice des plus curieuses, comme un serpent rouge. »

Toujours aucune réaction.

« Me montreriez-vous votre bras droit, Monsieur Larché, pour mettre fin une fois pour toutes à mes fantaisies ? »

Il la dévisage, les yeux un peu plissés : « Vous êtes observatrice. »

Il n'a pas remonté sa manche, cependant.

« Tout ce qui touche aux Garance me touche, et en particulier ce qui concerne Aurore. Elle avait assez peu de véritables amis à Venise pour que je me souvienne d'en avoir rencontré un, ne serait-ce qu'une fois. »

Il la dévisage longuement, puis il se détend, avec un petit soupir. « Très bien, dit-il. J'étais Robert-Marie Nathany. »

Il ne semble pas inquiet. Il l'observe d'un air simplement attentif. Mais il laisse la balle dans son camp, ne propose ni ne demande rien. Et ce n'est pas de lui qu'il s'agit ici. Elle pose les bras sur son bureau et se penche un peu vers lui : « Vous connaissez bien… Sigismond, depuis longtemps.

— Jusqu'à un certain point, oui.

— Ne le trouvez-vous pas changé, depuis quelques années ? »

Une ombre rapide passe sur les traits de Larché : « C'est dans la nature des êtres humains.

— Non, je veux dire, depuis la mort d'Agnès… il n'est plus lui-même. »

Elle s'impatiente soudain de devoir ainsi tourner autour du pot. Pour le bien même des Garance, peut-être, il faut risquer. Et s'il le fallait, si elle se trompe malgré tout sinon sur l'identité de cet homme du moins sur ses motivations, on pourrait sûrement s'arranger pour le neutraliser. Si talenté soit-il, puisque ce doit être un talenté, il n'arrive certainement pas à l'orteil de Chéhyé.

« Vous êtes au courant de sa véritable identité, n'est-ce pas ? De son talent, de la part qu'il a eue dans la fabrication de l'ambercite en Émorie, et par la suite. »

Il ne répond pas immédiatement. Puis il hoche la tête : « Je le suis en effet. Je n'étais pas certain que vous le fussiez. »

Un autre silence et, au moment où elle allait reprendre la parole, il ajoute : « Mais lui ne l'est plus. »

Elle se sent à la fois soulagée et consternée de ne s'être pas trompée. Quelle bonne question poser, à présent ?

« Que s'est-il passé ? » demande-t-elle enfin.

Il pousse un soupir, les yeux au loin, à la fois triste et sévère : « La souffrance accumulée a été trop lourde pour lui. »

Le regard gris revient sur elle, avec une expression plus douce : « Vous rappelez-vous notre conversation de Venise ? Nous parlions du sortilège d'oubli jeté par la malheureuse reine Jordane. »

Elle fronce les sourcils – elle comprend, sans vouloir tout à fait comprendre : « Vous disiez qu'il était parfois nécessaire d'oublier pour… retrouver plus tard la force de se souvenir. »

Il se penche soudain et, d'un geste imprévu, touche le poignet de Haizelé, qui sursaute : « Comme vous l'avez fait, dit-il avec un sourire amical. Vous vous appelez Haizelé, désormais. »

L'esprit en déroute, elle frotte machinalement ses poignets, d'où les cicatrices des fers ont disparu depuis près de vingt ans, et s'entend dire d'une voix enrouée : « Vous voulez dire qu'il s'est fait tout oublier ? »

L'expression attristée revient : « Tout ce qu'il a pu. Et croire en remplacement à ce que tout le monde croit communément en ces temps, ou à peu près, car la nature humaine aussi a horreur du vide. » Il secoue un peu la tête, comme étonné malgré tout : « Il a même en très grande partie suspendu son propre talent, ce qui a toujours été considéré comme impossible. C'est assurément pour cela qu'il a été si longtemps souffrant, après l'accident, et qu'il a parfois ces brusques crises de colère qui vous ont tant déroutée. »

Elle reste muette, accablée. Puis, dans un sursaut horrifié : « Et Aurore ? Elle aussi… ? »

Les yeux gris se détournent : « Je ne le croirais point d'elle. Mais nous ne nous sommes pas revus depuis leur retour en France. » Et, un ton plus bas : « Elle le voulait ainsi, et le veut toujours. »

Aurore et cet homme ? Haizelé le dévisage longuement, surprise de n'avoir pas envisagé autrefois cette hypothèse, mais sûrement moins scandalisée qu'elle ne l'aurait été alors. Antoine était si souvent absent… Et même si Aurore ne lui a jamais parlé en mal de lui, elle a toujours senti sa réserve distante à son égard et, corrélativement, la résignation parfois agacée, parfois chagrine d'Antoine. Il ne lui en a jamais offert d'explications, elle ne lui en a jamais demandé. Elle aurait préféré les croire un couple harmonieux, mais cela n'a jamais rien changé à la fidélité de l'affection qu'elle leur porte à tous deux.

Maintenant non plus.

Elle ressent le besoin de bouger, se lève, pour faire quelques pas dans la cabine. Finalement, elle va ouvrir l'armoire où elle entrepose son porto, en tire la bouteille et deux verres de cristal, et vient les déposer sur le bureau.

« Me tiendrez-vous compagnie ?

— Volontiers. »

Elle le sert, le regarde humer en connaisseur l'arôme du vin. Elle se rappelle les beignets de Dinh et ne peut retenir un sourire : « Aimez-vous toujours la bonne chère ? »

Il sourit en retour : « La Divinité nous a créés capables d'apprécier ses dons, nous lui devons de le faire. »

Il lève son verre pour la saluer, elle lui rend la pareille. Ils boivent en silence. L'intermède a rendu à Haizelé un peu de son sang-froid et c'est avec plus de tristesse que d'effroi qu'elle demande : « Combien de temps cela va-t-il durer ? »

Il contemple un instant les reflets du vin dans le cristal taillé, puis relève les yeux. Il semble étrangement serein.

« Songez à tout ce qu'il vous a fallu oublier pour vous en souvenir ensuite, Haizelé, dit-il avec douceur. Et songez à tout ce que… Sigismond… ne veut plus savoir. »

◆

Jiliane le regarde. Grand-père. Sigismond. Clément, Antoine. Gilles. Il est très pâle sous ses boucles blanches en désordre. Ses paupières palpitent. Il reprend conscience. Se redresse avec un grognement, en clignant des yeux.

D'un geste, elle scelle ses lèvres.

Elle se sent flotter, mais c'est en elle-même qu'elle flotte. Elle n'est plus ni Alexis ni Angèle ni Agnès. Elle est libre. Vide de désirs, elle ne sait qui elle sera, mais elle sait ce qu'elle doit faire.

D'un geste, elle rouvre la Chambre rouge, qui ne vibre plus de son terrible mystère, plus désolée qu'horrifiante à présent. La statue est toujours là. Inanimée. Agnès morte, rassemblée enfin.

Elle la saisit et la concentre, toujours plus serré, jusqu'à ce que, dans un grand élan de lumière froide, son âme s'élance vers l'Entremonde. Va, Agnès. Mère. Va prendre le chemin le plus long, toi aussi, à travers les Maisons d'illusion. Puisses-tu guérir en chemin et rejoindre enfin la Déesse.

Comme plus tôt, d'un seul geste, elle contraint Gilles à pénétrer dans la Chambre rouge. Il obéit, les yeux miroitant de terreur.

Dans l'Entremonde, il est auréolé de flamme, cette flamme incoercible qu'il a autrefois incompréhensiblement obtenue du Dragon de Feu sommeillant sous le Temple. Elle la prend, l'enroule autour de son poing et l'arrache. La flamme se répand dans la Chambre rouge, une lueur palpitante, une intangible bénédiction : tout à coup, les murs ne sont plus faits de sang ni de chair écorchée. C'est comme la lueur d'un foyer, chaude, apaisante.

Jiliane efface la Chambre rouge. Dans la chambre des enfants, les autres sont toujours immobiles. Elle, elle regarde Gilles.

Elle regarde l'oubli se dissiper en lui.

Il ne bouge pas, d'abord. Il cligne plusieurs fois des yeux, comme s'il se réveillait. Puis son regard tombe sur le corps vêtu de soie bleu-mauve étendu sur le parquet.

Son visage se contracte, soudain couvert de sueur. Il murmure : « Ouraïn ? »

Jiliane croise les bras sur sa peine soudaine, et le mouvement attire l'attention de Gilles. Il la dévisage et souffle, les yeux exorbités : « Agnès ? »

Et soudain il se plie en deux avec un grognement sourd, comme s'il avait reçu un coup dans l'estomac. Il tombe à genoux.

Jiliane regarde les souvenirs monter en lui, tous les souvenirs, la marée du temps, et à chaque souvenir il s'affaisse davantage, il n'est bientôt plus qu'une silhouette hoquetante recroquevillée par terre, le visage convulsé, le souffle rauque.

Elle l'observe, sans rien ressentir. Elle attend. Elle attend qu'il se reprenne, comme elle sait qu'il le fera. Qu'il se redresse. Qu'il cherche son talent. Et ne le trouve pas. Et comprenne qu'il est redevenu ce qu'il était, ce qu'il n'aurait jamais dû cesser d'être, avant sa chute.

58

Ils sont assis autour de la table de la cuisine. Haizelé, dom Patenaude, domma Castelet, Jiliane, Pierrino. Félicien, Nadine, Nandèh, Feï, les compagnes de Kurun, – curieux, il peut les départager maintenant qu'il les a perçues dans l'Entremonde. Sept personnes. Un bon chiffre. Chéhyé et Gilles, là-haut, neuf. Un autre bon chiffre.

Ils sont assis, dans la cuisine. Un lieu si ordinaire, une posture si ordinaire, les mains jointes sur la table ou posées sur les accoudoirs des chaises. Des odeurs familières flottent dans l'air, fantôme du repas de midi, anis étoilé, sauce de poisson, porc au caramel. Un chat est assis au milieu de la table, et personne n'a songé à le faire déguerpir. Tchènzin, le chat d'Ouraïn à la tête de flamme.

Ils sont assis. Pierrino ne se rappelle pas s'être assis. Il ne se rappelle pas être descendu de la chambre. Leur chambre, où Senso est partout, où Grand-mère repose, suspendue, sur le lit de Jiliane, sous le si vieux portrait de Kurun en *igaôtchènzin*. Où Chéhyé veille Grand-père, affaissé dans le fauteuil près de la fenêtre.

Pendant un long moment, personne ne bouge.

C'est dom Patenaude qui parle le premier, d'une voix éraillée : « Qu'avez-vous fait… à Senso ?

— Nous l'avons aidé à rejoindre la Déesse », répond Feï.

Silence.

« Mais il vivait encore…

— Oui. Ainsi, il ne sera pas prisonnier des Maisons d'illusion que bâtissent les mortels. »

Silence.

« L'Entremonde… n'est pas une illusion », proteste faiblement domma Castelet.

Un léger sourire de Nandèh : « Non, mais il se prête aux vôtres. Il vous présente ce que vous lui apportez. Trop de souvenirs, trop de liens.

— Ne rejoignons-nous donc jamais… la Déesse ? » murmure dom Patenaude avec une lente horreur.

« Il vous faut parfois plus longtemps.

— C'est différent, pour les Natéhsin », dit Jiliane.

Le chat, qui faisait sa toilette avec une totale indifférence aux humains, tourne la tête vers elle, puis recommence à se lécher la patte.

Une autre longue pause.

« Le clan… de Kurun », murmure dom Patenaude.

Pierrino le regarde avec une lointaine curiosité. L'ecclésiaste intercepte son regard, se redresse un peu : « J'ai lu… Nous avons lu… les relations de Gilles Garance. Les rapports. Des ambassadeurs. Par la suite. »

Il s'affaisse de nouveau dans sa chaise tandis que ses yeux, comme fascinés, reviennent se poser sur le chat.

« Pas un clan, dit Feï. Les Ancêtres. »

Dom Patenaude lui jette un coup d'œil, baisse aussitôt les yeux comme s'il ne pouvait soutenir sa vue. « Une légende », murmure-t-il, presque plaintif.

« Non. »

Un autre long silence.

« Nous aussi », dit Jiliane.

Nandèh se tourne vers elle : « Différentes. »

Elle hausse légèrement les épaules.

Une pause. Pierrino ne peut détourner ses yeux de Jiliane.

« Votre grand-mère… dit dom Patenaude.

— Oui. »

Silence.

« Allez-vous la sublimer ? » demande Haizelé d'une voix dépourvue d'inflexion.

Dom Patenaude se redresse un peu, à la fois incertain et choqué.

Domma Castelet pose une main sur la main de l'ecclésiaste et dit avec douceur : « Oui. »

Il la regarde avec stupéfaction, puis ses traits s'affaissent et il se laisse de nouveau aller sur sa chaise.

« Cette créature de lumière… », dit domma Castelet après un autre long silence, les yeux agrandis.

« Vous l'avez vue aussi, murmure Haizelé.

— Oui », souffle l'ecclésiaste. Elle frissonne. « Nous avons tous vus.

— Elle nous a fait tout voir », murmure dom Patenaude en jetant un coup d'œil à Jiliane qui ne bouge pas, comme plongée dans ses propres pensées. Et, à Haizelé : « Vous saviez ?

— Une partie.

— Tout savoir », dit Jiliane, comme si elle se parlait à elle-même.

« Cette créature, sous le temple », répète domma Castelet plus nettement, tournée vers Nandèh.

Pierrino murmure : « Le Dragon de Feu. »

Il sait à quoi elle pense : la Légende Dorée de la naissance des Gémeaux, l'être de lumière venu participer à leur conception et qui jaillit vers le ciel après leur naissance, dans une grande symphonie de joie illuminant toute la campagne aux alentours…

Il entend un écho de sa propre protestation en réponse à Chéhyé, il n'y a pas si longtemps, lorsque dom Patenaude dit : « Mais nous ne sommes pas en Émorie ! »

Nandèh les observe tour à tour avec gravité. Puis elle se penche un peu vers les ecclésiastes, en posant les mains à plat sur la table. « Imaginez, dit-elle, que tout votre univers est une mer, et que vous vivez sous l'eau. Vous montez vers la lumière qui constitue le toit de votre monde, mais il y a là, vos sages et vos saints le savent, une limite que vous ne pouvez franchir.

— Imaginez maintenant, dit Feï avec douceur, les ailes du héron qui vole au ras de l'eau, et y laisse son sillage…

— Imaginez la main qui caresse la surface depuis une barque… »

Les deux voix si semblables se taisent.

« Et le filet du pêcheur, dit Jiliane à mi-voix. Et le harpon de la Déesse. »

Nandèh et Feï baissent la tête. Puis, après un autre silence, Nandèh reprend : « Imaginez maintenant que par-delà le toit du ciel, il est encore un autre univers, différent de l'air comme l'air l'est de l'eau…

— Les sphères divines », dit dom Patenaude en se redressant légèrement, les sourcils arqués.

« Les Maisons de la Déesse. Et le Dragon, dans tous ses aspects, danse à travers ces Maisons, avec l'amour de la Déesse.

— La Déesse… est partout », murmure domma Castelet, illuminée. Elle sourit à dom Patenaude, pose de nouveau une main sur sa main. « Notre foi a peut-être la vue trop courte, mon ami. »

Nandèh et Feï hochent la tête de concert.

« Le Dragon… venu d'Émorie ? » balbutie enfin dom Patenaude, et Pierrino sourirait presque, pleurerait presque de son obstination naïve.

« Le Dragon est tous les Dragons, dit Nandèh avec bonté. Ils sont partout, comme la Déesse. »

Encore un long silence.

« Et vous, les Natéhsin ? » murmure Haizelé.

Nandèh se tourne vers elle.

« Nous sommes les enfants du Dragon. Nous lui rendons ce qu'il nous donne, et il l'offre en retour à la Déesse. À travers nous, la substance divine vient nourrir les mondes et s'en nourrir, pour retourner sans cesse à la danse de Huètman'. »

Personne ne parle, personne ne bouge. Le chat continue de faire sa toilette.

Soudain, Haizelé se lève, va tirer de l'eau au robinet du réservoir du poêle et la pose, dans une des grandes casseroles, sur l'un des ronds. Comme si c'était un signal, Feï se lève à son tour pour aller sortir les tasses de l'armoire vitrée. Nandèh va prendre dans l'autre armoire l'ancienne boîte de petits gâteaux où Madeline entreposait les tisanes.

Des gestes si ordinaires. Si nécessaires.

Personne ne dit rien pendant un très long moment. L'eau commence de frissonner sa petite chanson sur le poêle. Des bulles dansantes, qui montent et viennent se transformer à la surface, en changeant d'univers. Comme nous, songe Pierrino. Comme nous.

Dom Patenaude fait tourner entre ses doigts la mince porcelaine fleurie de sa tasse. Il a les sourcils légèrement froncés. Pierrino attend, avec une curiosité détachée.

« Sigismond était talenté, dit-il enfin.

— Gilles était talenté », dit Haizelé, avec une légère emphase sur le premier mot.

Dom Patenaude se fige. Après un instant, il repose sa tasse avec précaution dans l'assiette. Ses mains ne tremblent pas, pourtant. Le visage de domma Castelet se chiffonne d'un seul coup, elle croise les mains sur sa bouche et ferme les yeux en murmurant "Oh, Divine", mais c'est moins de la stupeur que la consternation de voir confirmée une terrible appréhension. Ont-ils donc toujours eu des perplexités ? Des doutes ? Des soupçons ?

« Gilles », murmure dom Patenaude. Il a croisé les mains aussi, blanchies aux articulations, mais il se reprend plus vite que Pierrino ne l'aurait cru : « Il a restitué son talent, désormais », dit-il sourdement. Son expression est plus affligée qu'horrifiée.

« Ce n'était pas seulement le sien. » Jiliane, toujours de la même voix lointaine.

Ils se tournent tous vers elle, mais c'est le regard de Pierrino qu'elle accroche en disant : « Kurun. Ouraïn. Agnès.

— Il ne le savait pas », soupire Nandèh en s'asseyant, un regret, non une excuse.

« Il ne voulait pas le savoir », acquiesce plus durement Feï.

D'autres gestes ordinaires, à présent, mais qui deviennent un rituel parce que tout le monde les observe comme si c'était la première fois qu'on les voyait. Nandèh mesure les herbes et les fleurs séchées, Feï verse l'eau bouillante dans la grande théière chinoise. Les dragons aériens qui s'y déroulent en replis ondulants ne ressemblent pas à Hyundpènh. On verse ensuite, posément, le liquide couleur de paille, vapeur odorante au parfum familier, apaisant. Pierrino referme ses mains en coupe sur la chaleur de la tasse, il se rend compte que ses doigts étaient glacés. Le sucre roux et le pot de miel sont apparus entre les tasses ; Tchènzin va les renifler avec une distante

curiosité, puis – étrange décoration de table – se re-
couche, pattes étendues, clignant de ses yeux dorés.

« Il avait tout oublié », reprend dom Patenaude au
bout d'un moment, avec une inflexion vaguement
interrogative.

« Il s'est fait oublier tout ce qu'il a pu », murmure
Haizelé d'une voix soudain enrouée. « Il voulait
n'être plus que Sigismond. Ce que Sigismond aurait
pu être, dans une autre histoire.

— Il n'y a plus d'autre histoire », dit Jiliane. Sa
voix est toujours détachée, mais plus nette.

Nandèh et Feï se tournent vers elle du même mouvement, exhalent le même soupir, disent de la même
voix en lui prenant chacune une main : « Si. »

◆

Une autre vision se condense, remplaçant la cuisine
par une chambre inconnue. Deux silhouettes enlacées
sur un lit, soupirs, rires bas, caresses, dans la pénombre d'une unique lampe à huile réglée bas, la
tête éclatante d'Agnès, la chevelure noire d'Henri.

Deux minces formes nues viennent les rejoindre.
Nandèh, Feï. Le nœud de chair devient plus complexe,
se noue, se défait, se renoue. Puis les deux Natéhsin
s'en vont. Long silence immobile. Henri semble sortir
d'une transe, se retourne vers Agnès avec une lassitude heureuse. Elle lui sourit et dépose un baiser sur
ses lèvres : « Ce seront des jumeaux. »

◆

Pas un mouvement. Pas un bruit, sinon le pétil-
lement tranquille du feu dans la grosse cuisinière.

C'est Jiliane qui murmure : « Les petits-enfants du
Dragon. Comme Ouraïn. Comme Agnès.

— Il fallait se souvenir autrement, dit Nandèh, un murmure.

— Il fallait danser une autre danse », dit Feï. Sa voix, pour la première fois, semble hésitante.

Silence.

« Et moi ? » reprend Jiliane.

Silence des Natéhsin. Elles se consultent du regard. La cuisine s'efface encore.

Pierrino, dans un brouillard d'hébétude, reconnaît leur chambre à Lamirande, mais avec un seul grand lit à baldaquin, au lieu de leurs trois petits lits. Henri et Agnès encore, et les deux petites silhouettes des Natéhsin.

Et soudain, Sigismond. Il entre, nu, en érection. Il semble dans un état second. Il écarte les Natéhsin, et Henri, qui se laissent étrangement faire, en grondant "Ne touchez pas à ma Kurun".

Et Pierrino, accablé, déchiré, se souvient encore, en fermant les yeux pour ne pas voir ce qui suit. L'arrivée de Senso dans la chambre où il faisait l'amour avec Arnaud et la Grimaldi. La fois où il est allé rejoindre Senso auprès d'Émilie. Les Natéhsin au bord du lac. Et Senso à l'auberge, et Angèle – Jiliane. Le vortex brûlant de désir dans lequel il s'est senti entraîné, l'aimantation inéluctable des Natéhsin entre elles. Rêvait-il d'autrefois, Sigismond, à Lamirande, rêvait-il de Kurun lorsque leur appel est venu le chercher ?

Comme si elle savait ses pensées, et sans doute les sait-elle, Feï murmure : « Vous ne pouviez résister. Pas après avoir été ouverts, les uns et les autres. Jiliane involontairement par Gilles, Senso par Jiliane, et toi, Pierrino… toi seul comme il le fallait, par le Dragon. »

C'est pour cela qu'elles avaient fait disparaître Jiliane. Qu'elles les ont séparés, éparpillés dans tous les coins du monde. Ne savaient-elles donc pas ce qu'il ferait Jiliane ? Et Grand-mère, Ouraïn, que savait-elle ?

Il rouvre les yeux. Dans la chambre de Lamirande, Gilles s'est couché près d'Agnès. Il la caresse, religieusement. Elle ne bouge pas. Nandèh et Feï se joignent à eux, et elle s'abandonne, comme si elle était elle aussi dans un état second.

« Qu'avez-vous fait ? » souffle Pierrino. Il entend à peine sa voix, un froissement d'herbes sèches.

Le feu dans le poêle, un petit chuchotement paisible.

« Il fallait se souvenir autrement », répète Nandèh, en soutenant son regard, mais avec peine.

Le silence se prolonge.

« Il fallait être trois », dit soudain Jiliane.

Ils se tournent tous vers elle. Le chat se lève, s'étire et vient s'enrouler dans son giron. Elle regarde au loin, mais sa main se tend pour caresser, lentement, la tête rutilante. Un ronronnement vibrant s'élève. Puis les yeux dorés de Jiliane se fixent sur Pierrino, immenses, étrangement sereins.

« Pour l'enfant que je porte, dit-elle, il fallait être trois. »

Elle reporte son regard sur Tchènzin, le caresse encore un moment. Relève la tête vers Pierrino, avec une expression lointaine : « Nous aurons une fille. »

59

Il y a beaucoup de monde à l'Office des Morts au cours duquel Grand-mère est sublimée en même temps que Théodora Andoriakis. Tous les comédiens sont là, accablés, avec des touches de couleur violette sur leurs habits ordinaires : ils ne s'attendaient pas à un tel événement funeste, ils ont pris ce qu'ils ont trouvé pour leur deuil, on les excuse. Pierrino, Jiliane et Haizelé portent leurs habits violets. Haizelé a encore mis une robe, verte, où l'on a hâtivement cousu aussi des appliqués violets.

Les évêques assistent à la cérémonie, mais ne la célèbrent pas. Les langues vont bon train autour du parvis, Pierrino l'imagine aisément. De fait, il entend – il entend tout, désormais, s'il le désire. "Monsieur Garance est absent ? Mais c'est normal, le malheureux est alité, pensez donc, le décès soudain de son épouse, et son autre petit-fils qui a disparu sans explications ! Ah, la fameuse épouse indigène de Sigismond Garance, elle était bien géminite, alors ?... Pauvre Pierre-Henri, il paraît que son frère s'est noyé ? Non, c'est cette comédienne qui jouait la créature magique, avant-hier.

On n'a pas retrouvé son corps pour le moment, il a beaucoup plu. Oh, Divine, est-ce possible, quel dommage, elle était merveilleuse ! Mais alors, où donc est passé l'autre petit-fils Garance ? On ne sait pas, il paraît qu'ils se sont fâchés, Sigismond et lui, il est parti le soir même de la représentation de sa pièce… Au moins Sigismond a-t-il la consolation d'avoir son autre petit-fils avec lui, et la jeune Jiliane a été retrouvée ! Était-elle donc perdue ?… Eh bien, j'ai entendu dire que tout cela serait lié aux affaires de Sigismond, vous savez – on baisse la voix –, l'Émorie. Oh, vraiment ? Oui, il paraît que c'est là que serait allé le jeune Pierre-Henri, avec la capitaine de *L'Aigle des Mers*, l'associée de Sigismond. La pirate ? Oh, voyons, pas même une corsaire, ce sont des rumeurs malveillantes, ce n'était même pas sa maîtresse. Oui, il les prenait plus loin, n'est-ce pas, Orléans… Allons, un peu de discrétion, elle fait commerce pour Sigismond, voilà tout. Et aussi des courses un peu particulières, alors ? Divine, vous croyez que la rumeur est vraie ? On va recommencer à user de l'ambercite ? Mais c'est épouvantable ! Je ne sais pas, mais il y a assez de troubles partout uniquement parce qu'on en parle !… Avez-vous vu la pièce du jeune Alexandre Garance ? Oui, et à mon avis, il en savait davantage que nous sur la question…"

Non, songe Pierrino, le cœur serré. Jiliane en savait davantage – *Alexis* en savait davantage.

"… Toute cette magie indigène, cette pierre aux pouvoirs effrayants dont le magicien veut s'emparer… Allons donc, c'était une fantaisie divertissante ! Dans ce cas, pourquoi a-t-il disparu ainsi ? Peut-être en savait-il trop. Mais que dites-vous là ? Vous rendez-vous compte ? Un acte aussi disharmonieux ? Quand on pense à ce qui est peut-être en jeu… Notre Royauté ? Nos hiérarques ? Ou d'autres.

Non, non, taisez-vous, je n'en écouterai pas davantage, c'est trahison que de parler ainsi !"

D'autres histoires, Jiliane, songe Pierrino en cessant d'écouter, avec un vague amusement triste. Il y aura toujours d'autres histoires.

On entre dans l'église, l'Office commence, l'Office continue, on arrive à la sublimation, Pierrino a la tête qui tourne, il se sent flotter dans ses souvenirs : l'atmosphère tendue, les incantations, la vibration de plus en plus forte tandis que se concentrent psyché et soma, fusionnés toujours plus étroitement. Il a sept ans, il cherche la main de Senso pour le rassurer, pour se rassurer, mais c'est une main étrangère qu'enveloppe la sienne, qui la serre en retour, étrangère et pourtant familière, Haizelé.

Au moment où a lieu la sublimation, il sent le frémissement du Dragon, sous ses pieds, sous la mosaïque du labyrinthe sacré, dans les profondeurs de la terre.

◆

Après les cérémonies sociales d'usage à la sortie du temple, heureusement écourtées par le temps froid et pluvieux, lorsque les évêques sont partis et que le personnel du pavillon retourne à pas lents vers le cours Pontande, dom Patenaude se tourne vers Pierrino : « Nous accompagneriez-vous au presbytère, tous les deux ? »

Pierrino échange un regard avec Jiliane, la voit acquiescer, en fait autant, plutôt soulagé : il s'attendait à une convocation à l'Évêché.

« Voulez-vous venir avec nous, Haizelé ? demande Jiliane.

— Je vais plutôt retourner au pavillon. » Elle ne dit pas "avec Sigismond", c'est superflu.

Au presbytère, Pierrino s'assied dans un fauteuil du salon, en se préparant à une pénible conversation.

Il n'est pas certain que les ecclésiastes aient vraiment tout compris de ce qui s'est passé ; ils semblent étonnamment calmes.

Madame Patenaude sert du café, avec des biscuits, puis quitte le salon. Pierrino contemple les sablés – les biscuits que Senso aimait tant. Jiliane est la première à se servir. Après une hésitation, il en fait autant. Pendant un moment, on n'entend que le tintement des cuillères dans les tasses.

« Qu'allez-vous faire maintenant ? » demande enfin dom Patenaude.

Pierrino est surpris : il s'attendait à être interrogé sur le passé, non sur l'avenir.

« Je mettrai l'enfant au monde, dit Jiliane d'une voix égale.

— Et ensuite ? » domma Castelet, tout aussi sereine. Pierrino l'observe à la dérobée, stupéfait.

« Je ne sais pas. »

Une simple constatation – ni impuissance ni inquiétude.

Pierrino ne sait pas non plus, mais il se sent plus incertain. Cette enfant… Leur enfant, celle de Senso, et de Jiliane. Une enfant du Dragon. Comme les deux fils encore à naître, là-bas, à Garang Xhévât.

Des Natéhsin nouvelles, par qui le cycle interrompu pourrait reprendre d'une façon qu'il ne parvient pas à imaginer. Est-ce ce que croyaient, ce que désiraient, Nandèh et Feï ? Et Jiliane, que croit-elle ? Ils n'ont parlé de presque rien. Elle s'est rendue dans le jardin de Grand-mère, elle y a passé le plus clair de ces trois jours. En *igaôtchènzin* ? En simple méditation ? Lui, après avoir brièvement rencontré les évêques, qui n'ont pas voulu l'interroger trop avant par égard pour son deuil, il est resté à l'Auberge des Capitouls. Jiliane est retournée dans leur chambre à la maison. Il ne s'en est pas senti capable.

C'est Jiliane ensuite qui rompt le silence : « Et vous, qu'allez-vous faire ? »

Pierrino lui jette un coup d'œil alarmé. Elle est tendue. Est-elle prête à subjuguer les ecclésiastes, comme Gilles l'avait fait des siens, pour s'assurer leur silence ?

« Nous allons attendre, dit dom Patenaude, avec une lenteur délibérée. Nous devons méditer ce que nous avons appris.

— Nous allons prier », dit domma Castelet de la même voix posée, compatissante.

Ils ne diront rien ? Ils continueront de dissimuler même à leurs collègues, aux évêques, aux hiérarques ?

Dom Patenaude doit voir sa surprise, car il se penche vers lui pour poser une main sur son bras : « Une si longue histoire, Pierrino. Une destinée si obstinée… Il ne nous appartient pas de juger les desseins de la Divinité.

— Elle vous a choisis », enchaîne domma Castelet, grave. « C'est un fardeau auquel nous ne devons point ajouter. Elle vous éclairera encore, j'en suis sûre. Et elle saura nous guider aussi. »

Des paroles d'Harmonie, de Charité, qu'il n'aurait jamais attendues d'eux. Ils se lèvent. Avec Jiliane, il les imite. C'est tout ce qu'ils voulaient ? Non point leur poser les questions appréhendées, mais leur faire comprendre qu'ils les soutiendront dans leurs décisions ? Avec une légère honte, Pierrino regarde son vieux maître, plus en paix qu'il ne l'a jamais vu, et domma Castelet, illuminée par une foi qui n'a pas été ébranlée, qui sort même renforcée de l'épreuve, dirait-on. Ils ont accompagné leur enfance, leur adolescence, et il ne les connaissait pas.

Jiliane les embrasse l'un après l'autre. Des larmes scintillent dans ses yeux. A-t-elle pensé, elle aussi, à la rose et à ses épines, en ce lointain dimanche d'un autre printemps, au sang qui a perlé sur sa main, à la bonne voix apaisante de dom Patenaude, "Là, là, c'est fini", alors qu'il embrassait la blessure pour en effacer la douleur ?

Leurs regards se croisent, et il comprend : Jiliane n'a jamais eu l'intention de les subjuguer – elle était prête à se plier à leur choix.

60

Accoudé au bastingage de *L'Aigle des Mers*, Pierrino contemple les vagues en laissant ses pensées en suivre le long rythme paisible. Je suis de nouveau en route vers le sud et l'est, Senso, et encore avec Haizelé. Vers la même destination qu'auparavant, mais cette fois, j'en verrai toutes les escales.

Ils emmènent les deux Natéhsin et l'enfant au Hyundzièn, bien sûr. On en est sans nouvelles officielles. Gorut Ayvanam règne toujours. A-t-il cessé de persécuter les talentés mynmaï ? Il a peur de la magie, Gorut. Trop sauvage, la magie mynmaï. Et somme toute, les mages géminites n'ont-ils pas peur aussi de la leur, pour l'avoir ainsi contrainte depuis des siècles, encadrée de règles et d'interdits ? Ah, Gorut, vaut-il mieux des rues bien propres et bien éclairées, sans Dragons, ou des Dragons dans des jungles qui ne connaîtront jamais de rues ? Mais les Dragons sont partout, et nous choisissons ou non de les voir. D'ailleurs, Senso dirait que la Divinité ne pense pas en blanc et noir. Un troisième terme, une conciliation à venir, à rechercher ? On ne sait après tout quels ont été les effets de l'ambercite pendant sa longue utilisation en Europe. Peut-être lui doit-on la multiplication des nouveaux talents, ceux qu'on induit par le sommeil magnétique…

Un mouvement derrière lui, il ne se retourne pas, il sait qui vient s'accouder près de lui. Feï, qui est aujourd'hui Félicien, et Nandèh, qui est Nadine. Elles ont recommencé de s'échanger les pendentifs qui leur ont été rendus. Feï lui sourit : « La petite s'est finalement endormie. »

Il hoche la tête sans répondre, laisse de nouveau son regard se perdre dans les vagues. Nandèh, Feï, leurs efforts pour changer leur destin, pour survivre à leur existence mutilée de Kurun – comme la sienne et celle de Jiliane ont été mutilées de Senso. Changer la Prophétie du Fantôme Blanc, et celle, ensuite, de son châtiment. Insondables prophéties. Prises dans les rets des désirs humains, elles ne peuvent jamais se réaliser exactement, peut-être à cause de cela, parce que les humains, sans cesse, font rouler les dés.

Elles ont jeté leurs dés, ces Natéhsin, elles ont choisi et n'ont jamais cessé de choisir. Elles ont appris cette leçon de Gilles, et qui peut les en blâmer ? On n'est pas seulement ce qu'on a été destiné à être, on ne peut se laisser posséder par le passé. La Charité peut guérir les âmes des morts, mais les âmes continuent leur propre chemin, comme les vivants doivent vivre leur propre vie, à travers les illusions des désirs, des craintes, des regrets. Il garde espoir que Jiliane suivra un jour la même voie.

Et lui, après avoir donné l'enfant à Garang Xhévât, il repartira avec Haizelé. Ce qui arrivera ensuite en Mynmari… Les peuples aussi doivent jeter leurs dés : c'est aux Mynmaï de choisir leur destin.

Haizelé veut se rendre dans les Atlandies, comme elle en avait rêvé autrefois avec Rahyan. Il la suivra.

Il ne peut vivre à Aurepas, ni à Lamirande, il s'en est rendu compte pendant cette trop lente année où il a regardé l'enfant croître si normalement dans le ventre de Jiliane. Partir, repartir, le désir s'en est affirmé en lui pendant ces mois où, avec monsieur Fleurizey, il a géré les affaires de Sigismond, où il a rencontré les émissaires royaux et ceux de la Hiérarchie, où il a dit ce qu'il pouvait dire, et une partie de ce qu'il devait dire, mais avec le sentiment lancinant, exaspérant à force, que rien de tout cela ne le concernait plus, ne l'avait jamais concerné. Lorsque Haizelé, d'un air indifférent, lui a parlé du voyage qu'elle projetait, sans le regarder, il a senti cet accord en lui, ce soulagement, cette libération… Oui, un autre voyage avec Haizelé et son équipage de marins décrochés de leur temps, mais dépourvus d'amertume comme d'avidité. Haizelé, qui sait, qui comprend, mais qui se trouve à la bonne distance de tout cela, qui n'a pas vraiment trempé dans toute cette longue histoire obstinée, comme disait dom Patenaude : Haizelé, une simple spectatrice dans les coulisses.

Eh bien, pas tout à fait. Elle a agi comme il le fallait, lorsqu'il le fallait dans sa propre histoire, elle en a généreusement accepté les intersections avec la leur.

Partir. Et tant pis si c'est comme un oubli, comme une fuite. Mais Jiliane a dit "non", lorsqu'il a parlé ainsi. Elle a dit : "Parfois, il faut partir." Elle a même ajouté : "Parfois, il faut oublier, pour revenir ensuite." "Et si je reviens, repartiras-tu avec nous ?" Elle lui a souri, tendrement, mais ses yeux dorés avaient un éclat mélancolique : "Les dés roulent encore."

Lorsqu'il est parti, sur le quai de Saint-Marsal où *L'Aigle* l'attendait, elle lui a donné une petite boîte ronde. "Ouvre-la en mer."

C'était le tambour des esprits.

◆

Tout en s'avançant dans le couloir, Jiliane ouvre
la Chambre rouge. On y entre désormais de plain-pied,
il n'y a plus de marche invisible où trébucher. Avec
le temps, les murs en prennent une couleur d'ambrose
de plus en plus distincte, avec des zébrures dorées, à
mesure que leur substance à tous se diffuse dans
l'Entremonde – Kurun, Agnès, Ouraïn, Senso. Une
lente, si lente guérison. Les morts ne sont pas ce que
dit le catéchisme géminite, apaisés, bienveillants.
Les morts ont des dents, ils ragent, ils continuent de
souffrir et de haïr, des âmes deviennent folles dans
les Maisons d'illusion... Peut-être les offrandes
peuvent-elles les apaiser, mais parfois, la seule bonne
offrande est un sacrifice de sang.

Jiliane s'assied au petit guéridon, le seul meuble
désormais de la Chambre rouge avec les deux fauteuils
qui se font face de part et d'autre. Elle sort de leur
boîte les cartes du Hushièn et commence de les retourner.

Upadisin, le Palanquin, à l'endroit, voilà qui augure
plutôt bien, Pierrino : "mouvement, voyage sur terre,
évolution dans le monde matériel, richesse et pouvoir ;
triomphe, maîtrise, harmonisation pacificatrice". Sept
de Mémoire, à l'endroit : "espoir de réconfort profond".
Les Mages d'Équité, mais tout vient donc à l'endroit
aujourd'hui ! : "une âme de l'Entremonde s'est ré-
incarnée" – Oh, Senso, est-ce toi ?

Elle s'immobilise, la main sur la carte suivante :
est-ce une véritable divination ? Découvre-t-elle la
forme de l'avenir ou lui en impose-t-elle une ? Ouraïn
elle-même n'en était pas certaine, ni Kurun avant
elle. Elle n'en sait pas davantage. Mais le rituel des
cartes est apaisant, désormais. Sinon l'avenir ou le

passé, il lui indique du moins où elle se trouve dans le présent, par les interprétations qu'elle choisit de s'en donner. Qu'elle se donne peut-être en se donnant les cartes : qui sait ce qu'elles montrent, tant qu'elle ne les a pas retournées ? Elle est, après tout, une Natéhsin. La substance du monde ne danse-t-elle pas avec elle ?

Une idée qu'aurait pu avoir Senso, Pierrino aussi bien. En souriant à ses absents, elle retourne la quatrième carte. Retient son souffle, le laisse s'échapper. Le Prince de Vengeance, à l'envers. "Un ennemi personnel est rendu impuissant." Eh bien, voilà une réponse, si l'on veut : l'univers lui dit oui et non en même temps. Car le verdict de la carte est vrai et faux. Si Gilles ne peut plus rien sur autrui, il n'a pas pour autant perdu tout pouvoir sur lui-même.

Elle caresse le dos de la carte que la poussière d'ambrose rend un peu rugueux. Aujourd'hui peut-être, Gilles, Sigismond, Grand-père, qui n'est pas son ennemi, viendra se joindre à elle, comme elle l'y a invité. Il ne l'a encore jamais osé. Elle ne l'a pas vu depuis plus d'un an. Il vit au pavillon ou à Lamirande, plongé dans ses livres et, parfois, très rarement, comme un baume auquel il ne se sent pas avoir droit, dans la peinture. Il s'est retiré de la politique, au grand dam de la Royauté et des hiérophantes, dont il a systématiquement fait éconduire les émissaires. Mais qu'y peuvent-ils ? L'ancienne Émorie demeure un vaste trou noir et muet, d'où rien ne sort plus. Pierrino appelé en renfort a simplement déclaré qu'il était trop tôt. On a dû se contenter de cette phrase laconique.

Il continue de vivre, Gilles, avec son bracelet d'avers. Une façon pour elle de le protéger, et de se protéger d'elle-même : elle ne se fait pas entièrement confiance. Il ne peut se tuer non plus, ni trouver refuge dans la folie. Il a tous ses souvenirs, il doit vivre avec eux. Une forme de torture, sans doute. Mais seulement parce qu'il y a de l'humanité en lui. Il y en a toujours eu. Il n'a jamais été un monstre, simplement un être humain aux faiblesses magnifiées par la magie. Il est capable de remords, n'est-ce pas ? Sinon, pourquoi aurait-il essayé de se faire oublier ses erreurs, ses fautes, ses crimes ?

Elle se rappelle la question que Pierrino s'est posée à haute voix, le soir de la sublimation d'Ouraïn. Après la mort d'Agnès, Sigismond Garance, cette personnalité-là, cette *personne*-là, cet homme nouveau construit de toutes pièces, de quoi était-il coupable ?

Elle n'a su que répondre. Et comme Pierrino, après lui avoir souhaité le bonsoir, restait immobile à son chevet, l'air perdu, elle a tapoté le lit près d'elle, et il est venu se coucher là dans ses bras. Il s'est mis à pleurer, blotti contre elle, comme a toujours pleuré Pierrino, pas de hoquets, pas de sanglots, mais un soudain déluge silencieux qui s'est lentement transformé en sommeil. Elle s'est demandé, en écoutant son souffle contre son cou, si elle pleurerait un jour.

Gilles ne pleure pas non plus. Peut-être en est-il incapable. Peut-être n'ose-t-il pas. S'il devait pleurer toutes les larmes de son corps, que resterait-il de lui ? Pas même une peau translucide comme celle du serpent, sur l'autel secret de leur enfance toujours dissimulé au fond de l'armoire de Senso. Non, il ne doit pas pleurer. Il doit se souvenir. Elle le maintiendra en vie aussi longtemps qu'il le faudra, aussi longtemps qu'elle-même – et ni Nandèh ni Feï ni Chéhyé n'ont pu lui dire de quelle longueur sera cette durée. Aussi longtemps qu'il le faudra pour qu'il soit capable de venir la trouver dans cette chambre où elle l'a invité. Capable de la voir. Capable de la regarder en face. Capable d'entrer pour de bon dans la Maison d'Équité.

Aussi longtemps qu'il faudra pour qu'elle soit capable de lui pardonner.

Aussi longtemps qu'il faudra pour qu'ils soient capables, l'un et l'autre, de se pardonner à eux-mêmes et d'aller plus loin.

Pierrino a commencé ce voyage ; elle le fera peut-être un jour.

Elle retourne la dernière carte. Mais la Maison de Pardon ne sort jamais. C'est la Maison de Mémoire. Non point la Reine – elle est morte, la Reine de Mémoire, Ouraïn, Grand-mère – mais la Princesse, à l'endroit : "naissance d'une héritière qui assurera l'avenir".

Elle repose la carte, croise les mains sur son giron, sur le vide indolore mais toujours présent, et qui ne disparaîtra jamais. Chacun son châtiment.

Un pas dans le couloir. Est-ce lui ? Non, c'est Chéhyé qui vient la trouver pour lui dire que le repas sera bientôt servi dans le jardin.

Elle range les cartes avec un soupir. Elle s'en ira ensuite retracer les pas de Grand-mère le long des allées d'ambrose et d'orcite. Elle aussi doit prier. Elle aussi doit expier. Théodora, Senso, Pierrino. Mais surtout Senso. Elle a eu de l'aide, elle, lorsque son talent s'est déclenché. Elles l'ont protégée, malgré tout, Grand-mère, Nandèh, Feï. Mais il n'y avait personne pour aider Senso, lorsqu'il est tombé vers elle, vers Alexis.

Elle ne repousse pas la protestation intérieure. Cela lui passera, cette terrible, cette inutile culpabilité, et son réflexe de s'en défendre. Elle doit s'en donner le temps aussi. Non, elle ne savait pas ce qu'elle faisait. Non, elle ne savait pas qui elle était – elle ne le savait

plus depuis sa première nuit de sauvages métamorphoses avec Théodora ; seule la Carte la rendait à
elle-même, mais sans souvenirs au matin. Avec seulement des brindilles d'histoires, flottant dans la tête
fantasque d'Alexis, et qui sont allées nourrir la pièce
de Senso.

Elle se lève. Va à la fenêtre. Il y a une fenêtre, à
présent, dans la chambre magique. Elle donne sur
toutes les Maisons de la Déesse et, lorsqu'on s'y
penche, on peut voir partout, on peut être avec n'importe qui, et n'importe quand.

Et elle est au Rimboul, où elle se contente de voir
l'ancêtre, le fondateur du monastère et de la Maze
des Enfants, l'homme au visage doux en robe blanche
de frère Albin, et il voit la petite Jiliane dans le pro-
menoir du Rimboul, comme ils se sont vus lorsqu'elle
était enfant – mais il portait une robe verte alors,
mystère qu'elle ne cherchera pas à élucider même si elle
revient souvent à ce moment, oh oui, dom Patenaude,
la Déesse est obstinée et prépare longuement ses desseins… Elle voit Gilles adolescent, innocent, débouler
l'escalier de la maison, sacoche d'écolier à la main,
tout joyeux parce qu'il va revoir Amélie. Elle est
Gilles qui peint Amélie en secret, Gilles qui embrasse
Amélie, Gilles qui perd Amélie…

Et puis, le cœur un peu serré, elle se permet de
voir les trois enfants sur la place, ce dimanche-là, la
tête levée vers la façade où venait d'apparaître la
fenêtre-de-trop, mais elle ne peut se résoudre à voir
cela avec l'enfant Jiliane. Elle se coule en Pierrino,
et il ne le sait pas mais c'est elle qu'il voit à la fenêtre-
de-trop, dans sa robe bleu-mauve, et elle, elle sait
que l'enfant Jiliane, possédée par la folie d'Agnès
qui rage en elle, ne peut voir que le rouge de la
Chambre et continuer d'être seule, dans son indicible
angoisse.

Devrait-elle, comme elle le pourrait, les faire tous glisser dans une autre Maison de la Déesse, où Senso est encore vivant, où Pierrino n'est pas reparti, où leur merveilleuse, leur effrayante enfant ne naîtra jamais? Mais non. Elles ont essayé, les Natéhsin, chacune à sa façon – Nandèh et Feï en cachant la Carte là où elles espéraient qu'on ne la trouverait pas, Grand-mère en refusant si longtemps de s'occuper d'eux, de les aimer, de vouloir les sauver. Elles voyaient toutes les Maisons: comment savoir laquelle s'ouvrirait pour eux? Elles n'avaient que la très ancienne vision de Kurun, et leurs propres choix à toutes, d'agir, ou de s'en abstenir.

Cette fenêtre enfin ouverte dans l'ancienne prison de la Chambre rouge: est-ce Ouraïn qui me fait signe, ou Agnès? Est-ce moi-même? Un espoir, en tout cas. Lorsque Gilles aura tiré la carte de Pardon, il fera ce qu'il fera. L'avenir est ouvert.

Et moi, quand je l'aurai tirée aussi, cette carte, comment jouerai-je?

Elle s'accoude au balcon, toujours surprise de le trouver si matériel, de sentir sous ses bras nus le bois de la rambarde qui couronne les volutes de fer forgé. Devant elle, sous elle, la place du temple étend ses petits pavés ronds sous les pieds des passants, des chevaux, des chiens. Tout au fond du paysage désormais apprivoisé, il y a le temple, avec sa coupole sous laquelle fleurit le Saint-Rosier et sa nef sous laquelle sommeille la créature de lumière. Au-dessus de la place du temple, au-dessus des toits d'Aurepas, tourne un grand nuage de petits points noirs, des oiseaux d'automne, prêts à leur migration saisonnière. Trois essaims de centaines de passereaux, qui dansent dans le ciel gris-bleu à la lumière perlée d'octobre.

Ils forment des sphères distinctes, aux contours mouvants, qui se pénètrent pour s'éparpiller aussitôt

mais se reconstituent un peu plus loin, chacune de
son côté. Elles s'étirent ou se ramassent, l'une en
une sorte de triangle, l'autre en un ovale couché, la
troisième en une nappe verticale aux replis ondulants. Puis elles retombent les unes vers les autres,
comme attirées par un invisible aimant, s'assemblent
en tourbillonnant, une masse sans forme qui se scinde
de nouveau, car déjà l'essaim éclate, tel un bouton
de rose brusquement épanoui, et l'instant d'après,
ses trois pétales fusionnent, pour se séparer, se rassembler, se confondre encore, un cœur palpitant,
une fleur habitée par les rythmes du soleil – ou les
âmes égrenant les harmonies de la danse divine. Est-
ce Senso, peut-être, ou Grand-mère, qui lui font
signe ?

Un instant, Jiliane croit distinguer une tête au
long mufle, à laquelle les deux autres nuages ailés
ajouteraient ici une patte massive, là une queue tor-
tueuse, mais déjà elles se dissipent. Qui choisit ces
évolutions ? Y a-t-il dans chaque essaim un oiseau
que les autres suivent, ou se suivent-ils les uns les
autres, chacun détenant une parcelle de la psyché
collective dont seul l'essaim tout entier manifesterait
la volonté ? Veulent-ils ? Désirent-ils ? Choisissent-ils ?
Est-ce le hasard qui leur fait prendre ces configur-
ations fugitives, les abandonner pour d'autres
dessins, d'autres desseins, se fuir et se rassembler
encore et encore ? Est-ce la Divinité qui joue,
Huètman' la Jongleuse, amusée de sa création ?

Jiliane soupire, mais elle sourit en même temps.
Elle ne sait jamais si elle voit par cette fenêtre le
vrai paysage ou son reflet dans l'Entremonde, un
Entremonde de sa propre création. Comme si son
soupir en était le signal, elle sent la Chambre rouge
se dissiper autour d'elle, mais elle est toujours ac-
coudée à la fenêtre, à une fenêtre, la fenêtre de leur

chambre d'enfants. Et dans le ciel, tout à son rituel d'incompréhensible harmonie peut-être magique, le triple nuage des petits oiseaux, des petites âmes, s'abandonne joyeusement à sa danse.

Ici s'achève
La Maison d'Équité,
cinquième et dernier livre de
Reine de Mémoire

mars 1999-19 juin 2006

LEXIQUE

Langue mynmaï, quelques racines et mots…

Amah : Maman (familier)

Chéhyélin : (nom toujours porté par l'un des trois Ghât'sin de la Maison Phénix) le Serviteur du Nez et de la Bouche)

Chépan'yèn : secte qui adore la Lune et le Soleil

Gânu : Papa (familier)

Gaohletzé : nom personnel d'une des Ghât'sin attribuée à la triade de Kurun

Garang Xhevât : la cité sacrée des Natéhsin

gatgoÿ : corne-de-dragon (poignard magique, semblable à un kriss malais, utilisé par les Ghât'sin ; la poignée en est une corne de dragon blanc)

Ghât : métis de Ghât'sin et d'humains

Ghât'sin : mages métis Natéhsin-humains ("les Griffes du Dragon")

Ghâtxhèngao : gardien, éducateur, maître (des jeunes Natéhsin et des Ghât'sin)

Goïtun : Secte du Fantôme Blanc (interprétation négative de la Prophétie)

Goïzièn : jeu des Cinq Maisons

Gzutchèn : les humains

Hexhaïngao : Secte du Phénix/du Recommencement (interprétation positive de la Prophétie)

Huètman' : La Divinité

Hulungasuchèn : secte dominante, adorant les Natéhsin

Hundu : secte qui adore La Mort et la Danse

Hupenhgao : ambrosier, l'arbre (sacré) qui produit l'ambrose (résine fossilisée)

Hushièn : jeu divinatoire

Hutut(sientchènzin) : la substance primordiale, le Chaos d'avant la Création

Hutut'ntsin : secte des Enfants du Chaos (secte qui prône de faire beaucoup d'enfants magiques)

Huxhan xhèngan' : le petit festival (annuel)

Hyundzièn : pays des dragons (Mynmari)

Hyundètsyèn ou *hètsyièn* : orcite (Souffle du Dragon)

Hyundgun : secte de la "Voie du Dragon"

Hyundhuxhu : Festival du Dragon (le grand festival natéhsin)

Hyunditun : le Dragon Blanc (surnom péjoratif de Gilles)

Hyunditungao : Secte du Dragon Blanc (pro-Gilles)

Hyunduntchinsèn : Fils du Dragon (surnom de Gilles)

Hyundxhaïgao: Le Dragon de Feu

Hyungdun Hêt'man (litt. la Promenade du Souffle Sacré/de Huetman', le cycle, la révolution), période de 125 ans = un siècle mynmaï

igaôtchènzin : "participation", diffusion de la magie, flux de la substance divine entre la terre et le ciel par l'intermédiaire des Natéhsin

Igaotchènzu, ou *Igaotchènsu* : mandala de l'igaôtchènzin (équivalent du Labyrinthe de la Rose pour les Géminites)

ih (prononcé ish ou ishï) : non

Ihundchètman : nom du domaine Garance en mynmaï (La Miranda)

Itun : fantôme blanc (nom péjoratif donné aux Européens)

li-li : petit oiseau couleur bronze au chant très mélodieux

Luhsingao : secte des Trois Ancêtres de l'Ouest

Lungahsun' : le Mariage (procréation des Natéhsin, des Ghât et des yuntchin)

lungao : équivalent du feng shui (littéralement : musique-harmonie de l'espace)

lungasunchèn (abrégé *lungasun'*) : mariage (union, fusion)

lunzinzièn : psychosome (littéralement : la musique-pays d'équilibre)

Myn'mari : le Mynmari

Mynmaï(susen) : les Mynmaï, un Mynmaï (les habitants)

Natéhsin : les Trois Ancêtres, Enfants du Dragon

Natsin (dialecte kôdinh) péjoratif : sorcier (littéralement : trop de parents)

Nèhyélin : (nom toujours porté par l'un des trois Ghât'sin de la Maison Phénix), le Serviteur des Mains et des Jambes

nomh : fleuve, rivière

Patgay Hyuxaïgao : la Chambre du Dragon de Feu

pegahunti : cheval

Pengcao : le Fleuve Ascendant (nom du Nomhtzé pendant la crue du printemps)

tan'peh : ambrose (sang de la forêt)

tchènzin : harmonie des opposés, Harmonie

Tungâneh : secte de l'Origine Vide (qui prône la non-procréation)

Tyènlun : Petite Musique/Merveille (surnom affectueux d'Ouraïn)

uh (prononcé oush) : oui (≠ non : ishï, ish)

Unt'xhèngao : secte de la "Voie de Droite"

Untihyundgâneh : secte de l'Enfant Élue

Untitchènsu : Abomination (nom péjoratif donné par les Mynmaï à Ouraïn)

Untitunsè : Fille du Fantôme, autre surnom d'Ouraïn

Xhégunté : secte de l'Œil Caché

Xhéhyélin : (nom toujours porté par l'un des trois Ghât'sin de la Maison Phénix), le Serviteur des Yeux

Xhèngalao : secte de la "Voie de Gauche"

yuntchin : magicien (enfant des Ghât et des humains)

Zéuhsin : secte de la "Voie des Trois Parfums"

zièn : maison (aussi "sphères divines")

Les arcanes du jeu divinatoire :

1. le Dragon Fou : *Hyundigao*
2. le Phénix : *'Xhaïgao*
3. le Fleuve/Serpent : *Nomghu*
4. le Dragon de la Montagne : *Hyundpènh*
5. la Reine : *Xhingaosun*
6. le Roi : *Xhingaosèn*
7. les Amants : *Ugaché*
8. la Jongleuse/la Magicienne : *Huèt'manxhun*
9. la Voie/Le Pèlerin : *Yghund*
10. la Sagesse/Le Sage : *Uhsisin*
11. l'Arc-en-ciel/l'Aveugle : *Téligun*
12. le Palanquin : *Upadisin*
13. la Tour : *Hétyunmyèn*
14. la Coupe : *Yidchin*

15. l'Étoile : *Ugépan*
16. la Lune/Dragon de l'Eau : *Hétchoÿ*
17. le Soleil/Dragon du Feu : *'Xaïo*
18. la Tempête : *Undhèt*
19. le Fleuve Ascendant : *Pengcao*
20. la Mort : *Yuntun*
21. la Danse : *Hundgao*

Les cinq suites :

Sceptre : *Xhingan* (Maison de Mémoire)
Flèche : *Xhèngan* (Maison de Vengeance)
Coupe : *Yidchin* (Maison d'Oubli)
Étoile : *Ugépan* (Maison de Pardon)
Balance : *Yungtchèn* (Maison d'Équité)

REMERCIEMENTS

La gestation et surtout la rédaction de ce roman ont été bien longues, et elles ont bénéficié, dans leurs commencements, de la générosité du Conseil des Arts du Canada et du Conseil des Arts et Lettres du Québec, que je tiens à remercier ici.

Écrire de la fantasy uchronique, surtout lorsqu'elle se déroule sur au moins deux continents, exige également des recherches, et j'y ai été aidée par plusieurs informateurs bien placés : les Français Antoine Dorcier, Jean-Claude Dunyach, Corinne Guitteaud, Sylvie Laîné, Patrick Marcel, Jean-Pierre Planque, André-François Ruaud, et le Québécois Jean-François Touchette – sans oublier le syndicat d'initiative de la ville de Mirepoix, dans l'Ariège. J'ai également discuté de plusieurs aspects spécifiques de mon univers inventé avec quelques oreilles compatissantes : Thibaud Sallé, Rodrigue Villeneuve. Enfin et surtout, j'ai torturé un certain nombre de pré-lecteurs, dont les commentaires m'ont été précieux : Jean-Claude Dunyach, Jean Pettigrew, Daniel Sernine, Jean-Pierre Vidal, et surtout Mario Tessier, qui s'est prêté de si bonne grâce au jeu des lectures (répétées) et des commentaires (détaillés).

Une gratitude toute particulière à mon vieux complice, Bertrand Méheust, dont les ouvrages n'ont jamais cessé de me titiller les neurones depuis près de trente ans, en particulier le dernier, *Somnambulisme et Médiumnité*, (SynthéLabo, coll. Les Empêcheurs de Penser en Rond, 1999).

Je voudrais enfin remercier celui qui m'a soutenue au cours de ce long et souvent difficile voyage : mon compagnon, Denis Rivard, pour tous les kilomètres parcourus à ma place ou avec moi, dans les univers réels ou inventés avec lui.

ÉLISABETH VONARBURG...

... est une des figures les plus marquantes de la science-fiction québécoise. Elle est reconnue tant dans la francophonie que dans l'ensemble du monde anglo-saxon et la parution de ses ouvrages est toujours considérée comme un événement. Outre l'écriture de fiction, Élisabeth Vonarburg pratique la traduction (*la Tapisserie de Fionavar*, de Guy Gavriel Kay), s'adonne à la critique (notamment dans la revue *Solaris*) et à la théorie (*Comment écrire des histoires*). Elle a offert pendant quatre ans aux auditeurs de la radio française de Radio-Canada une chronique hebdomadaire dans le cadre de l'émission *Demain la veille*.

Depuis 1973, Élisabeth Vonarburg a fait de la ville de Chicoutimi son port d'attache.

EXTRAIT DU CATALOGUE

ALIRE

Collection « Romans » / Collection « Nouvelles »

VOUS VOULEZ LIRE DES EXTRAITS
DE TOUS LES LIVRES PUBLIÉS AUX ÉDITIONS ALIRE ?
VENEZ VISITER NOTRE DEMEURE VIRTUELLE !

www.alire.com

REINE DE MÉMOIRE 5. LA MAISON D'ÉQUITÉ
est le cent seizième titre publié
par Les Éditions Alire inc.

Il a été achevé d'imprimer
en mars 2007 sur les presses de